マンガでわかる!
10才までに覚えたい
言葉1000

●難しい言葉 ●ことわざ ●慣用句
●四字熟語 ●故事成語 ●カタカナの言葉

王様《おうさま》、私《わたくし》は真実《しんじつ》を申《もう》します…!
はだかです!
プリーン

まる学習会代表
高濱正伸 監修

はじめに

この本《ほん》は、キミたちが初《はじ》めて知《し》る言葉《ことば》や、大人《おとな》が使《つか》うような言葉《ことば》がたくさん入《はい》っている、言葉《ことば》の宝箱《たからばこ》です。

私《わたし》はこれまで、4才《さい》の子《こ》から大学受験生《だいがくじゅけんせい》まで、あらゆる学年《がくねん》の子《こ》を教《おし》えてきました。長《なが》年《ねん》やっていると、小学生《しょうがくせい》だった子《こ》が大人《おとな》になるまでの成長《せいちょう》を見届《みとど》けることができます。

大人《おとな》になったときにかっこいい大人《おとな》とは、どんな人《ひと》でしょう？

みんなから必要《ひつよう》とされていて、人《ひと》の役《やく》に立《た》つ仕事《しごと》を楽《たの》しそうにしている人《ひと》、つまりは「人《ひと》を笑顔《えがお》にできる人《ひと》、人《ひと》を幸《しあわ》せにできる人《ひと》」だと私《わたし》は思《おも》います。これまでいろいろな人《ひと》と一緒《いっしょ》に過《す》ごしてきて、私《わたし》は、大人《おとな》として魅力的《みりょくてき》な人《ひと》たちには、ある特長《とくちょう》があることに気《き》がつきました。それは、「言葉《ことば》がしっかりしている」ということです。国語《こくご》のテストの点数《てんすう》がよいということとは少《すこ》し違《ちが》います。いくつか挙《あ》げましょう。

①正《ただ》しい言葉遣《ことばづか》いができる人《ひと》かどうか。

お代《か》わりするときに、「お茶《ちゃ》！」とだけ言《い》っていないでしょうか？　本当《ほんとう》は、「お茶《ちゃ》のお代《か》わりを1ぱいください」です。日常《にちじょう》の全部《ぜんぶ》が全部《ぜんぶ》、きちんとし過《す》ぎなくてもよいけれど、正《ただ》しい文章《ぶんしょう》をわかっていることは大切《たいせつ》です。

②たくさんある言葉《ことば》の中《なか》から、ぴったり合《あ》った言葉《ことば》を使《つか》えるか。

例《たと》えば、「スイミングスクールでほめられて楽《たの》しかった！」って聞《き》いて、どう思《おも》いますか？　「ん？　なんか変《へん》！」って気《き》づきましたか？　「楽《たの》しかった」ではなく、ここは「うれしかった」がぴったりですね。

③聞《き》いたことにきちんと答《こた》えることができるか。

おうちの人《ひと》に「宿題《しゅくだい》は終《お》わったの？」と聞《き》かれたとき、「ていうか、腹《はら》へった」と返《かえ》していないかな？　きちんと答《こた》えるということは、「宿題《しゅくだい》は終《お》わったよ。おやつはある？」というように、質問《しつもん》に対《たい》してきちんと返事《へんじ》をするということです。

④大事《だいじ》なポイントをひと言《こと》でまとめられるかどうか。

おもしろい本《ほん》を読《よ》んだとき、「最初《さいしょ》にAさんが○○をしてね、次《つぎ》に○○で、そのあと○○で…」と、ついあったことを全部《ぜんぶ》伝《つた》えたくなってしまうけれど、相手《あいて》はどんな話《はなし》なのか知《し》らないのだから、「この話《はなし》は、Aさんが○○した話《はなし》だったよ」とひと言《こと》でまとめてから、くわしい話《はなし》をしてあげたいよね。

ほかにもたくさんあるけれど、いずれにせよ、こういう「言葉《ことば》への真剣《しんけん》さ」とも言《い》うべきものが、人生《じんせい》では大切《たいせつ》になります。そして、その土台《どだい》に、豊《ゆた》かな語彙力《ごいりょく》＝言葉《ことば》をたくさん知《し》っているかどうかということがある。この本《ほん》は、その土台《どだい》をつくる本《ほん》です。言葉《ことば》と一緒《いっしょ》にのっているマンガは、「あ～、あるある！」と、みんなが思《おも》うような身近《みぢか》な場面《ばめん》ばかりのはずです。大《おお》いに笑《わら》い、おもしろいマンガがあれば、おうちの人《ひと》に教《おし》えてあげてください。

これを読《よ》んだみなさんが、たくさんの言葉《ことば》を身《み》につけ、大人《おとな》になったときに、たくさんの物事《ものごと》に感動《かんどう》し、考《かんが》え、自分《じぶん》の言葉《ことば》で周《まわ》りの人《ひと》たちに伝《つた》えられる、説得力《せっとくりょく》と魅力《みりょく》あふれる人《ひと》になれますように。

花《はな》まる学習会代表《がくしゅうかいだいひょう》
高《たか》濱《はま》正《まさ》伸《のぶ》

地頭のいい子に育つ高濱メソッド!

おうちのかたへ

「学ぶ楽しさ」を育むことが思考力の基礎

【国語力はすべての学力の土台になる】

この本は、子どもたちの語彙力《ごいりょく》、言葉の力を伸ばす本です。

私は長年4~15才の子どもたちを教えてきました。また、その子たちが、大学受験・就職・結婚と、育っていく姿も見てきました。このように、成長を継続して見ることで「あと伸びする子」の一大特徴に気づきました。それは、言葉がしっかりしていることです。一般的に国語の成績がよいということとは違い、「正しい言葉に集中できるか」「豊かに言葉を使えるか」「聞いたことに答えているか」「論点が明確であるか」ということが大事です。

そしてこの力は基本的に、家庭の言葉環境が大きく影響します。例えば、お父さんが「『ぜんぜん大丈夫』っておかしいよ。言うなら、『ぜんぜん問題ありません』だね」と指摘してあげるということです。係り結び一つとっても、おうちのかたがその場でしっかり修正してあげる環境が大事なのです。

また、幼児期の子どもたちの知力の発達は、音声言語が優先なので、将来使えるよい言葉を耳から入れておくことも大切です。子どもたちのやる気という面でも、「発声する」ことが非常に重要です。子どもたちは、みんなで声を出すということが無条件に好き。花まる学習会ではその特性を活かして、四字熟語や古典の素読を行っています。

これは、音声言語としての語彙力です。音として知っていること。「叱咤《しった》激励《げきれい》」と聞いたとき、何かよくわからないけれど、頑張っている人に言う言葉だなぁ、という感じが、日々積み上がっていることが大事です。さらに、読書はもちろん、長期の学力に反映される主柱と言ってよい課題でもあります。たくさん本を読む人には、読み聞かせが成功した人が多いですね。読み聞かせがうまくいっているご家庭は、ぜひ続けてください。ただし、落ち着かなくて走り回っているタイプの子などに、読み聞かせが定着しないことはままあります。走り回って身体を使って遊んでいる分、数理的思考力の元となる空間認識力を内側に育んでいたりします。安易に嘆いたりせず、図鑑でも百科事典でも、興味をもった書籍に触れる習慣をつけてあげてください。

この本に載っているマンガは、センスが非常によく、笑いの中で、疑似体験をもって、子どもたちが一つひとつの言葉を身につけられるようにできています。本書を使い、豊かな言葉を正しく使って、人前で目の前の人を説得し、味方にし、自分の考えで世界をよくしていける人がたくさん増えますように。

10才までにできること、10才から始めること

まず10才までに意識的に取り組んでいただきたいのは、「聞いたことに正しく答える」ことと、「正しい言葉遣い

を家族みんなで心がける」ことです。子どもが間違った言葉遣いをしたときに音声レベルで、「そこは、楽しいじゃなくて嬉しいだね」などと修正してあげる、家庭の習慣がすごく大切です。

漢字については、楽しさだけではやっていられない部分があります。「やったか、やらなかったか」の世界なので、そこは鬼になって構わないという考えで我々は取り組んできました。範囲を小分けにし、ミニテストを繰り返すのが効果的です。漢字検定などを目標にして、「真剣な戦い」モードをかもし出すことも効果があります。

10才からは、何といっても算数では文章題の読み込みにモレはないか、国語では長文読解ができるかが大きな勝負になってきます。今まで積み上げてきた土台のある語彙力や、正しく言葉を使う習慣、読書を踏まえたうえで、読んでいる文章に何が書いてあるかの「映像化」と「要約」ができるかどうかが重要です。

物語を読んで、書いてある光景を絵に描くこと（立派な絵である必要はありません。棒人間でいいのです）、表現されていることを「正しく」再現できているかどうかが、この「映像化」では問われます。それで、その子の読解能力がおおむねわかります。これは、繰り返していくとだんだん伸びていく力なので、おすすめしています。

あとは要約です。論説文などに、子どもには「題名をつけよう」という言い方でつけてもらいます。その題名が、要約された言葉になっているか。本当にせんじ詰められたものなのかということが勝負になってきます。

本当にそういうことを言いたいのか、かっちり本質に当たっているかということを繰り返していくと、国語力はアップしていきます。

勉強が好きな子にするコツ

これは、このような質問自体が間違っていて、絶対にみんな、本当は勉強が好きなんです。なぜならば、大人になって子育てが終わったり、これまでサボったりしていた人たちは、しばしば、もう一度勉強し直しますよね。究極、衣食住が足りて、人間が何をやるかというと、学ぶことか、人が喜ぶことに注力するかに決まっています。つまり、学ぶことは人の本質なんです。

好きにさせるより、「嫌いにさせない」ということこそが大事。なぜ嫌いになっているかというと、NGワードを言い、言葉でつぶしていることが多いように思います。お母さんのほうが勉強を嫌いにさせてしまう。きょうだいで比べて「なんで弟はできるのに、あなたはできないの？」というひと言を投げかけようものなら、世界でいちばん大好きなお母さんに言われるからこそ、ものすごくやる気を失ってしまうし、勉強って嫌だな、面倒くさいな、いろいろ言われるな、というものになってしまう。

お母さんの言葉は、影響力があるものです。そこで、プラス思考の言葉かけをしてあげる。「覚えるって楽しいよね」「また新しい言葉を覚えたの？」「確かにその言い方いいなあ」などのように。言葉に対するプラスの声かけをしていくと、国語関係では間違いなく成績もよく、のびのびと自分のことを発表できるし、語彙力豊富な素敵な子になると思います。

「覚《おぼ》えたい言葉《ことば》1000」の使《つか》い方《かた》

ためになる!!

0124
日進月歩《にっしんげっぽ》
日《ひ》に日《ひ》に進歩《しんぽ》を続《つづ》けること。

宿題《しゅくだい》も進化《しんか》したな～。
ねている間《あいだ》に宿題《しゅくだい》をやってくれるマシン、できないかな。
あなたも少《すこ》しは進歩《しんぽ》しなさい!

科学技術《かがくぎじゅつ》は（　①　）で、とどまることを知《し》らない。

0125
てっする 徹する
とことん行《おこな》うこと。つらぬき通《とお》すこと。

ギャ
ゴロゴロ
やあっ
や～ら～れ～た～。

私《わたし》は脇役《わきやく》に（　②　）して、主役《しゅやく》をもり立《た》てた。

0126
カジュアル
作法《さほう》にとらわれず、くつろいでいる様子《ようす》。ふだん着《ぎ》。

あっちに不審者《ふしんしゃ》が…。
校長《こうちょう》!?
いやあ、生徒《せいと》に親近感《しんきんかん》をもってほしくて。
ジャーン

（　③　）な服装《ふくそう》をした校長先生《こうちょうせんせい》を初《はじ》めて見《み》た。

答え ①日進月歩 ②てっ ③カジュアル

056

●マンガ
言葉《ことば》の意味《いみ》や使《つか》い方《かた》を表《あらわ》したマンガで、楽《たの》しく言葉《ことば》を覚《おぼ》えられます。

●受験《じゅけん》でよく出《で》る！
中学受験《ちゅうがくじゅけん》で出題《しゅつだい》されることが多《おお》い言葉《ことば》にマークがついています。特《とく》に大事《だいじ》な言葉《ことば》なので、正《ただ》しく覚《おぼ》えましょう。

●言葉《ことば》
日常《にちじょう》で使《つか》われている言葉《ことば》の中《なか》で、難《むずか》しいけれど覚《おぼ》えておくと役《やく》に立《た》つ言葉《ことば》を集《あつ》めました。取《と》り上《あ》げているのは、意味《いみ》や使《つか》い方《かた》が難《むずか》しい言葉《ことば》・ことわざ・慣用句《かんようく》・四字熟語《よじじゅくご》・故事成語《こじせいご》・外来語《がいらいご》を含《ふく》むカタカナの言葉《ことば》・敬語《けいご》などです。
※読《よ》み方《かた》がいくつかある場合《ばあい》は、一般的《いっぱんてき》なものをのせています。また、小《しょう》学校《がっこう》で習《なら》わない漢字《かんじ》の場合《あい》は、漢字《かんじ》が小《ち》さく書《か》いてあります。

●例文《れいぶん》
「マンガ」と合《あ》わせて読《よ》むと、より効果《こうか》的《てき》にその言葉《ことば》の使《つか》い方《かた》を理解《りかい》できます（一部《いちぶ》マンガと対応《たいおう》していない場合《ばあい》もあります）。

●意味《いみ》
広《ひろ》く使《つか》われる意味《いみ》を中心《ちゅうしん》に取《と》り上《あ》げています。

楽《たの》しい!!
使《つか》える!!

「マンガでわかる！ 10才《さい》までに

0124 ▶▶▶ 0126

身《み》についた言葉《ことば》の力《ちから》を確《たし》かめよう！

アタック・ザ・言葉《ことば》クイズ 06

正《ただ》しいものを選《えら》んで、○をつけよう。

① 心《こころ》の通《かよ》い合《あ》い。言葉《ことば》や文字《もじ》、身《み》ぶりなどを使《つか》って、考《かんが》えや思《おも》いを伝《つた》え合《あ》うこと。

コミュニケーション（　）
ローテーション（　）
ローション（　）

② 物語《ものがたり》などの途中《とちゅう》にはさまれる、短《みじか》くて興味深《きょうみぶか》い話《はなし》。

エピソード（　）
エピローグ（　）
コンテンツ（　）

③ 人《ひと》の性格《せいかく》。物語《ものがたり》やゲームなどに登場《とうじょう》する人物《じんぶつ》。

キャラクター（　）
コンダクター（　）
アクター（　）

④ 作法《さほう》にとらわれず、くつろいでいる様子《ようす》。ふだん着《ぎ》。

フォーマル（　）
カジュアル（　）
リニューアル（　）

⇒答《こた》えは 72 ページにあります。

057

●力《ちから》だめし！

この本《ほん》で取《と》り上《あ》げた言葉《ことば》を用《もち》いたクイズです。クロスワードや線結《せんむす》びなどの問題《もんだい》で、身《み》についた言葉《ことば》の力《ちから》を試《ため》してみましょう。右《みぎ》ページで説明《せつめい》した言葉《ことば》が出《で》てくる場合《ばあい》もあります。

こんなふうに使《つか》ってみよう

右側《みぎがわ》の「言葉《ことば》」と「意味《いみ》」を下《した》じきなどでかくして、（　　）に当《あ》てはまる言葉《ことば》を考《かんが》えてみましょう。形《かたち》が変《か》わる言葉《ことば》（動詞《どうし》や形容詞《けいようし》など）の場合《ばあい》は、形《かたち》の変《か》わらない部分《ぶぶん》が入《はい》ります。
※ 右下《みぎした》の答《こた》えで正解《せいかい》を確《たし》かめてください。

おうちのかたへ

本書では、原則として、小学校で学習する漢字を使用していますが、新聞や雑誌などでよく見かける、より自然な表現を身につけることをねらいとして、それ以外の漢字も適宜使用しています。

0001

単刀直入《たんとうちょくにゅう》

前置《まえお》きがなく、いきなり本題《ほんだい》に入《はい》ること。一人《ひとり》で刀《かたな》をひっさげ、敵陣《てきじん》につっこむことから。

おこづかい値上《ねあ》げして！
却下《きゃっか》！

（ ① ）なおこづかい値上《ねあ》げ交渉《こうしょう》は、即座《そくざ》に断《ことわ》られた。

0002

起死回生《きしかいせい》

死《し》にかかっているところを生《い》き返《かえ》らせること。だめになるところを立《た》ち直《なお》らせること。

ワー
逆転《ぎゃくてん》サヨナラホームラン〜！
スパーン
朝《あさ》よーッ

（ ② ）のホームランを打《う》った…ところで、目《め》が覚《さ》めた。

0003

たずさえる

携える

手《て》に持《も》つ。手《て》を取《と》って連《つ》れて行《い》く。

だれか少《すこ》し食《た》べませんかー？
ちょっと多《おお》めに持《も》ってきちゃって…

きびだんごを（ ③ ）て、おに退治《たいじ》の旅《たび》に出《で》た。

答え ① 単刀直入 ② 起死回生 ③ たずさえる

0004

センス

感覚《かんかく》。また、それが具体的《ぐたいてき》に表《あらわ》されたもの。

彼《かれ》の服選《ふくえら》びの（　④　）は、独特《どくとく》だ。

0005

以心伝心《いしんでんしん》

言《い》わなくても、おたがいに気持《きも》ちが通《つう》じ合《あ》うこと。

アイコンタクトで通《つう》じ合《あ》う、（　⑤　）のコンビだ。

0006

立《た》て直《なお》す

くずれたものをもう一度《いちど》しっかりと直《なお》す。

チームを（　⑥　）して、今年《ことし》は優勝《ゆうしょう》を目指《めざ》す。

答え ④センス ⑤以心伝心 ⑥立て直

0007

致命的《ちめいてき》

生死《せいし》に関《かか》わるさま。やり直《なお》しができないほど、重大《じゅうだい》なこと。

（　①　）なエラーで、逆転《ぎゃくてん》サヨナラ負《ま》けとなった。

0008

コンテンツ

情報《じょうほう》の中身《なかみ》。マンガや映画《えいが》、ゲームなどの内容《ないよう》のこと。

プカプカ
このように宇宙《うちゅう》は無重力《むじゅうりょく》であります。
学習《がく しゅう》発表会《はっ ぴょう かい》
スゲ〜ッ
宇宙《うちゅう》からかよ
ツバサくんさすが

今年《ことし》の学習発表会《がくしゅうはっぴょうかい》は、（　②　）が充実《じゅうじつ》している。

0009

あなどる　侮る

人《ひと》を軽《かる》く見《み》て、ばかにすること。

かめごときに負《ま》けるわけないわ〜！
プー
だってかめだよ？

うさぎは、競走相手《きょうそうあいて》のかめを（　③　）っていた。

答え　① 致命的　② コンテンツ　③ あなど

0010

朝飯前《あさめしまえ》

朝《あさ》ご飯《はん》の前《まえ》のわずかな時間《じかん》でもできるような、とても簡単《かんたん》なこと。

0011

電光石火《でんこうせっか》

石《いし》を打《う》ち合《あ》わせて出《で》る火花《ひばな》の光《ひかり》から、行動《こうどう》などが素早《すばや》いこと。

0012

蛇足《だそく》

蛇《へび》に足《あし》をかき加《くわ》えてだめにした話《はなし》から、余計《よけい》なものをつけ加《くわ》えること。

蛇《へび》の絵《え》をいちばん先《さき》にかき終《お》えた者《もの》にこの酒《さけ》をあたえることにしよう。
そんな簡単《かんたん》なこと!
おお
ちょいちょいのちょい!
はい、できた!!
うわあ!
なんて早《はや》わざなんだ!
サッ
サッ
ついでに足《あし》もかいてやろう。
イエーーッ
蛇《へび》に足《あし》などあるものか。
それは蛇《へび》じゃないからオレの勝《か》ちだ!
ちょいちょい

絵《え》が得意《とくい》な私《わたし》には、蛇《へび》の絵《え》なんて（④）です。

（⑤）の早《はや》わざで、あっという間《ま》に勝利《しょうり》した。

調子《ちょうし》に乗《の》って余計《よけい》なことをした。（⑥）でしたね。

答え ④朝飯前 ⑤電光石火 ⑥蛇足

0013

千変万化《せんぺんばんか》

様々《さまざま》に変化《へんか》すること。千《せん》・万《まん》は、数《かず》が多《おお》いことのたとえ。

メイク上手《じょうず》のあの人《ひと》は、まさに（　①　）の顔《かお》の持《も》ち主《ぬし》だ。

0014

しりに火《ひ》がつく

余裕《よゆう》がなくなり、あわてること。

試験《しけん》が近《ちか》づいて、ようやく（　②　）。

0015

意気投合《いきとうごう》

意見《いけん》や気持《きも》ちがぴったりと合《あ》うこと。

好《す》きなアイドルが同《おな》じで、二人《ふたり》は（　③　）した。

答え　① 千変万化　② しりに火がつく　③ 意気投合

0016

エネルギー

物事《ものごと》を成《な》しとげる元気《げんき》。電気《でんき》・風《かぜ》・水《みず》などといった、ものを動《うご》かす力《ちから》を生《う》み出《だ》すもの。

かいじゅうが暴《あば》れているぞ！
なにぃ!!
チョコを食《た》べて、っと…。
パクッ
正義《せいぎ》の味方《みかた》、チョコマンに変身《へんしん》だ！
ビューーン
おいしそうな名前《なまえ》だな

チョコレートを（ ④ ）にして、正義《せいぎ》の味方《みかた》に変身《へんしん》する。

0017

優柔不断《ゆうじゅうふだん》

ぐずぐずして決《き》められないこと。

あの…もう、1時間《じかん》たちますけど…。
MENU
迷《まよ》う…。

（ ⑤ ）な性格《せいかく》で、いつも迷《まよ》ってばかりだ。

0018

かなり

予想《よそう》していたよりも、もっと。

くそっ！意外《いがい》と強《つよ》いぞ…。
このこのっ！

戦《たたか》ってみたら、（ ⑥ ）手《て》ごわいことが分《わ》かった。

答え ④エネルギー ⑤優柔不断 ⑥かなり

0019

上《うわ》の空《そら》

ほかのことが気《き》になって、目《め》の前《まえ》のことに注意《ちゅうい》が向《む》かないこと。

ぼくは授業《じゅぎょう》の間中《あいだじゅう》、（①）だった。

0020

しり切《き》れとんぼ

中途半端《ちゅうとはんぱ》に終《お》わること。

今回《こんかい》のマラソンは、（②）に終《お》わった。

0021

待望《たいぼう》

待《ま》ち望《のぞ》むこと。

（③）の夏休《なつやす》みが始《はじ》まったとたん、お腹《なか》をこわした。

答え ①上の空 ②しり切れとんぼ ③待望

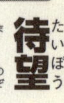

身《み》についた言葉《ことば》の力《ちから》を確《たし》かめよう！

アタック・ザ・言葉《ことば》クイズ 01

正《ただ》しいほうを選《えら》んで、◯をつけよう。

①中途半端《ちゅうとはんぱ》に終《お》わること。

{羽《はね》 しり}切《き》れとんぼ

②びっくりして、目《め》を大《おお》きく見開《みひら》くこと。

{へそ 目《め》}を丸《まる》くする

③他人《たにん》のじゃまをしたり、物事《ものごと》の順調《じゅんちょう》な進行《しんこう》をさまたげること。

{うで 足《あし》}を引《ひ》っ張《ぱ》る

④同《おな》じ話《はなし》を何度《なんど》も聞《き》かされて、うんざりすること。

{耳《みみ》 指《ゆび》}にたこができる

⇒答《こた》えは72ページにあります。

0022

前代未聞《ぜんだいみもん》

あまりにもふつうとちがっていて、今《いま》まで聞《き》いたことのないこと。

0023

ふに落《お》ちない

納得《なっとく》できない。お腹《なか》にすとんと落《お》ちてこない。「ふ」は内臓《ないぞう》のこと。

0024

矛盾《むじゅん》

食《く》いちがいがあって、話《はなし》のつじつまが合《あ》わないこと。

ビュ～～ッ
最強《さいきょう》の武器《ぶき》と防具《ぼうぐ》を持《も》つ者同士《ものどうし》、いまだかつてない決闘《けっとう》だ!
きさまの盾《たて》などひとたまりもないわ!
それはふに落《お》ちぬな。
武器商人《ぶきしょうにん》のアルハイドからは何《なん》でも切れると聞《き》いているが…。
なんの。
この盾《たて》は、どんなするどい矛《ほこ》でもつき通《とお》せない!
何《なに》?
おぬしもアルハイドから買《か》ったのか?
この矛盾《むじゅん》をアルハイドに問《と》いつめねばならんな。
うむ。勝負《しょうぶ》はそれからだ。

（ ① ）の戦《たたか》いで、いまだに信《しん》じられません。

事情《じじょう》を聞《き》いても、なかなか（ ② ）。

話《はなし》が（ ③ ）しているので、よく確認《かくにん》したほうがいい。

答え ① 前代未聞 ② ふに落ちない ③ 矛盾

0025

愛《あい》きょう

にこやかで、かわいらしいこと。ひょうきんで、にくめないこと。

イヌ太君《たくん》、おはよう!
アハハハハ! ウフフフ!

イケメン男子《だんし》の気《き》をひこうと、（ ④ ）をふりまく。

0026

単調《たんちょう》

変化《へんか》がなく、つまらないこと。

これからは海《うみ》だぜ〜
ハチミツ

（ ⑤ ）な生活《せいかつ》にあきたので、冒険《ぼうけん》の旅《たび》に出《で》ることにした。

0027

右往左往《うおうさおう》

あっちへ行《い》ったり、こっちへ行《い》ったり、混乱《こんらん》している状態《じょうたい》のこと。

どこが出口《でぐち》なの?
同《おな》じ所《ところ》ばかりうろうろしてる。

大《おお》きな迷路《めいろ》で、（ ⑥ ）した。

答え ④愛きょう ⑤単調 ⑥右往左往

0028

あいにく

期待《きたい》したようにならないさま。残念《ざんねん》なことになった様子《ようす》。

成敗《せいばい》してくれる！
ウッキー!!
しーん・・・
…って、あれ？だれもいないの？

おに退治《たいじ》に行《い》ったが、（ ① ）おには留守《るす》だった。

0029

大半《たいはん》

半分《はんぶん》以上《いじょう》。大部分《だいぶぶん》。

またねてる…。
ポカ
ポカ

あの子《こ》は、授業中《じゅぎょうちゅう》の（ ② ）はいねむりをしている。

0030

同然《どうぜん》

同《おな》じ。

8月
31
1問《もん》だけやった
全然《ぜんぜん》終《お》わってないでしょ！
は～終《お》わった～
このあと本気《ほんき》出《だ》す

夏休《なつやす》みの宿題《しゅくだい》は、終《お》わったも（ ③ ）だ。

答え ①あいにく ②大半 ③同然

0031

たわいない

なんてことはない。子《こ》どもっぽい。

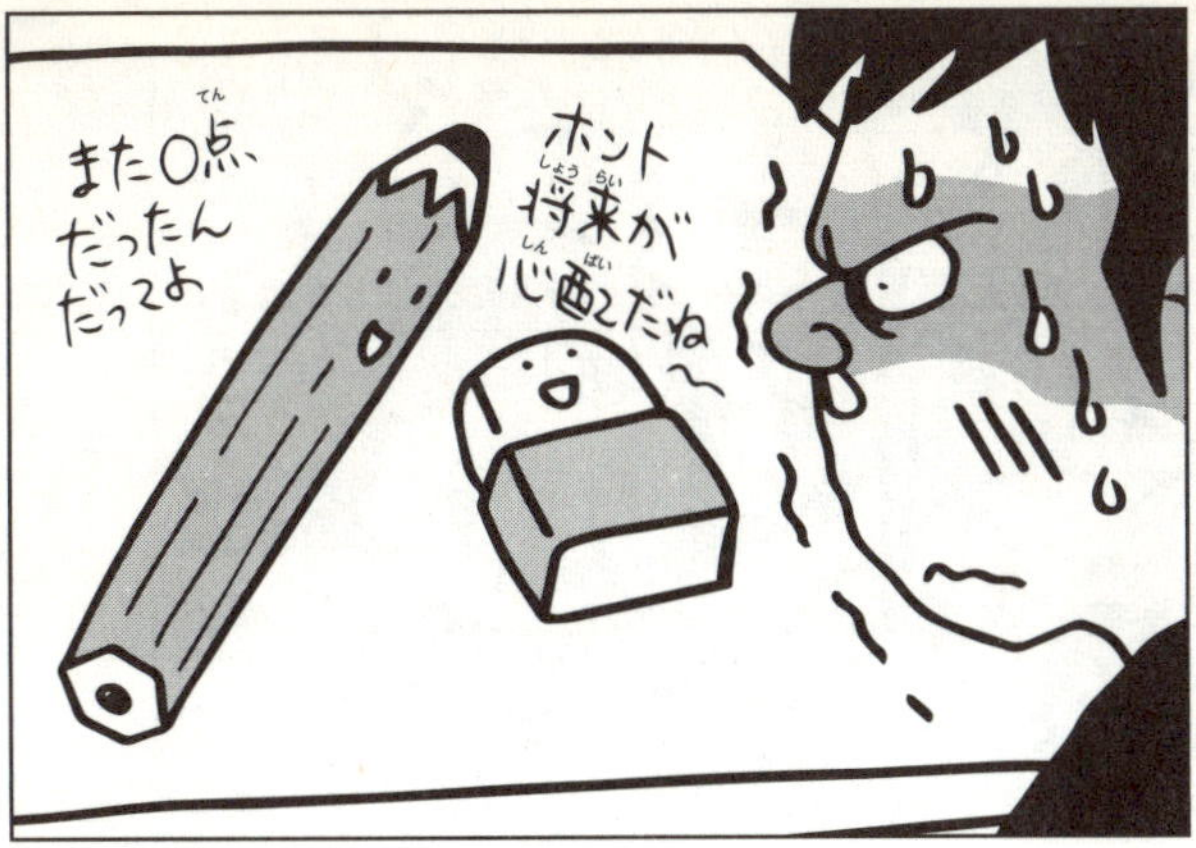
ホント将来《しょうらい》が心配《しんぱい》だね〜
また0点《てん》だったんだってよ

（　④　）話《はなし》をしていて、あっという間《ま》に時間《じかん》が過《す》ぎた。

0032

類似《るいじ》

似《に》ていること。共通《きょうつう》するものがあること。

ムヒッ
似《に》てきたな…。

あの二人《ふたり》は、行動《こうどう》がだんだんと（　⑤　）してきている。

0033

グローバル

地球全体《ちきゅうぜんたい》に関《かか》わるさま。広《ひろ》い範《はん》囲《い》で用《もち》いられるもの。

あの国《くに》は「アニメ」で世界侵略《せかいしんりゃく》を果《は》たしたらしい。
我々《われわれ》の地球侵略《ちきゅうしんりゃく》のじゃまになる兵器《へいき》にちがいない！
気《き》をつけよう！

世界《せかい》で活躍《かつやく》するには、（　⑥　）な視点《してん》が必要《ひつよう》だ。

答え　④たわいない　⑤類似　⑥グローバル

0034

つつぬけ

筒ぬけ

秘密《ひみつ》の話《はなし》などが、そのまま人《ひと》に伝《つた》わること。

なんで、みんな知《し》ってるの!?
○○くんのことスキなんだって?!
がんばれー
あんたの声《こえ》がでかいのよ…。
私《わたし》、○○くんのことがスキなのーっ♡
ギョッ
ヒューー

友達《ともだち》に内緒《ないしょ》の相談《そうだん》をしたら、クラス中《じゅう》に（　①　）だった。

0035

大器晩成《たいきばんせい》

優《すぐ》れた人物《じんぶつ》は、若《わか》いうちは目立《めだ》たなくても、年《とし》を経《へ》て立派《りっぱ》になるということ。

「君《きみ》は大器晩成型《たいきばんせいがた》だ」って、先生《せんせい》に言《い》われたよ。
今《いま》はほめるところがないから、そう言《い》うのよ…。
ボツ…

君《きみ》は（　②　）型《がた》だから、時間《じかん》をかけてコツコツ努力《どりょく》しなさい。

0036

脇目《わきめ》もふらず

よそ見《み》しないで。夢中《むちゅう》になって。

クマ田君《だくん》、ずっと練習《れんしゅう》してるよ。
すべてはプロになるため!

プロ選手《せんしゅ》を目指《めざ》して、（　③　）に練習《れんしゅう》に打《う》ちこむ。

答え　①つつぬけ　②大器晩成　③脇目もふらず

0037

泡《あわ》を食《く》う

非常《ひじょう》におどろき、あわてる。

0038

売《う》り言葉《ことば》に買《か》い言葉《ことば》

相手《あいて》の暴言《ぼうげん》に、同《おな》じような暴言《ぼうげん》で返《かえ》すこと。

0039

漁夫《ぎょふ》の利《り》

両者《りょうしゃ》が争《あらそ》う中《なか》で、関係《かんけい》のない第《だい》三者《さんしゃ》が利益《りえき》を得《え》ること。

お腹《なか》をすかせた鳥《とり》が、口《くち》を開《あ》けていたハマグリを食《た》べようとして…。
しめしめ…。
ビュッ
いただきまーす。
いてっ！何《なに》するんだ、この乱暴者《らんぼうもの》！
食《く》い意地《いじ》張《は》りやがって！
ガ
このままでいたら生《い》きていられないぞ。
困《こま》るのはおまえのほうさ。
労《ろう》せずどちらも手《て》に入《い》れられたぞ！
ラッキー♡

思《おも》わぬところで敵《てき》に おそわれて、（④）。

（⑤）とはいえ、相手《あいて》を 傷《きず》つける言《い》い方《かた》はよくない。

二人《ふたり》が争《あらそ》っている間《あいだ》に得《とく》をした。 まさに（⑥）だ。

答え ④泡を食う ⑤売り言葉に買い言葉 ⑥漁夫の利

0040

主観《しゅかん》

自分《じぶん》一人《ひとり》の気持《きも》ちや考《かんが》え方《かた》、感《かん》じ方《かた》のこと。⇔客観《きゃっかん》

勉強《べんきょう》ができる子《こ》より、いたずらっ子《こ》のほうが、かっこいいと思《おも》います！
それは君《きみ》だけの考《かんが》え方《かた》です。

自分《じぶん》で思《おも》う「ふつう」は、（ ① ）的《てき》であることが多《おお》い。

0041

アドバイス

「こうしたらよい」と言葉《ことば》をそえて助《たす》けを出《だ》すこと。助言《じょげん》。

敵《てき》をたおすには足《あし》をねらい、弱《よわ》ったところを…。
おまえ、あの子《こ》にふられたんだって？
ガーン
…で決《き》まりじゃ
師匠《ししょう》…。

師匠《ししょう》の（ ② ）でも、すべてが正《ただ》しいとは限《かぎ》らない。

0042

あえぐ

苦《くる》しそうに息《いき》をすること。心《こころ》の中《なか》で苦《くる》しみ、なやむこと。

テストの点数《てんすう》がひどすぎる…。
ああ、親《おや》に見《み》せたくない…！
ああ
あ
ああ
任《まか》せて！
むしゃむしゃ
テスト

私《わたし》は、苦《くる》しみに（ ③ ）人達《ひとたち》を助《たす》けたい。

答え ①主観 ②アドバイス ③あえぐ

身《み》についた言葉《ことば》の力《ちから》を確《たし》かめよう！

アタック・ザ・言葉《ことば》クイズ 02

ヒントに合《あ》う言葉《ことば》を、ひらがなでマスに入《い》れよう。
二重《にじゅう》のマスの文字《もじ》を組《く》み合《あ》わせて、できる言葉《ことば》は何《なに》かな？

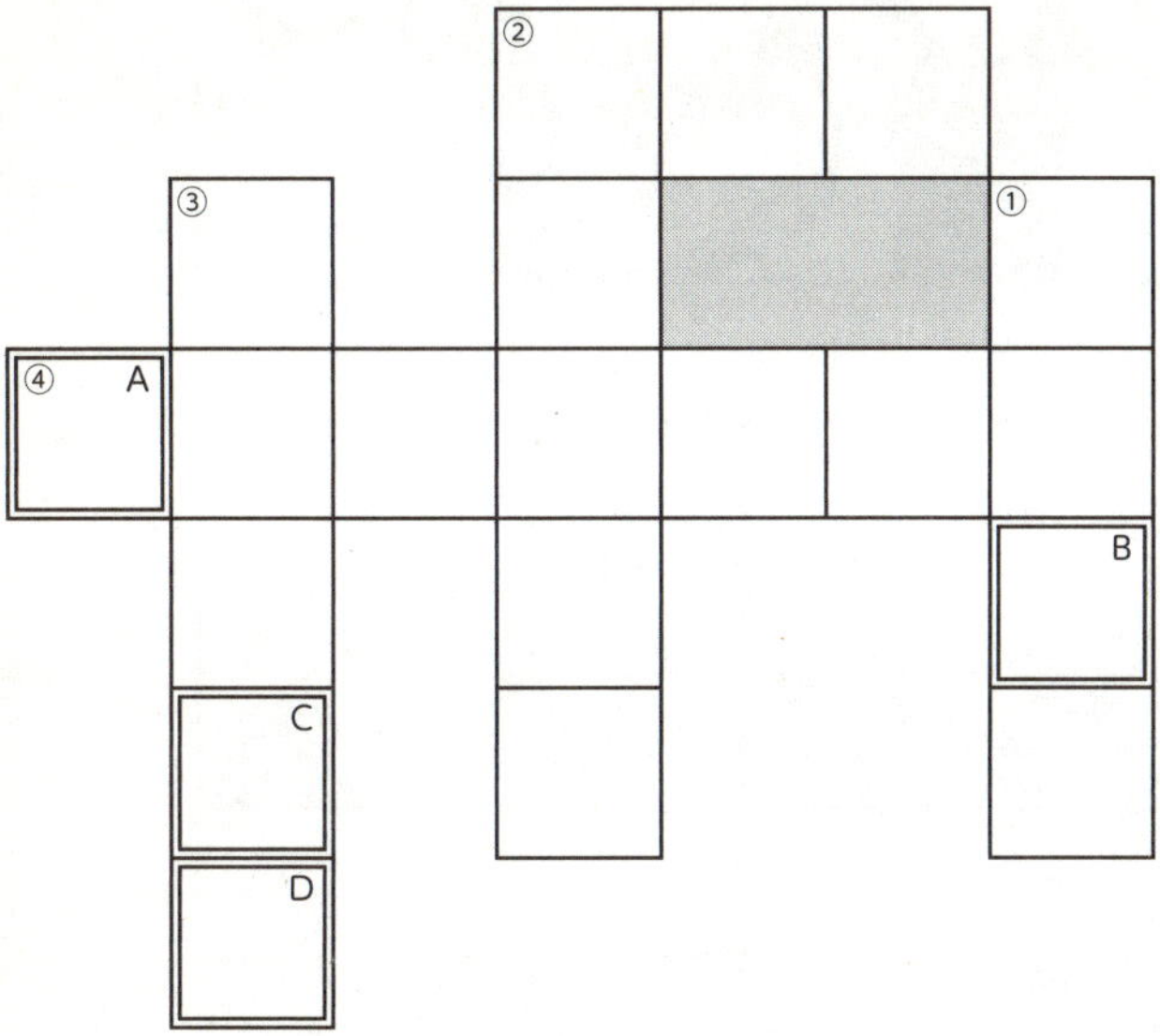

タテのカギ

①細《こま》かく気《き》をつかうこと。
「○(い)○(ん)の注意《ちゅうい》をはらう」

②助言《じょげん》。
「○(ド)○(イ)○をうける」

③にこやかで、かわいらしいこと。
「(あ)○(き)○○のある表情《ひょうじょう》」

ヨコのカギ

②心《こころ》の中《なか》で苦《くる》しみ、なやむこと。
「苦《くる》しみに○(え)○」

④優《すぐ》れた人物《じんぶつ》は、若《わか》いうちは目立《めだ》たなくても、年《とし》を経《へ》て立派《りっぱ》になるということ。四字熟語《よじじゅくご》。
「君《きみ》は○○○(ば)○○○型《がた》だね」

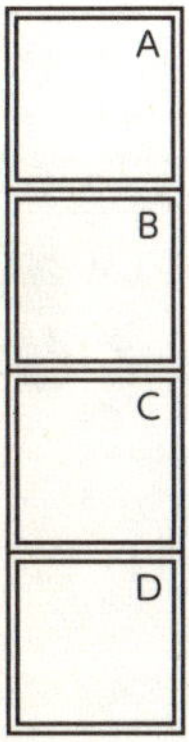

●「いくらか。少《すこ》し」という意味《いみ》。

⇒答《こた》えは 72 ページにあります。

0043

他力本願《たりきほんがん》

自分《じぶん》の力《ちから》ではなく、他人《たにん》の力《ちから》にたよろうとすること。

神様仏様《かみさまほとけさま》、昨日《きのう》もつい勉強《べんきょう》せずにねてしまいました。お願《ねが》いです。合格《ごうかく》させてください。
ガランガラン
出《で》かけてないでこの時間《じかん》に勉強《べんきょう》してなよ。

（ ① ）で願《ねが》いがかなう可能性《かのうせい》は低《ひく》い。

0044

起承転結《きしょうてんけつ》

話《はなし》や物事《ものごと》の順序《じゅんじょ》や組《く》み立《た》て方《かた》。

起《き》
承《しょう》
転《てん》
結《けつ》
GOAL
…
…

作文《さくぶん》は（ ② ）を考《かんが》えて、組《く》み立《た》てましょう。

0045

多少《たしょう》

いくらか。少《すこ》し。

ホホホッ
あらあら

（ ③ ）の失敗《しっぱい》は気《き》にせず、挑戦《ちょうせん》することが大切《たいせつ》だ。

答え ① 他力本願 ② 起承転結 ③ 多少

0046

イメージ

意識《いしき》の中《なか》に現《あらわ》れる形《かたち》や景色《けしき》。また、心《こころ》の中《なか》に思《おも》いえがくこと。印象《いんしょう》。

生後《せいご》2か月って言《い》ってなかった?
エエ
ジャイアントドラゴンのベビーです。

(④)していたよりも、ずっと大《おお》きかった。

0047

鬼《おに》に金棒《かなぼう》

鬼《おに》が武器《ぶき》を持《も》ってさらに強《つよ》くなることから、強《つよ》いものにいっそう力《ちから》が加《くわ》わること。

彼《かれ》がマウンドに立《た》てば、こわいものはない!

強力打線《きょうりょくだせん》をバックに、エースが投《な》げたら(⑤)だ。

0048

飼《か》い犬《いぬ》に手《て》をかまれる

かわいがっていた者《もの》に裏切《うらぎ》られること。

ライバルチームのエースになるなんて〜。
キィ〜
RIVAL

育《そだ》てた選手《せんしゅ》が敵軍《てきぐん》に移《うつ》った。(⑥)とは、このことだ。

答え ④イメージ ⑤鬼に金棒 ⑥飼い犬に手をかまれる

0049

たかが

せいぜい。わずか。

ごめんなさい〜
何《なに》か言《い》った?

（　①　）幼稚園児《ようちえんじ》だと思《おも》っていたのに、力《ちから》が強《つよ》い。

0050

自給自足《じきゅうじそく》

自分《じぶん》の生活《せいかつ》に必要《ひつよう》なものを自《みずか》らつくり出《だ》し、間《ま》に合《あ》わせること。

いなかでの自給自足《じきゅうじそく》の生活《せいかつ》にあこがれるね!
何《なに》言《い》ってんの
家庭菜園《かていさいえん》をからす人《ひと》が?
今《いま》から世話《せわ》するとこ
へへッ

（　②　）の生活《せいかつ》をするため、いなかに移住《いじゅう》するのが夢《ゆめ》だ。

0051

後《あと》の祭《まつ》り

もはや手《て》おくれであること。

いつの間《ま》に…、こんなはずじゃ…。
山《やま》のてっぺんはいいながめだよ!
GOAL

終《お》わったことをあれこれくやんでも、（　③　）だ。

答え ①たかが ②自給自足 ③後の祭り

0052

目《め》を丸《まる》くする

びっくりして、目《め》を大《おお》きく見開《みひら》くこと。

0053

とんびがたかを生《う》む

ふつうの親《おや》から、優《すぐ》れた子《こ》が生《う》まれること。

0054

月《つき》とすっぽん

ちがいが大《おお》きくて、比《くら》べものにならないこと。

びっくりした！
絵《え》か、本物《ほんもの》かと思《おも》った。
お～スゲ～
お父《とう》さん、おどろいてるぞ！
ガーン
うちの子《こ》は天才画家《てんさいがか》になるかもしれない。
とんびがたかを生《う》んだかな。
今度《こんど》は何《なに》をかこうかな。
今度《こんど》はねこをかいたよ。
私《わたし》の絵《え》とは月《つき》とすっぽんじゃ。
はずかし…

あまりにも本物《ほんもの》そっくりの絵《え》を見《み》て、（ ④ ）。

（ ⑤ ）んだと言《い》われて、むしろお父《とう》さんは鼻《はな》が高《たか》い。

同《おな》じものをかいても（ ⑥ ）で、腕前《うでまえ》は比《くら》べものにならない。

答え ④目を丸くする ⑤とんびがたかを生む ⑥月とすっぽん

0055

下手《へた》な鉄砲《てっぽう》も数撃《かずう》ちゃ当《あ》たる

下手《へた》な人《ひと》でも何度《なんど》もくり返《かえ》してやれば、一度《いちど》くらいはうまくいくこともある。

もう1回《かい》。
もう1回《かい》ね！
パンパン
100回《かい》やったけどダメだった。
エ〜ッ
当《あ》たらないのもすごいわね、逆《ぎゃく》に…。

一度《いちど》の失敗《しっぱい》であきらめず、何度《なんど》もやってみよう。（　①　）だよ。

0056

たじろぐ

おびえて、気持《きも》ちがゆれる。

怪物《かいぶつ》の迫力《はくりょく》に、思《おも》わず（　②　）。

0057

カリスマ

人々《ひとびと》をひきつけ、夢中《むちゅう》にさせる力《ちから》。また、そのような資質《ししつ》をもつ人《ひと》。

学級委員長選挙
私《わたし》は選《えら》ばれた人間《にんげん》だ。君達《きみたち》を導《みちび》こう。
立候補《りっこうほ》したの、あいつだけだぜ。

学級委員長《がっきゅういいんちょう》には（　③　）性《せい》が必要《ひつよう》だ。

答え　①下手な鉄砲も数撃ちゃ当たる　②たじろぐ　③カリスマ

0058

奇想天外《きそうてんがい》

ふつうでは思《おも》いつかない変《か》わった様子《ようす》。

昔《むかし》は人間《にんげん》が空《そら》を飛《と》ぶなんて、（④）な話《はなし》だった。

0059

試行錯誤《しこうさくご》

試《こころ》みと失敗《しっぱい》をくり返《かえ》しながら、いい方法《ほうほう》を探《さが》していくこと。

やった！
飛《と》んでるぞ！
飛《と》んだ！

長年《ながねん》の（⑤）の結果《けっか》、ようやく最適《さいてき》な手段《しゅだん》が見《み》つかった。

0060

日常茶飯《にちじょうさはん》

毎日《まいにち》の、ありきたりのこと。

海外出張《かいがいしゅっちょう》に行《い》ってくるよ！

世界《せかい》を飛《と》び回《まわ》るビジネスマンは、飛行機《ひこうき》に乗《の》るのも（⑥）だ。

答え ④奇想天外 ⑤試行錯誤 ⑥日常茶飯

0061

やぶをつついて蛇《へび》を出《だ》す

余計《よけい》なことをして、かえって災《さい》難《なん》を招《まね》くこと。やぶ蛇《へび》。

蛇《へび》だ！
なんてことするんだよ！

（①）ようなことをしたせいで、にげ回《まわ》るはめになった。

0062

五十歩百歩《ごじっぽひゃっぽ》

ちがいがないこと。似《に》たり寄《よ》ったり。

ぼくより先《さき》ににげたから、君《きみ》のほうが弱虫《よわむし》だ！
にげたのなら、同《おな》じだろ！

結果《けっか》は（②）で、おたがいぱっとしなかった。

0063

灯台下暗《とうだいもとくら》し

身近《みぢか》なことはかえって気《き》づきにくい。灯台《とうだい》の周囲《しゅうい》は明《あか》るくても、すぐ下《した》が暗《くら》かったことから。

めがねが…。めがねが…。
どこにあるの？

探《さが》していためがねは、頭《あたま》の上《うえ》にあった。（③）だね。

答え ①やぶをつついて蛇を出す ②五十歩百歩 ③灯台下暗し

身《み》についた言葉《ことは》の力《ちから》を確《たし》かめよう！

アタック・ザ・言葉《ことば》クイズ 03

◯のところがまちがっているよ。正《ただ》しい動物《どうぶつ》を、[ ]から選《えら》ぼう。

①余計《よけい》なことをして、かえって災難《さいなん》を招《まね》くこと。

やぶをついて(くま)を出《だ》す

②ふつうの親《おや》から、優《すぐ》れた子《こ》が生《う》まれること。

とんびが(はと)を生《う》む

③ちがいが大《おお》きくて、比《くら》べものにならないこと。

月《つき》と(かっぱ)

④かわいがっていた者《もの》に裏切《うらぎ》られること。

飼《か》い(馬《うま》)に手《て》をかまれる

犬《いぬ》　たか　蛇《へび》　すっぽん

⇒答《こた》えは72ページにあります。

0064

わずらう 煩う

心《こころ》の中《なか》で、なやみ苦《くる》しむこと。苦労《くろう》すること。

スカッ
あのときシュートを決《き》めていたら…！
ああ、オレはなんてことを！

失敗《しっぱい》したことを、くよくよ思《おも》い（　①　）。

0065

古今東西《ここんとうざい》

今《いま》も昔《むかし》も。どのような場所《ばしょ》でも。

ここには古今東西《ここんとうざい》の書物《しょもつ》があります。
へ〜ッ
東《ひがし》と西《にし》だもんね。
へ〜ッ
じゃあ北極《ほっきょく》と南極《なんきょく》についての本《ほん》はないんだね。
そういう意味《いみ》じゃなくて！

図書館《としょかん》には、（　②　）の本《ほん》が集《あつ》められている。

0066

台無《だいな》し

すっかりだめになる。

はっ！
ポ〜

ねぼうしたせいで、せっかくの計画《けいかく》が（　③　）になった。

0067

ちゅうちょ

決《き》められなくて、迷《まよ》うこと。ためらうこと。

買《か》うか…でも、しかし。
くっ…
おいしすぎる!
プレミアムチョコ
¥500
PREMIUM CHOCO
PREMIUM CHOCO
PREMIUM CHOCO
チョコ ¥100
CHOCO
CHOCO
CHOCO

値段《ねだん》が高《たか》いので、買《か》うのを（④）する。

0068

立《た》て続《つづ》け

次《つぎ》から次《つぎ》に。連続《れんぞく》して。

ノート

転校生《てんこうせい》が来《き》てから、（⑤）に不思議《ふしぎ》な事件《じけん》が起《お》きた。

0069

自画自賛《じがじさん》

自分《じぶん》で自分《じぶん》をほめること。

パパのカレーは最高《さいこう》だろ？
ナッナッナッ
うるさくて食《た》べられないわ。いつもいつも
ウーン おいしい…

自分《じぶん》の料理《りょうり》が世界一《せかいいち》おいしいと、（⑥）する。

答え ④ちゅうちょ ⑤立て続け ⑥自画自賛

0070

挑発《ちょうはつ》

相手《あいて》を刺激《しげき》して、何《なに》かをさせようとすること。

おまえのかーちゃん
でーべーそー。
やーいやーい
ムキーーッ

相手《あいて》の（　①　）に乗《の》り、思《おも》わず手《て》を出《だ》してしまった。

0071

エピソード

物語《ものがたり》などの途中《とちゅう》にはさまれる、短《みじか》くて興味深《きょうみぶか》い話《はなし》。

13日《にち》の金曜日《きんようび》、あらしの夜《よる》…。
あなたが生《う》まれたのよ！
キューーッ
キャ〜ッ
マジメにやってよ

母《はは》に、ぼくが生《う》まれたときのちょっとした（　②　）を聞《き》いた。

0072

ちなみに

ついでに言《い》うと。

ザー
あ〜あ…
もう
いやだ。

ぼくは雨男《あめおとこ》。（　③　）、てるてるぼうずも無力《むりょく》だった。

答え ① 挑発 ② エピソード ③ ちなみに

0073 つじつま

物事《ものごと》の筋道《すじみち》。

えーっと…

うそがばれないよう、話《はなし》の（ ④ ）を合《あ》わせる。

0074 異口同音《いくどうおん》

多《おお》くの人《ひと》が口《くち》をそろえて、同《おな》じことを言《い》うこと。

弘法大師《こうぼうだいし》は書《しょ》の名人《めいじん》として有名《ゆうめい》でした。
うまい。
うまいね～。
うまいなあ。

名人《めいじん》の書《しょ》を、観客《かんきゃく》は（ ⑤ ）にほめたたえた。

0075 弘法《こうぼう》にも筆《ふで》の誤《あやま》り

名人《めいじん》にも失敗《しっぱい》はあるということのたとえ。

書《しょ》の達人《たつじん》でも…。
あ～まちがえた～。
……。
はい、残念《ざんねん》
まちがえた～。

あの名人《めいじん》がミスをするとは、（ ⑥ ）だね。

答え ④つじつま ⑤異口同音 ⑥弘法にも筆の誤り

0076

相《あい》づちを打《う》つ

相手《あいて》の話《はなし》に合《あ》わせて、うなずいたり、返事《へんじ》をしたりすること。

タヌ吉《きち》のやつさ～、ずるいんだよ。
うん、そうだね。
うそついてたんだよ！
なるほど。
うん
うん

「うん、そうだね」と、話《はなし》を聞《き》きながら（　①　）。

0077

気長《きなが》

ゆっくり。のんびり。

あれから50年《ねん》…

成果《せいか》はすぐに出《で》ないから、（　②　）に待《ま》ってね。

0078

石《いし》の上《うえ》にも三年《さんねん》

つらくてもしんぼうして努力《どりょく》すれば、やがて報《むく》われるということ。

ここに座《すわ》って3年《ねん》、がんばったかいがあった…。
ようやくここまできたな。
2014
2015
2016リサイタル

（　③　）、がんばった成果《せいか》がようやく実《み》を結《むす》んだ。

答え ① 相づちを打つ　② 気長　③ 石の上にも三年

0079

たぬき寝入《ねい》り

ねているふりをすること。

ちょっとおつかいに行《い》ってほしいんだけど…。
あらっ
グーー
グーー
おっと、ここはねたふり。

おつかいをたのまれたけれど、（④）をしてごまかそう。

0080

ちりも積《つ》もれば山《やま》となる

わずかずつでも積《つ》み重《かさ》ねれば、山《やま》のように大《おお》きくなるということ。

夏休《なつやす》み最終日《さいしゅうび》なのに、こんなに宿題《しゅくだい》が残《のこ》ってる。
毎日《まいにち》コツコツやればよかったのに。
ドーン

（⑤）から、少《すこ》しずつでも努力《どりょく》するのは大事《だいじ》だ。

0081

背水《はいすい》の陣《じん》

水際《みずぎわ》を背《せ》にして戦《たたか》う様子《ようす》から、もう後《あと》がない状態《じょうたい》。

もう後《あと》がない！
ようやく力《ちから》を出《だ》すときが来《き》た！
今《いま》でしょ
ふおおおお
もっと前《まえ》に出《だ》して…。

こうなったら、（⑥）で臨《のぞ》む。

答え ④たぬき寝入り ⑤ちりも積もれば山となる ⑥背水の陣

0082

たどたどしい

小《ちい》さい子《こ》どものように、もたもたしている。ふらふらしている。

アー、ワタシモ
ワッカリーマセーンネー。
ワタチハ…
ココニ…
イキタイ
デェス…
地図《ちず》

（ ① ）日本語《にほんご》で道《みち》を聞《き》かれ、思《おも》わずつられてしまった。

0083

アクティブ

積極的《せっきょくてき》な様子《ようす》。自分《じぶん》から行動《こうどう》を起《お》こすこと。

ワーーッ
キャーーッ
ヨッ
こっちは
もっと
すごいぞ!

ふだんから（ ② ）に動《うご》く男子《だんし》は、モテる。

0084

つかの間《ま》

ちょっとした間《あいだ》。

テストどうだった〜?
……
スッ…

母《はは》のきげんがよかったのは、（ ③ ）のことだった。

答え ① たどたどしい ② アクティブ ③ つかの間

身《み》についた言葉《ことば》の力《ちから》を確《たし》かめよう！

アタック・ザ・言葉《ことば》クイズ

04

意味《いみ》に合《あ》う言葉《ことば》を、線《せん》で結《むす》ぼう。

① 決《き》められなくて、迷《まよ》うこと。ためらうこと。

② 相手《あいて》の話《はなし》に合《あ》わせて、うなずいたり、返事《へんじ》をしたりすること。

③ ちょっとした間《あいだ》。

④ 心《こころ》の中《なか》で、なやみ苦《くる》しむこと。

(ア) つかの間《ま》

(イ) ちゅうちょ

(ウ) わずらう

(エ) 相《あい》づちを打《う》つ

⇒答《こた》えは72ページにあります。

0085

アイテム

項目《こうもく》。品物《しなもの》。必要《ひつよう》とされるもの。

この金貨《きんか》で…。
ドラゴン退治《たいじ》のアイテムが買《か》えますね！
買《か》ったペンでドラゴンの黒歴史《くろれきし》を書《か》き立《た》ててやったぜ！
ドラゴンに
スキャンダル
ペンは剣《けん》よりも強《つよ》しだ!!
なんかセコいです！

コインを集《あつ》めて、（ ① ）と交換《こうかん》する。

0086

連《つら》なる

1列《れつ》に並《なら》んで続《つづ》く。

小《ち》さい子《こ》が（ ② ）って歩《ある》く様子《ようす》は、愛《あい》らしい。

0087

直《ただ》ちに

すぐに。

お手数《てすう》おかけします…。
ちっ
放水《ほうすい》開始《かいし》!!

火事《かじ》の連絡《れんらく》を受《う》け、（ ③ ）消防車《しょうぼうしゃ》が出動《しゅつどう》した。

答え ① アイテム ② 連な ③ 直ちに

0088

一朝一夕《いっちょういっせき》

「ひと朝《あさ》とひと晩《ばん》」という意味《いみ》から、短《みじか》い期間《きかん》のこと。

ゴール!
負《ま》けた!!
ガコン
ガコン
強《つよ》いチームをつくるには、グラウンドからってことで。
そっからかよ〜

夢《ゆめ》は、（ ④ ）に実現《じつげん》できるものではない。

0089

つくす 尽くす

全部《ぜんぶ》を出《だ》し切《き》る。なくなるまで使《つか》う。

地球《ちきゅう》はおれが守《まも》る!
バア

地球《ちきゅう》の平和《へいわ》を守《まも》るために、全力《ぜんりょく》を（ ⑤ ）。

0090

つけこむ

機会《きかい》を見《み》つけて、ずるく利用《りよう》する。

一度《いちど》でいいからデートして!
忘《わす》れ物《もの》したこと、ナイショにしてあげるからさ〜。
ねっ!!
くっ……

人《ひと》の弱《よわ》みに（ ⑥ ）のは、ひきょうなやり口《くち》だ。

答え ④一朝一夕 ⑤つくす ⑥つけこむ

0091

厚《あつ》かましい

ずうずうしいこと。自分勝手《じぶんかって》なこと。

おばちゃん、ご飯《はん》ちょうだーい！
ばーん
あんただれだい？

知《し》らない人《ひと》の家《いえ》に来《き》て、ご飯《はん》が食《た》べたいなんて、（①）。

0092

キャラクター

人《ひと》の性格《せいかく》。物語《ものがたり》やゲームなどに登場《とうじょう》する人物《じんぶつ》。または、その人物《じんぶつ》の性質《せいしつ》のこと。

早《はや》く宿題《しゅくだい》をしなさい！
ワッ
バッ
シッ
エプロン仮面《かめん》よ！宿題《しゅくだい》しないとおしおきよ！
ママ……
ビシッ

お母《かあ》さんって、あんな（②）だったっけ？

0093

妥協《だきょう》

ゆずり合《あ》って解決《かいけつ》すること。

お・ま・た・せ♪
BEFORE《ビフォー》
時間《じかん》かけすぎ！

何事《なにごと》も（③）しない母《はは》は、メイクの時間《じかん》が長《なが》い。

答え ①厚かましい ②キャラクター ③妥協

0094

とまどう

どうしていいか分《わ》からなくて、おろおろする。

ケンゴ君《くん》、私《わたし》のこと好《す》き〜？きらい〜？

突然《とつぜん》、人前《ひとまえ》で告白《こくはく》され、（④）ってしまった。

0095

つれない

思《おも》いやりがない。冷《つめ》たい。

いっしょに帰《かえ》ろうよ。
つーーん
い・や。

勇気《ゆうき》を出《だ》して声《こえ》をかけても、（⑤）返事《へんじ》をされる。

0096

単《たん》に

ただ。

だ、だいじょうぶ？
ハラへった〜

力《ちから》が出《で》ないのは、（⑥）お腹《なか》がすいているだけだ。

答え ④とまどう ⑤つれない ⑥単に

0097

自業自得《じごうじとく》

自分《じぶん》が原因《げんいん》で、大変《たいへん》な目《め》にあうこと。

本日《ほんじつ》は雨《あめ》となります
エ〜ッ
カーッ
予報《よほう》なんてどうせ外《はず》れるよ。
ドーッ
確《たし》かに「雨《あめ》」だけどさ！嵐《あらし》とは言《い》ってないよね

天気予報《てんきよほう》を無視《むし》して、ずぶぬれになったのだから、（ ① ）だ。

0098

きっぱり

態度《たいど》がはっきりしているさま。

教《おし》えてよ〜。
ダメ!!
NO!

してはいけないことは、（ ② ）と断《ことわ》るべきだ。

0099

コミュニケーション

心《こころ》の通《かよ》い合《あ》い。言葉《ことば》や文字《もじ》、身《み》ぶりなどを使《つか》って、考《かんが》えや思《おも》いを伝《つた》え合《あ》うこと。

ぼくのサイン、テストつきであげるよ！
キャーッ
というワケでさ…
また最下位《さいかい》だったのね。
早《はや》く出《だ》しなさい

勉強《べんきょう》が苦手《にがて》でも、（ ③ ）がうまければ、モテる可能性《かのうせい》もある。

答え ① 自業自得 ② きっぱり ③ コミュニケーション

0100

つくづく

本当《ほんとう》に。よくよく。心《こころ》の底《そこ》から。

初《はじ》めからやり直《なお》そう…。
スッ…
小4
小4 国語
小4 算数
小1 さんすう

何事《なにごと》も基本《きほん》が大切《たいせつ》だと、（④）思《おも》う。

0101

ただならぬ

いつもとちがって、何《なに》かがありそうな。

ちこく しちゃったー!

遅刻寸前《ちこくすんぜん》の兄《あに》は、（⑤）顔《かお》つきで走《はし》っていった。

0102

次《つ》ぐ

そのすぐ後《あと》に続《つづ》く。

1
2

トナカイは、チーターに（⑥）、足《あし》の速《はや》さで有名《ゆうめい》だ。

答え ④つくづく ⑤ただならぬ ⑥次ぐ

0103

まごつく

迷《まよ》ってうろうろすること。うろたえること。

ええっと、これってどうしたらいいんだろう？
わたわた
あきらめちゃおう！
じげんばくだん

（ ① ）いていたら、天使《てんし》が助言《じょげん》をくれた…気《き》がした。

0104

臨機応変《りんきおうへん》

状況《じょうきょう》の変化《へんか》に応《おう》じて、ふさわしい対応《たいおう》をすること。

あっ、黄身《きみ》が…。
ジューッ
ドロ
今日《きょう》は気分《きぶん》を変《か》えてスクランブルエッグよ。

変化《へんか》する状況《じょうきょう》に、（ ② ）に対応《たいおう》する。

0105

たびたび

何度《なんど》も。

行《い》き
ゲーロ
ゲロ
ゲロ
また…
ゲロ
帰《かえ》り

1日《にち》の間《あいだ》で、同《おな》じ人《ひと》を（ ③ ）見《み》かけた。

答え ①まごつ ②臨機応変 ③たびたび

身《み》についた言葉《ことは》の力《ちから》を確《たし》かめよう！

アタック・ザ・言葉《ことば》クイズ

05

タテ（↓）・ヨコ（→）に言葉《ことば》を探《さが》して、▢で囲《かこ》もう。

	た	び	た	び	て
	た	ん	て	て	ば
	て	っ	す	る	な
(例《れい》)	ま	ご	っ	く	す
	た	し	な	め	る

(例《れい》) 迷《まよ》ってうろうろすること。

「どちらに行《い》ってよいか分《わ》からず〇〇〇〇」

① 「よくないことだ」と注意《ちゅうい》すること。
「悪口《わるくち》はいけないと、妹《いもうと》を〇〇〇〇〇」

② とことん行《おこな》うこと。
「脇役《わきやく》に〇〇〇〇」

③ 持《も》っているものを、だれかに売《う》ったり、あげたりすること。
「これを〇〇〇〇のは、おしいなぁ」

④ 何度《なんど》も。
「同《おな》じ人《ひと》を〇〇〇〇見《み》かけた」

⇒答《こた》えは72ページにあります。

0106

三日坊主《みっかぼうず》

長続《ながつづ》きせず、あきっぽいこと。

今年《ことし》から毎日日記《まいにちにっき》を書《か》くぞ!
1月
1日
1月3日
1月4日
今日《きょう》は日付《ひづけ》だけで…。

(①)で、何《なに》をやっても長続《ながつづ》きしない。

0107

追究《ついきゅう》

学問《がくもん》や研究《けんきゅう》によって、何《なに》かを明《あき》らかにすること。

宇宙のなぞ

科学者《かがくしゃ》になって、宇宙《うちゅう》のなぞを(②)したい。

0108

キャンセル

約束《やくそく》や予約《よやく》を取《と》り消《け》すこと。解約《かいやく》。

お母《かあ》さんは?
先生《せんせい》…。
具合《ぐあい》が悪《わる》くって…。
お大事《だいじ》に
熱《ねつ》があって、人間《にんげん》に変身《へんしん》できないわ。

今日《きょう》の予定《よてい》を(③)できますか?

答え ①三日坊主 ②追究 ③キャンセル

0109

感極《かんきわ》まる

おさえられないほど感動《かんどう》する。

今《いま》までありがとー!!
ラストコンサート

歌手《かしゅ》がコンサートで（ ④ ）って、なみだを流《なが》す姿《すがた》が印象的《いんしょうてき》だった。

0110

善《ぜん》は急《いそ》げ

よいことはすぐにしたほうがよい。

UFOが!!
ビュルルル…
侵略者《しんりゃくしゃ》にちがいない!早《はや》くたおしてしまえ!
ビューーッ
我々《われわれ》は友好的《ゆうこうてき》な宇宙人《うちゅうじん》です。
ヘヘッ 急《いそ》ぎすぎた

（ ⑤ ）とばかりに、あわててかけつけた。

0111

たちどころに

たちまち。すぐさま。

フムフム
ひょえ〜!

記憶力《きおくりょく》がよく、長《なが》い文章《ぶんしょう》も（ ⑥ ）覚《おぼ》えてしまう。

答え ④感極まる ⑤善は急げ ⑥たちどころに

0112

ギャップ

大《おお》きなずれがあること。食《く》いちがい。すきま。

うちの車《くるま》で送《おく》っていくよ。
マ〜ッ
うそじゃん。
帰《かえ》ろ…
ハア…
なんだよ！
スーッ
スーッ

どうしてもうまらない、理想《りそう》と現実《げんじつ》との（ ① ）になやむ。

0113

手放《てばな》す

持《も》っているものを、だれかに売《う》ったり、あげたりすること。

たぬきそば
この店《みせ》は今日《きょう》からきつねそば屋《や》だ！
¥
ううう…

お金《かね》に困《こま》った店《みせ》の大将《たいしょう》は、大事《だいじ》なお店《みせ》を（ ② ）した。

0114

一刀両断《いっとうりょうだん》

結論《けつろん》をずばりと言《い》うこと。素早《すばや》く解決《かいけつ》すること。

部長《ぶちょう》、こちらの計画《けいかく》ですが…。
すぐ進《すす》めて。
もう決《き》めてしまうんですか!?
静《しず》かに。極秘《ごくひ》なんだろ。OKだ。
シーッ

彼《かれ》は、どんな難問《なんもん》も（ ③ ）の判断《はんだん》で解決《かいけつ》する、できる上司《じょうし》だ。

答え ①ギャップ ②手放 ③一刀両断

0115

たくみ 巧み

上手《じょうず》に。うまく。

ビジッ
ストッ
ポン
ナイスシュート!!

チームのエースが、ボールを（④）に操《あやつ》り、ゴールを決《き》めた。

0116

悪用《あくよう》

悪《わる》いことのために利用《りよう》すること。

コケーコッ
ビクッ
どうだ!
オレの
鳴《な》き声《ごえ》は!

もって生《う》まれた能力《のうりょく》を、（⑤）してはいけないよ。

0117

他意《たい》

別《べつ》な気《き》持《も》ち。心《こころ》の中《なか》にかくしていること。

かちかち山
そんなつもりじゃ…
コワーイ

たぬきに『かちかち山《やま》』の本《ほん》を貸《か》したことに、（⑥）はない。

答え ④たくみ ⑤悪用 ⑥他意

0118

コラボレーション

得意分野《とくいぶんや》がちがう人《ひと》たちが協力《きょうりょく》し合《あ》って作業《さぎょう》をすること。また、それによってつくられたもの。

ガーッ
勝《か》ち〜!!
今回《こんかい》やりすぎ…?
大丈夫《だいじょうぶ》次《つぎ》はオレね
マングース
マングースのほうが強いのね

このショーは、ハブとマングースの絶妙《ぜつみょう》な（　①　）で成《な》り立《た》っている。

0119

通常《つうじょう》

ふつう。いつも。

?
八百屋
今日《きょう》はおそくまでやってるなあ。なぜ?

（　②　）は6時《じ》に閉《し》まるお店《みせ》が、今日《きょう》はおそくまで開《あ》いている。

0120

大《だい》それた

とんでもない。常識《じょうしき》はずれの。

悪
うりゃ!
ゴリラマンになりたい!

スーパーヒーローになりたいというのは、（　③　）夢《ゆめ》だろうか?

答え　①コラボレーション　②通常　③大それた

0121

息《いき》をのむ

おどろいて、はっと息《いき》を止《と》める。

まあぁ、きれい!
えっち?
高《たか》い!!
こわい!!

富士山《ふじさん》の頂上《ちょうじょう》から朝日《あさひ》をながめ、思《おも》わず（ ④ ）んだ。

0122

たしなめる

「よくないことだ」と注意《ちゅうい》すること。

うまい!

マナーの悪《わる》い友達《ともだち》を（ ⑤ ）。

0123

ちょうえつ 超越

ふつうをはるかにこえて、優《すぐ》れていること。ふつうの基準《きじゅん》などをこえていること。

このマンガには、時代《じだい》を（ ⑥ ）したおもしろさがある。

答え ④息をの ⑤たしなめる ⑥ちょうえつ

0124

日進月歩《にっしんげっぽ》

日《ひ》に日《ひ》に進歩《しんぽ》を続《つづ》けること。

宿題《しゅくだい》も進化《しんか》したな～。
ねている間《あいだ》に宿題《しゅくだい》をやってくれるマシン、できないかな。
あなたも少《すこ》しは進歩《しんぽ》しなさい！

科学技術《かがくぎじゅつ》は（ ① ）で、とどまることを知《し》らない。

0125

てっする　徹する

とことん行《おこな》うこと。つらぬき通《とお》すこと。

やあっ
ギャ
や～ら～れ～た～。
ゴロゴロ

私《わたし》は脇役《わきやく》に（ ② ）して、主役《しゅやく》をもり立《た》てた。

0126

カジュアル

作法《さほう》にとらわれず、くつろいでいる様子《ようす》。ふだん着《ぎ》。

あっちに不審者《ふしんしゃ》が…。
校長《こうちょう》!?
いやあ、生徒《せいと》に親近感《しんきんかん》をもってほしくて。
ジャーン

（ ③ ）な服装《ふくそう》をした校長先生《こうちょうせんせい》を初《はじ》めて見《み》た。

答え ① 日進月歩 ② てっ ③ カジュアル

身《み》についた言葉《ことば》の力《ちから》を確《たし》かめよう！

アタック・ザ・言葉《ことば》クイズ 06

正《ただ》しいものを選《えら》んで、○をつけよう。

①心《こころ》の通《かよ》い合《あ》い。言葉《ことば》や文字《もじ》、身《み》ぶりなどを使《つか》って、考《かんが》えや思《おも》いを伝《つた》え合《あ》うこと。

コミュニケーション（　）
ローテーション（　）
ローション（　）

②物語《ものがたり》などの途中《とちゅう》にはさまれる、短《みじか》くて興味深《きょうみぶか》い話《はなし》。

エピソード（　）
エピローグ（　）
コンテンツ（　）

③人《ひと》の性格《せいかく》。物語《ものがたり》やゲームなどに登場《とうじょう》する人物《じんぶつ》。

キャラクター（　）
コンダクター（　）
アクター（　）

④作法《さほう》にとらわれず、くつろいでいる様子《ようす》。ふだん着《ぎ》。

フォーマル（　）
カジュアル（　）
リニューアル（　）

⇒答《こた》えは72ページにあります。

0127

つらぬく　貫く

ずっと変《か》えないで、おし通《とお》す。反対側《はんたいがわ》までつき通《とお》る。

6年間《ねんかん》、毎朝《まいあさ》走《はし》り続《つづ》けているオレ、かっこいい！

初志《しょし》を（　①　）いて、ジョギングを6年間《ねんかん》続《つづ》けた。

0128

アップデート

システムや情報《じょうほう》を最新《さいしん》のものにすること。更新《こうしん》。

ウ〜ン
どうしたの？
カチカチ
なかなかアップデート進《すす》まないみたい…。
旧《きゅう》バージョンは消《き》えろ!!
まだまだやるぞ!!

何度《なんど》やっても、ゲームアプリの（　②　）がうまくいかない。

0129

無我夢中《むがむちゅう》

物事《ものごと》に熱中《ねっちゅう》して、我《われ》を忘《わす》れること。

友《とも》よ、待《ま》っていろよ！
ダーッ
夢中《むちゅう》になりすぎて道《みち》が分《わ》からなくなっちゃって。
それで…
ええ、日没前《にちぼつまえ》には着《つ》けますよ。

親友《しんゆう》の待《ま》つ広場《ひろば》へ、メロスは（　③　）で走《はし》り続《つづ》けた。

答え　①つらぬ　②アップデート　③無我夢中

0130

わだかまり

心《こころ》の中《なか》に残《のこ》っている、すっきりしない気持《きも》ち。

こないだ意地悪《いじわる》してごめんな！反省《はんせい》してる！
スッキリ

友達《ともだち》の本心《ほんしん》を知《し》り、心《こころ》に（ ④ ）がなくなった。

0131

ただでさえ

そうでなくても。ふつうのときでも。

映《うつ》ってはいけないものがここに…。

（ ⑤ ）こわがりなんだから、ホラー映画《えいが》なんて観《み》たくないよ。

0132

仕《つか》える

その人《ひと》のために一生懸命《いっしょうけんめい》働《はたら》く。

先祖《せんぞ》は、殿様《とのさま》に（ ⑥ ）武士《ぶし》だったらしい。

答え ④わだかまり ⑤ただでさえ ⑥仕える

0133

賛否両論《さんぴりょうろん》

賛成《さんせい》と反対《はんたい》の意見《いけん》があり、結論《けつろん》が出《で》ないこと。

日本中《にほんじゅう》飛《と》んでいける競技場《きょうぎじょう》っていうのは?
賛否両論《さんぴりょうろん》以前《いぜん》の問題《もんだい》ね。
夢《ゆめ》あるけどムリだし…

新《あたら》しい競技場《きょうぎじょう》のデザイン案《あん》には、（ ① ）がある。

0134

つけあがる

相手《あいて》の心《こころ》の広《ひろ》さにつけこんで、いい気《き》になる。

え~ そお~?
やっぱりオレってすごいよね~!
イラッ…

すぐ（ ② ）のが、あの人《ひと》の悪《わる》いくせだ。

0135

インパクト

物《もの》や心《こころ》にえいきょうをあたえること。激突《げきとつ》すること。

イケメンがいるらしいわよ。
サル山《やま》に?
キーーッ
キーーッ
どっち?
サルに似《に》た飼育員《しいくいん》
イケメンザル
ホレッ

あの動物《どうぶつ》は、見《み》た目《め》に（ ③ ）があるから覚《おぼ》えやすい。

答え ① 賛否両論 ② つけあがる ③ インパクト

0136

解《と》き明《あ》かす

明《あき》らかにして、分《わ》かるようにする。

犯人《はんにん》はあなたです！
ばれたか！
バァ

探偵《たんてい》は、ついに事件《じけん》のなぞを（④）した。

0137

キャリア

あることについての経験《けいけん》。経歴《けいれき》。

ガゴーン
難易度《なんいど》の高《たか》いドッキングに成功《せいこう》です！
昔《むかし》からけん玉《だま》が得意《とくい》だったんだ。

難《むずか》しい作業《さぎょう》では、（⑤）の差《さ》が出《で》ることがある。

0138

典型的《てんけいてき》

その特徴《とくちょう》をよく表《あらわ》していること。代表的《だいひょうてき》。

それでは、ごきげんよう！
さ、早《はや》く帰《かえ》るよ！

姉《あね》は、（⑥）な外面《そとづら》のいいタイプだ。

答え ④解き明かす ⑤キャリア ⑥典型的

0139

理性《りせい》

物事《ものごと》の筋道《すじみち》を立《た》てて、きちんと考《かんが》える能力《のうりょく》。

ああぁ!おだんご!
待《ま》て!よく考《かんが》えてから行動《こうどう》するんだ!

感情《かんじょう》に流《なが》されて、（ ① ）をなくすと失敗《しっぱい》するよ。

0140

足《あし》が棒《ぼう》になる

歩《ある》きつかれて、足《あし》がよく動《うご》かなくなること。

足《あし》ってホントに棒《ぼう》になるの?
そうだよ
つかれた〜
ハァハァ
ガチガチ
もう棒《ぼう》になってるなんて言《い》えない…。

20キロメートルも歩《ある》いたら、（ ② ）のも仕方《しかた》がない。

0141

出《だ》しぬく

すきをついて、他人《たにん》よりも先《さき》に行動《こうどう》する。

ライバルを（ ③ ）いて、彼《かれ》の心《こころ》をゲットした。

0142 コンセプト

小説《しょうせつ》や映画《えいが》、音楽《おんがく》などの作品《さくひん》をつくる際《さい》に、支《ささ》えとなる発想《はっそう》のこと。

校長《こうちょう》！
？
ドサッ
オープニングは私《わたし》の歌《うた》で。
しょう・がっ・こう・うん・どう・かい
小学校運動会
ワーッ
却下《きゃっか》！
全校生徒《ぜんこうせいと》をバックダンサーに！

今年《ことし》の運動会《うんどうかい》の（　④　）は、「情熱《じょうねつ》」だ。

0143 心機一転《しんきいってん》

気持《きも》ちをすっかり変《か》えて出直《でなお》すこと。「心機《しんき》」は心《こころ》の働《はたら》きの意味《いみ》。

今日《きょう》から気持《き も》ちを入《い》れかえて勉強《べんきょう》するぞ。
今度《こんど》こそ本気《ほんき》みたい。
努力《どりょく》したかいがあったね！
95
算数テスト
100
やった！

新学年《しんがくねん》になったら、（　⑤　）、熱心《ねっしん》に勉強《べんきょう》するようになった。

0144 手短《てみじか》

簡単《かんたん》に、短《みじか》く。

明日《あした》は体育《たいいく》があるので、体操着《たいそうぎ》を忘《わす》れずに。
今日《きょう》のテストの結果《けっか》は、明日《あす》の…。
つら　つら
くど　くど

早《はや》く帰《かえ》りたいので、帰《かえ》りの会《かい》では（　⑥　）に話《はな》してほしい。

答え　④コンセプト　⑤心機一転　⑥手短

0145

綿密《めんみつ》

細《こま》かく、くわしいこと。

1日のスケジュール
めざせ優勝!!
7:00 起床
8:00 朝食
9:00〜12:00 練習
12:00〜13:00 昼食
13:00〜17:00 練習
17:00〜18:00 ミーティング
18:00〜19:00 夕食
19:00〜22:00 練習
22:00〜 朝までゲーム!!

時間《じかん》をむだにしないよう、練習計画《れんしゅうけいかく》を（ ① ）に立《た》てる。

0146

一進一退《いっしんいったい》

前《まえ》に進《すす》んだり、後《あと》にもどったりすること。

なんで君《きみ》はこう成績《せいせき》が上《あ》がったり、下《さ》がったり…。
1日《にち》おきにさぼっているとは言《い》えない。

成績《せいせき》は（ ② ）で、なかなか上《あ》がらない。

0147

つむぐ　紡ぐ

生《う》み出《だ》し、練《ね》り上《あ》げていく。

どんどん物語《ものがたり》があふれ出《で》てくる!

あの子《こ》には、物語《ものがたり》を（ ③ ）ぎ出《だ》す才能《さいのう》がある。

身《み》についた言葉《ことば》の力《ちから》を確《たし》かめよう！

アタック・ザ・言葉《ことば》クイズ 07

空《あ》いているマスに合《あ》う漢字《かんじ》を、［　］から選《えら》ぼう。

①自分《じぶん》で自分《じぶん》をほめること。

自□自□

②自分《じぶん》が原因《げんいん》で大変《たいへん》な目《め》にあうこと。

自□自□

③「ひと朝《あさ》とひと晩《ばん》」という意味《いみ》から、短《みじか》い期間《きかん》のこと。

一□一□

④前《まえ》に進《すす》んだり、後《あと》にもどったりすること。

一□一□

得《とく》　賛《さん》　朝《ちょう》　退《たい》　画《が》　進《しん》　夕《せき》　業《ごう》

⇒答《こた》えは 72 ページにあります。

0148

取《と》り巻《ま》く

周《まわ》りを囲《かこ》む。また、人につきまとってきげんをとること。

うあああああ
テストが0点《てん》だった!
忘《わす》れ物《もの》をした!
好《す》きな子《こ》に無視《むし》された!
ピーマンが食《た》べられない!

ぼくを（ ① ）問題《もんだい》の数々《かずかず》に、頭《あたま》をなやませる。

0149

絶《た》えず

とぎれることなく。続《つづ》けて。

ワイ
ワイー

評判《ひょうばん》のレストランには、（ ② ）お客《きゃく》さんがやってくる。

0150

品行方正《ひんこうほうせい》

ふだんのふるまいや行《おこな》いが、きちんとして正《ただ》しいこと。

委員長《いいんちょう》に決《き》まった品行方正《ひんこうほうせい》なあいつ…。
裏《うら》があるにちがいない。探《さぐ》ってやる!
アンタ品性《ひんせい》下《け》劣《れつ》

彼《かれ》は、常《つね》に（ ③ ）な態度《たいど》で、周囲《しゅうい》の評価《ひょうか》が高《たか》い。

答え ① 取り巻く ② 絶えず ③ 品行方正

0151

つぶさに

くわしく。細《こま》かく。

つぼみがだんだん開《ひら》いてきた！
じーーっ

毎日《まいにち》（ ④ ）観察《かんさつ》していると、わずかな変化《へんか》にも気《き》づく。

0152

急転直下《きゅうてんちょっか》

急《きゅう》に成《な》り行《ゆ》きが変《か》わって、解決《かいけつ》に向《む》かうこと。

とらがにげたので、外出《がいしゅつ》をひかえてください！
ガ～ッ
すみません、トラという名《な》のねこでした。
ニャ～ッ
ホッ
な～んだ!!

犯人《はんにん》が特定《とくてい》され、事件《じけん》は（ ⑤ ）、解決《かいけつ》に向《む》かった。

0153

しみじみ

心《こころ》に深《ふか》くしみいるさま。

じ～ん
日本一

親《おや》が作《つく》ってくれたおべんとうに、ありがたさを（ ⑥ ）と感《かん》じた。

答え ④つぶさに ⑤急転直下 ⑥しみじみ

0154

わずらわしい

煩わしい

複雑《ふくざつ》でめんどうくさい。気《き》が重《おも》くてやりたくない。

えっ！
3時間《じかん》も
待《ま》つの？
3時間《じかん》
待《ま》ち！
ラーメ
めんどう
くさいな～。

ラーメンを食《た》べるのに、3時間《じかん》も並《なら》ぶのは（ ① ）。

0155

同様《どうよう》

ほとんど同《おな》じ。

キーンコーン
カーンコーン
答《こた》えが書《か》いてない
から、アウトォ！
ズザザー

勉強《べんきょう》も運動《うんどう》（ ② ）、最後《さいご》まであきらめないことが大切《たいせつ》だ。

0156

再三再四《さいさんさいし》

何回《なんかい》も。たびたび。

またか！
忘《わす》れないように
手《て》にメモ
しろと…。
足《あし》に
書《か》いた分《ぶん》を
忘《わす》れちゃって。

（ ③ ）注意《ちゅうい》したのに、また忘《わす》れたんですか？

0157

とりとめのない

まとまりがない。特《とく》に意味《いみ》のない。

「とりとめ」ってなんだろ？
鳥《とり》に関係《かんけい》あるのかな？
鳥《とり》の目《め》のことかな？

ひまだったので、（　④　）話《はなし》をして時間《じかん》をつぶした。

0158

たやすい

とても簡単《かんたん》だ。やさしい。

チャーシューメン
タンメン
ラーメン
ちょっと休憩《きゅうけい》〜〜

ラーメン10ぱいなんて、よく食《た》べる母《はは》には（　⑤　）ことだ。

0159

てっきり

きっと。まちがいなく。

よかった。受《う》かってた！
合格発表《ごうかくはっぴょう》
108
108

（　⑥　）不合格《ふごうかく》だと思《おも》っていたが、合格《ごうかく》してほっとした。

答え　④とりとめのない　⑤たやすい　⑥てっきり

0160

手当《てあ》たり次第《しだい》

手《て》に当《あ》たるものすべて。片《かた》っぱしから。

サッカーしようにゃ!
サッカーしようにゃ!
ねぇ、サッカーしようにゃ!

(　①　)に声《こえ》をかけたが、運悪《うんわる》くだれも集《あつ》まらなかった。

0161

つつしむ　慎む

気《き》をつける。ひかえめにする。

お母《かあ》さん、大好《だいす》き。
太《ふと》っても、顔《かお》にシミができても、お料理《りょうり》へたでも大好《だいす》きだよ!

あなたはいつも一言多《ひとことおお》いので、言葉《ことば》を(　②　)べきよ。

0162

少《すく》なくとも

最低《さいてい》でも。

せんせーい、コアラ君《くん》、またねてます。
ぐー

コアラは、毎日《まいにち》(　③　)20時間《じかん》をねて過《す》ごすらしい。

答え　①手当たり次第　②つつしむ　③少なくとも

0163

堪能《たんのう》

満足《まんぞく》するまで、十分味《じゅうぶんあじ》わう。

もう夜《よる》ですけど……

開園《かいえん》から閉園《へいえん》まで、遊園地《ゆうえんち》での1日《にち》を（　④　）した。

0164

手《て》に余《あま》る

自分《じぶん》の能力《のうりょく》では対応《たいおう》できない。手《て》に負《お》えない。

ラーメン50人前《にんまえ》、5分後《ふんご》に出前《でまえ》して。
それはちょっと…。
中華

これは、私《わたし》には（　⑤　）難《むずか》しい仕事《しごと》だ。

0165

図星《ずぼし》を指《さ》す

かくしている心《こころ》の中《なか》の思《おも》いを当《あ》てる。

おまえ、あの子《こ》好《す》きだろ?
なんでわかった?
あいつがライバルか…。
8人目《にんめ》で当《あ》たり

好《す》きな人《ひと》のことで（　⑥　）され、つい、うろたえてしまう。

答え　④ 堪能　⑤ 手に余る　⑥ 図星を指

0166

馬耳東風《ばじとうふう》

人《ひと》に何《なに》を言《い》われても、まるで気《き》に留《と》めないこと。

まるで反省《はんせい》してないじゃない！
聞《き》いてるの？
自昇歌《はなうた》なんか歌ってるわ
もう許《ゆる》さない！
シャカシャカ

あの人《ひと》は、細《こま》かいことを気《き》にしない。何《なに》を言《い》っても（ ① ）だ。

0167

惰性《だせい》

今《いま》まで続《つづ》いてきた習慣《しゅうかん》。

しめしめ。
あ〜あ。
スカッ

（ ② ）で練習《れんしゅう》しても、いざというときにうまくいかない。

言葉《ことば》クイズの答《こた》え

01
①しり ②目《め》 ③足《あし》 ④耳《みみ》

02
たしょう（多少《たしょう》）

03
①蛇《へび》
②たか
③すっぽん
④犬《いぬ》

			②あ	え	ぐ	
	③あ		ど			①さ
④た A	い	き	ば	ん	せ	い
	き		い			し B
	よ C		す			ん
	う D					

04
①（イ）
②（エ）
③（ア）
④（ウ）

05
①たしなめる
②てっする
③てばなす
④たびたび

た	び	た	び	て
た	ん	て	て	ば
て	っ	す	る	な
ま	ご	つ	く	す
た	し	な	め	る

06
①コミュニケーション
②エピソード
③キャラクター
④カジュアル

07
①自画自賛《じがじさん》 ②自業自得《じごうじとく》
③一朝一夕《いっちょういっせき》 ④一進一退《いっしんいったい》

答え ①馬耳東風 ②惰性

身《み》についた言葉《ことば》の力《ちから》を確《たし》かめよう！

アタック・ザ・言葉《ことば》クイズ

08

漢字《かんじ》を組《く》み合《あ》わせて、意味《いみ》に合《あ》う四字熟語《よじじゅくご》をつくろう。

①人《ひと》に何《なに》を言《い》われても、まるで気《き》に留《と》めないこと。

風　耳
馬　東

（　　　　）

②急《きゅう》に成《な》り行《ゆ》きが変《か》わって、解決《かいけつ》に向《む》かうこと。

転　急
下　直

（　　　　）

③ふだんのふるまいや行《おこな》いが、きちんとして正《ただ》しいこと。

正　方
行　品

（　　　　）

④何回《なんかい》も。たびたび。

三　再
　　四

（　　　　）

⇒答《こた》えは 136 ページにあります。

0168

インストール

コンピュータにソフトウェアを組《く》みこみ、使《つか》えるようにすること。機械《きかい》などを設置《せっち》すること。

これをパソコンに入《い》れてくれんか。
へ〜ッ
おじいちゃん!
おまえさんの番《ばん》じゃよ。
ズズッ

パソコンに、ソフトを(　①　)するようたのまれた。

0169

徒労《とろう》

むだな苦労《くろう》のこと。

徒競走《ときょうそう》ではなく、しょうぎでの対戦《たいせん》にします。
!!
トレーニングしてきたのに…!

実力《じつりょく》を発揮《はっき》する場《ば》がなく、努力《どりょく》は(　②　)に終《お》わった。

0170

やましい

悪《わる》いことをして、心《こころ》が苦《くる》しい。

なんてことをしてしまったんだろう…!
ニャン太《た》 100
ズルで100点《てん》…

不正《ふせい》をしたら、(　③　)気持《きも》ちになるのは当然《とうぜん》だ。

答え ①インストール ②徒労 ③やましい

0171

すずめ百《ひゃく》まで踊《おど》り忘《わす》れず

幼《おさな》いころに身《み》につけた習慣《しゅうかん》や芸《げい》事《ごと》は、年《とし》をとっても忘《わす》れない。

おじいちゃんすごーい！
子《こ》どものころから、打《う》つのだけは得意《とくい》なんだよ！
カキーン
おそっ！
ダサッ！

（　④　）で、おじいちゃんは野球《やきゅう》が上手《じょうず》だ。

0172

しのびない

忍びない

がまんできない。

思《おも》い出《で》がいっぱいで、捨《す》てるには（　⑤　）。

0173

渡《わた》りに船《ふね》

いいタイミングで、都合《つごう》のいいことにめぐりあうこと。

あーあ、だれかかさに入《い》れてくれないかなー。
入《はい》っていく？
えー、いいの？なんだか悪《わる》いなあ。

雨宿《あまやど》り中《ちゅう》、友達《ともだち》が通《とお》りかかり、（　⑥　）だった。

答え ④すずめ百まで踊り忘れず ⑤しのびない ⑥渡りに船

0174

さぞ

きっと。

びっくりしたなんて
もんじゃなかったよ。
ギョエー
ついてきてるし!!

ようかいに出会《であ》ったとは、
（ ① ）びっくりしただろう。

0175

両手《りょうて》に花《はな》

二《ふた》つのいいものを、同時《どうじ》に手《て》に入《い》れていること。

ムフフ。席《せき》がえの結果《けっか》、
左右《さゆう》にクラスのアイドル!

席《せき》がえで、かわいい女《おんな》の子《こ》に
はさまれ、まさに（ ② ）だ。

0176

身軽《みがる》

気《き》が楽《らく》なこと。動《うご》きが軽《かろ》やかなこと。

どうしたらいいの、元《もと》キャプテン?
もうキャプテンじゃないから知《し》らないもんね～!

部活《ぶかつ》のキャプテンという責任《せきにん》が
なくなり、（ ③ ）になった。

答え ①さぞ ②両手に花 ③身軽

0177

照合《しょうごう》

照《て》らし合《あ》わせること。比《くら》べて確《たし》かめること。

写真《しゃしん》とちがうね…。
受験者《じゅけんしゃ》
○○△△
メイクです♥

本人《ほんにん》と、書類《しょるい》の写真《しゃしん》を（④）する。

0178

おうむ返《がえ》し

おうむのように、相手《あいて》の言葉《ことば》をそのまま言《い》い返《かえ》すこと。

昨日《きのう》は大変《たいへん》だったよ。マンガを買《か》おうとしたら、
さいふがなくて、それから…。
へー、昨日《きのう》は大変《たいへん》だったんだ。
たいへーん
マンガを買《か》おうとしたら、
さいふがなかったんだね。

何《なに》を言《い》っても（⑤）では、話《はな》していてもつまらないよ。

0179

知《し》らず知《し》らず

自分《じぶん》では意識《いしき》しないうちに。

ホップ
ステップ
ジャーンプ!!

毎日《まいにち》きたえていたら、（⑥）のうちにジャンプ力《りょく》がついた。

答え ④照合 ⑤おうむ返し ⑥知らず知らず

0180

しのぎをけずる

激《はげ》しく刀《かたな》できり合《あ》う様子《ようす》から、激《はげ》しく争《あらそ》うこと。

しのぎ

両者《りょうしゃ》が（ ① ）、白熱《はくねつ》した試合《しあい》になった。

0181

具体的《ぐたいてき》

例《れい》があって、くわしく、より分《わ》かりやすい様子《ようす》。⇔抽象的《ちゅうしょうてき》

いいか？　サッカーというのはびゃっとボールをけって、どわーっと走《はし》って、ゴールすればいいんだ！
分《わ》かるな!?

（ ② ）に説明《せつめい》してくれないと、ちっとも分《わ》からないよ。

0182

つばぜり合《あ》い

接近《せっきん》して激《はげ》しく争《あらそ》う様子《ようす》。

ぬぬぬ…
ぐぐぐ…
つば

試合終了間近《しあいしゅうりょうまぢか》に、激《はげ》しい（ ③ ）を演《えん》ずる。

答え ① しのぎをけずる ② 具体的 ③ つばぜり合い

0183

専《もっぱ》ら

ほかのことではなく、そればかり。ひたすら。

上腕二頭筋《じょうわんにとうきん》をきたえて、とにかくパワーをつけるんだ!
ムキッ
ムキー
10kg

試合《しあい》に備《そな》えて、今《いま》は（　④　）筋《きん》トレにはげんでいる。

0184

装飾《そうしょく》

かざりつけること。

MERRY
CHRISTMAS

クリスマス会《かい》のために、部屋《へや》を（　⑤　）する。

0185

どんぐりの背比《せいくら》べ

平凡《へいぼん》なものばかりで、優《すぐ》れたものが見当《みあ》たらないこと。

ぼくがいちばんだ。
う〜ん
ああ、負《ま》けた。
51
50
48
次《つぎ》の日《ひ》…
くやしい…。
私《わたし》が勝《か》ちね。
…。
50
52
48

メンバーの実力《じつりょく》が（　⑥　）で、代表選手《だいひょうせんしゅ》が決《き》められない。

答え　④専ら　⑤装飾　⑥どんぐりの背比べ

0186

次第《しだい》に

少《すこ》しずつ。だんだんと。

今日《きょう》も1日《にち》
よく遊《あそ》んだ!

日《ひ》が暮《く》れて、辺《あた》りが（ ① ）暗《くら》くなってきた。

0187

時《とき》は金《かね》なり

時間《じかん》には限《かぎ》りがあり、貴重《きちょう》なものだから、むだにしてはいけない。

時間《じかん》を大切《たいせつ》に!
やるべきことはきちんとやる!
8月
20
ZZZ…

時間《じかん》をむだに使《つか》うのはやめよう。（ ② ）だよ。

0188

目移《めうつ》り

あれこれと、ほかのものに気《き》がひかれること。

あれもいい。
これもいい。
迷《まよ》っちゃう!!

いろいろ（ ③ ）してしまって、買《か》うものが決《き》められない。

身《み》についた言葉《ことば》の力《ちから》を確《たし》かめよう！

アタック・ザ・言葉《ことば》クイズ 09

（　）に合《あ》う言葉《ことば》を、［　］から選《えら》ぼう。

①短期間《たんきかん》でこんなに成績《せいせき》が上《あ》がるなんて、（　　）勉強《べんきょう》したのだろう。

②雨《あめ》の日《ひ》は外《そと》で遊《あそ》べないので、（　　）部屋《へや》でゲームをしている。

③暗《くら》やみの中《なか》を、あやしい足音《あしおと》が（　　）近《ちか》づいてくる。

④毎日《まいにち》ギャグを言《い》っていたら、（　　）のうちに人気者《にんきもの》になっていた。

⑤（　　）学校《がっこう》に行《い》ったと思《おも》っていたのに、まだねているじゃない！

知《し》らず知《し》らず　次第《しだい》に
専《もっぱ》ら　てっきり　さぞ

⇒答《こた》えは136ページにあります。

0189

気《き》まぐれ

気《き》持《も》ちが変《か》わりやすいこと。そのときの思《おも》いつきなどでものを言《い》ったり、したりすること。

私《わたし》はねこだから気《き》まぐれなの。
先《さき》に帰《かえ》るわ

ねこというのは、（　①　）な性格《せいかく》の生《い》き物《もの》だ。

0190

テーマ

何《なに》かを行《おこな》ったり、つくったりするときの中心《ちゅうしん》となる考《かんが》え。主題《しゅだい》。

10年後《ねんご》はタイムマシンをつくって…。
ビューン
その作文《さくぶん》、任《まか》しとけ！
全部《ぜんぶ》やってもらう

作文《さくぶん》の（　②　）は、「10年後《ねんご》の自分《じぶん》」だ。

0191

足《あし》を引《ひ》っ張《ぱ》る

他人《たにん》のじゃまをしたり、物事《ものごと》の順調《じゅんちょう》な進行《しんこう》をさまたげたりすること。

ああっ
またエラーだ！
ああっ
ズバッ
また三振《さんしん》だ！
コロコロ

チームの（　③　）ことのないように、がんばりたいです。

答え　①気まぐれ　②テーマ　③足を引っ張る

0192

基《もと》づく

それがもとになる。それが原因《げんいん》になる。

これ、実際《じっさい》にあった事件《じけん》なの？
ぎゃー！！こわい！
ホラ～映画《えいが》
ココホレワンワン

このホラー映画《えいが》は、事実《じじつ》に（ ④ ）いているらしい。

0193

泣《な》き面《つら》に蜂《はち》

よくないことが重《かさ》なって起《お》こることのたとえ。ふんだりけったり。

あっ！いたっ！
バン
ヨロ
ヨロッ
ゴチン
いてっ！

転《ころ》んだうえにぶつかるなんて、（ ⑤ ）とはこのことだね。

0194

遠回《とおまわ》し

はっきり言《い》わないで、それとなく言《い》うこと。

何言《なにい》ってるのか分《わ》かんない。
人《ひと》
？
この漢字《かんじ》は人《ひと》が支《ささ》え合《あ》って…。
オレサルだし

あの人《ひと》には、（ ⑥ ）に言《い》っても伝《つた》わらない。

答え ④基づ ⑤泣き面に蜂 ⑥遠回し

0195

胸《むね》が騒《さわ》ぐ

いやな予感《よかん》や不安《ふあん》などで、心《こころ》が落《お》ち着《つ》かない。胸騒《むなさわ》ぎ。

宿題《しゅくだい》忘《わす》れた。なるべく目立《めだ》たないようにしてよう…。
トボ
トボ
いやな予感《よかん》…。あてられませんように。
あいつ何《なに》やってんだ?
ドキドキ

昨夜《さくや》から、いやな予感《よかん》がして
（　①　）。

0196

とりわけ

いろいろある中《なか》でも、特《とく》に。

それ、おべんとう!?
!?
♪
ズズー…
スープ
具
麺

好《す》きな食《た》べ物《もの》はたくさんあるが、
（　②　）好《す》きなのはラーメンだ。

0197

手《て》を焼《や》く

自分《じぶん》の力《ちから》では、始末《しまつ》に困《こま》る。

どうすりゃいいんだ。
もっとちょーだい!

やんちゃな子《こ》ども達《たち》には、
いつも（　③　）いている。

答え ①胸が騒ぐ ②とりわけ ③手を焼

0198

四苦八苦《しくはっく》

非常《ひじょう》に苦《くる》しむこと。

0199

猫《ねこ》の手《て》も借《か》りたい

わずかな助《たす》けでも欲《ほ》しいほど、人手《ひとで》が足《た》りないこと。

0200

けりをつける

物事《ものごと》のきまりがついて、終《お》わりになる。

うーん、これは大変《たいへん》だー。
くっ、くっ、苦《くる》しい。もうムリだよー。
わっせ
わっせ
お願《ねが》い！少《すこ》しでいいから助《たす》けて！
ニャ？
手《て》を貸《か》してよ。
やった！
スポーン
大《おお》きなかぶだ！

難《むずか》しい課題《かだい》に取《と》り組《く》むことになり、（ ④ ）した。

あまりにいそがしくて、（ ⑤ ）ほどです。

長《なが》い戦《たたか》いの末《すえ》、ようやく（ ⑥ ）ことができた。

答え ④四苦八苦 ⑤猫の手も借りたい ⑥けりをつける

0201

一《いち》部《ぶ》始《し》終《じゅう》

始《はじ》めから終《お》わりまでの、くわしい事情《じじょう》。

ああ、助《たす》かってよかったねー。
なんて勇敢《ゆうかん》な消防士《しょうぼうし》なの。

救出劇《きゅうしゅつげき》の（　①　）が、ニュースで放送《ほうそう》された。

0202

ささい

ちっとも重要《じゅうよう》でない。どうでもいい。

なんで兄《にい》ちゃんのが大《おお》きいんだよ！
ギャー　ギャー
年上《としうえ》なんだから当《あ》たり前《まえ》だろ！

ケーキが大《おお》きい小《ちい》さいという、（　②　）な問題《もんだい》で言《い》い争《あらそ》う。

0203

二《に》束《そく》三《さん》文《もん》

非常《ひじょう》に値段《ねだん》が安《やす》いこと。

うーん。どう見《み》てもニセモノですね。
高《たか》い値段《ねだん》で買《か》ったのに…。

この絵《え》が（　③　）の値打《ねう》ちしかないなんて、信《しん》じられない。

答え　①一部始終　②ささい　③二束三文

0204

報《むく》い

悪《わる》いことをしたばつ。

おばあさんに悪《わる》さをした
たぬきは、その（　④　）を受《う》けた。

0205

まぎらわしい

紛らわしい

よく似《に》ていて、区別《くべつ》しにくい。

この生《い》き物《もの》は、かばか、さいか、
（　⑤　）見《み》た目《め》だ。

0206

とがめる

悪《わる》いことをしたと思《おも》って、心《こころ》が
痛《いた》くなる。

見《み》て見《み》ぬふりをして
しまったので、気《き》が（　⑥　）。

答え　④報い　⑤まぎらわしい　⑥とがめる

0207

一目置く《いちもくお》

相手《あいて》を優《すぐ》れていると認《みと》めて、一《いっ》歩《ぽ》ゆずる。

センパ～イ、かんべんしてくださいよ～。
こっちだと思《おも》ったんだけどなあー。

みんなが（　①　）人《ひと》でも、まちがえることはある。

0208

目《め》に余《あま》る

度《ど》をこしたひどいありさまで、見《み》ていられない。

あらまあ、なんなのこの部屋《へや》は。
ちょっと手《て》がはなせなくて…。
マンガ

子《こ》ども部屋《べや》のきたなさは、（　②　）ものがあった。

0209

とたん

途端

～した瞬間《しゅんかん》。～してすぐに。

アハハハ
キャハハハ
!?
ねている間《あいだ》にらくがきされた

ぼくの顔《かお》を見《み》た（　③　）、友達《ともだち》が大声《おおごえ》で笑《わら》い出《だ》した。

答え　①一目置く　②目に余る　③とたん

身《み》についた言葉《ことば》の力《ちから》を確《たし》かめよう！

アタック・ザ・言葉《ことば》クイズ 10

□に入《はい》る漢字《かんじ》を、［　］から選《えら》ぼう。関係《かんけい》ないものもあるよ。

①いやな予感《よかん》や不安《ふあん》などで、心《こころ》が落《お》ち着《つ》かない。

□が騒《さわ》ぐ

②自分《じぶん》の力《ちから》では、始末《しまつ》に困《こま》る。

□を焼《や》く

③気《き》が進《すす》まなくてぐずぐずする。しりごみする。

二《に》の□を踏《ふ》む

④度《ど》をこしたひどいありさまで、見《み》ていられない。

□に余《あま》る

鼻《はな》　目《め》　手《て》　足《あし》　腹《はら》　胸《むね》

⇒答《こた》えは 136 ページにあります。

0210

立身出世《りっしんしゅっせ》

社会的《しゃかいてき》に立派《りっぱ》な地位《ちい》を得《え》ること。

立派《りっぱ》になって。
おかえり〜

将来《しょうらい》は（　①　）して、必《かなら》ず親孝行《おやこうこう》すると決意《けつい》した。

0211

宿《やど》る

その場所《ばしょ》でとどまる。

おおおお！
なんだか
パワーが
わいてきた！
ゴオオオ……

それは、不思議《ふしぎ》な力《ちから》が（　②　）指輪《ゆびわ》だった。

0212

話《はなし》に花《はな》が咲《さ》く

次《つぎ》から次《つぎ》へと、話《はなし》が盛《も》り上《あ》がる。

よくままごとしたの、覚《おぼ》えてる？
ペラペラ
覚《おぼ》えてる！いつも最後《さいご》はケンカになるんだよねー。

幼《おさな》なじみに久《ひさ》しぶりに会《あ》い、（　③　）。

答え　①立身出世　②宿る　③話に花が咲く

0213

腕《うで》を上《あ》げる

技術《ぎじゅつ》などが上達《じょうたつ》する。

ずいぶん強《つよ》くなったなあ。まいった。
おじいちゃんもなかなかだよ。

まだまだだと思《おも》っていたが、ずいぶん（ ④ ）たものだ。

0214

見返《みかえ》す

ばかにされた相手《あいて》に、立派《りっぱ》な姿《すがた》を見《み》せて、やり返《かえ》す。

君《きみ》には完敗《かんぱい》だよ…。
1
えっへん

大会《たいかい》で優勝《ゆうしょう》して、ライバルを（ ⑤ ）ことができた。

0215

危機一髪《ききいっぱつ》

ほんのちょっとした差《さ》で、とても危険《きけん》な状態《じょうたい》になるぎりぎりのところ。

みしみしっ
あわわ…。
危機《きき》一髪《いっぱつ》で助《たす》かった。
フー

危険《きけん》な状態《じょうたい》だったが、どうにか助《たす》かった。（ ⑥ ）だったね。

答え ④腕を上げ ⑤見返す ⑥危機一髪

0216

とげる

遂げる

希望《きぼう》していたことや、目標《もくひょう》を達《たっ》成《せい》する。

やったぞ…!
おまえ…、そこが目標《もくひょう》だったの?

ついに、長年《ながねん》の思《おも》いを(①)ことができた。

0217

十人十色《じゅうにんといろ》

人《ひと》それぞれ、考《かんが》え方《かた》や好《この》みにちがいがあること。

人《ひと》はそれぞれ。
みんなちがうからいいんだ。

服装《ふくそう》の好《この》みも(②)で、いろいろな格好《かっこう》の人《ひと》がいる。

0218

まぎらす

紛らす

気持《きも》ちをほかのことに向《む》けて、気分《きぶん》を晴《は》らす。

さびしくなんかないもんねー!
ピコピコ
ピコ

家《いえ》でゲームをして、一人《ひとり》のさびしさを(③)。

答え ①とげる ②十人十色 ③まぎらす

0219

うつつをぬかす

ある物事《ものごと》に心《こころ》をうばわれてしまう。「うつつ」は「平静《へいせい》な心《こころ》」のこと。

何《なに》を
にやにや
してんだ！

かわいい女《おんな》の子《こ》に（④）して、勉強《べんきょう》がおろそかになる。

0220

申《もう》す

「言《い》う」の謙譲語《けんじょうご》、丁寧語《ていねいご》。

王様《おうさま》、私《わたくし》は真実《しんじつ》を申《もう》します…！
はだかです！
プリーッ

実《じつ》を（⑤）せば、その格好《かっこう》はどうかと思《おも》っていました。

0221

威圧《いあつ》

権力《けんりょく》などの強《つよ》い力《ちから》で相手《あいて》をおさえつけたり、無理《むり》に従《したが》わせたりすること。

なんだ おまえ 文句《もんく》あるか？
ないです！

（⑥）的《てき》な態度《たいど》に出《で》られ、びくびくしてしまった。

答え ④うつつをぬかす ⑤申 ⑥威圧

0222
鉄《てつ》は熱《あつ》いうちに打《う》て
心身《しんしん》は若《わか》いうちにきたえるほうがよいこと。何事《なにごと》も起《お》こってすぐに対処《たいしょ》するべきということ。

ガチャ!!
クマ男《お》ちゃん、入《はい》るわよ。勉強《べんきょう》、はかどってる?
くまお

（ ① ）というから、勉強《べんきょう》もやる気《き》のあるうちに始《はじ》めよう。

0223
クレーム
苦情《くじょう》。商品《しょうひん》に問題《もんだい》があったときなどに、買《か》い手《て》が売《う》り手《て》に対《たい》して文句《もんく》を言《い》うこと。

なぜぼくがスパイ採用《さいよう》試験《しけん》に落《お》ちたんですか?
バン
それはだな。
尾行《びこう》に気《き》づかなかったからだよ!

勢《いきお》いよく（ ② ）をつけたが、自分《じぶん》のほうに落《お》ち度《ど》があった。

0224
邪険《じゃけん》
相手《あいて》に対《たい》して思《おも》いやりの気持《きも》ちがない様子《ようす》。

早《はや》く行《い》け!
また明日《あした》ね…。

好《す》きな子《こ》に、つい（ ③ ）な態度《たいど》をとってしまった。

答え ① 鉄は熱いうちに打て ② クレーム ③ 邪険

0225

竹馬《ちくば》の友《とも》

竹馬《たけうま》で遊《あそ》んだような幼《おさな》いころからの友達《ともだち》。幼《おさな》なじみ。

あの二人《ふたり》は（ ④ ）で、大人《おとな》になった今《いま》でも仲《なか》がいい。

0226

ともすると

うっかりすると。場合《ばあい》によっては。ついつい。

（ ⑤ ）、人《ひと》は同《おな》じまちがいをくり返《かえ》してしまうものだ。

0227

異色《いしょく》

ふつうとはちがうこと。目立《めだ》った特徴《とくちょう》がある様子《ようす》。

先生《せんせい》は、元《もと》アイドルという（ ⑥ ）の経歴《けいれき》の持《も》ち主《ぬし》だ。

答え ④竹馬の友 ⑤ともすると ⑥異色

0228

過《す》ぎたるはなお及《およ》ばざるがごとし

度《ど》が過《す》ぎるのは、足《た》りないことと同様《どうよう》によくないことだということ。

試合《しあい》に向《む》けて
毎日練習《まいにちれんしゅう》！
1日《にち》20時間《じかん》
練習《れんしゅう》だっ。
試合当日《しあいとうじつ》
やりすぎた…。

運動《うんどう》は健康《けんこう》にいいが、（　①　）で、ほどほどがいい。

0229

らちが明《あ》かない

物事《ものごと》がはかどらない。終《お》わらない。「らち」は馬場《ばば》などのさくのこと。

こんなさく
こわしてやる！
オーノー！！
びくともしないね～

まず、ここから出《で》て話《はな》をしないと、（　②　）よ。

0230

指摘《してき》

全体《ぜんたい》の中《なか》から、具体的《ぐたいてき》なものを取《と》り上《あ》げ、それであると分《わ》からせるようにすること。

そもそもキミさあ、
油断《ゆだん》しちゃ
ダメ
なんだよ

敵《てき》だと思《おも》っていた相手《あいて》に、欠点《けってん》を（　③　）される。

答え　①過ぎたるはなお及ばざるがごとし　②らちが明かない　③指摘

身《み》についた言葉《ことば》の力《ちから》を確《たし》かめよう！

アタック・ザ・言葉《ことば》クイズ

11

意味《いみ》に合《あ》うように、文字《もじ》を正《ただ》しく並《なら》べかえよう。

①ある物事《ものごと》に心《こころ》をうばわれてしまう。

ぬ	つ	つ	を	う	か	す

②物事《ものごと》がはかどらない。終《お》わらない。

ち	が	あ	か	い	な	ら

③二《ふた》つのいいものを、同時《どうじ》に手《て》に入《い》れていること。

な	は	ょ	て	う	に	り

⇒答《こた》えは 136 ページにあります。

0231

肩身《かたみ》が狭《せま》い

他人《たにん》や世間《せけん》に対《たい》して、申《もう》し訳《わけ》ないと思《おも》うこと。

ぼ、ぼくのミスで、ごめん…。

大事《だいじ》な試合《しあい》で失敗《しっぱい》してしまい、（ ① ）思《おも》いをしている。

0232

割《さ》く

時間《じかん》の都合《つごう》をつける。

いける！まだまだいけるよ！
はい、そこ走《はし》って！
ビシッ
バシッ
Professional
プロの指導《しどう》はんぱない！
ぜー ぜー
ぜー ぜー

先輩《せんぱい》が時間《じかん》を（ ② ）いて、指導《しどう》に来《き》てくれた。

0233

むしろ

それよりも。どちらかといえば。

おどりながら答《こた》えるよ！
3×1=3
3×2=6
3×3=9

あの先生《せんせい》の授業《じゅぎょう》は、勉強《べんきょう》というよりは（ ③ ）、遊《あそ》びに近《ちか》い。

答え ① 肩身が狭い ② 割 ③ むしろ

0234

ケア

気《き》をつけること。病人《びょうにん》やお年寄《としよ》りなどを世話《せわ》したり、介護《かいご》したりすること。

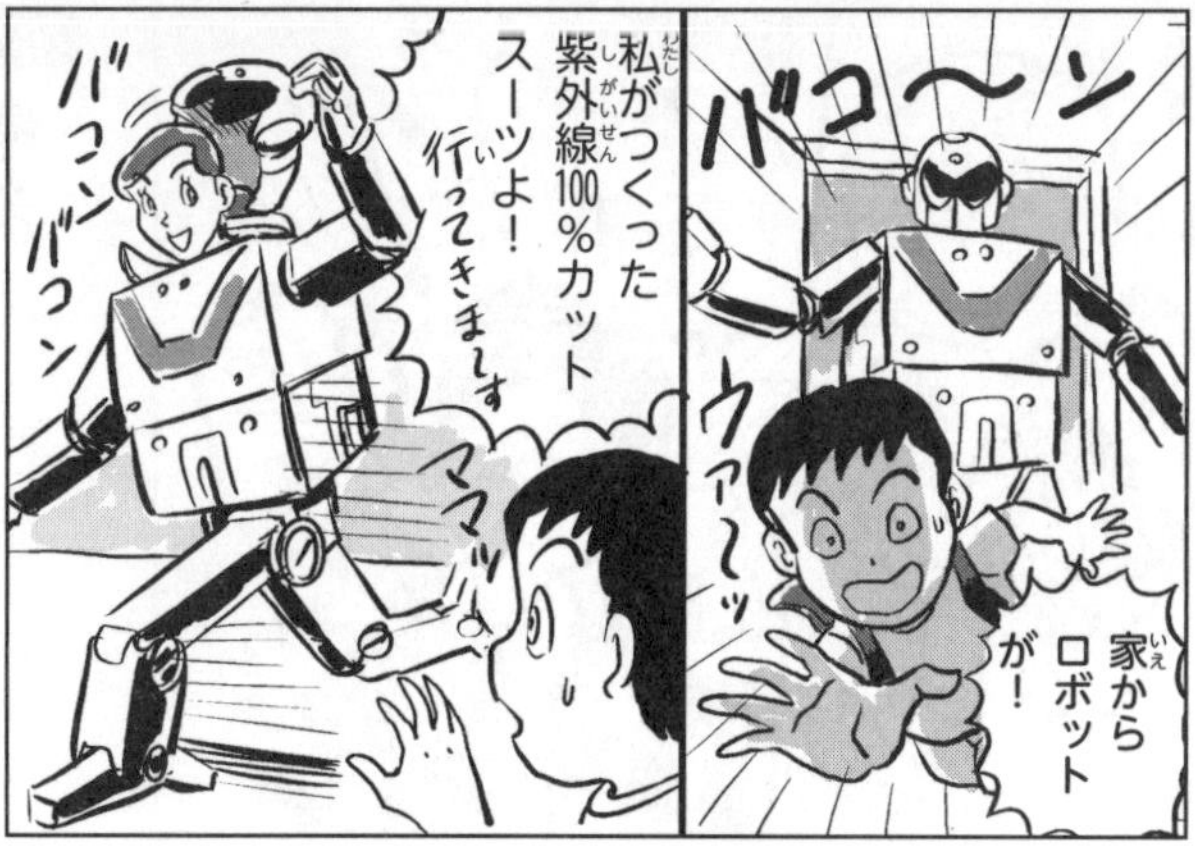
バコ〜ン
家《いえ》からロボットが！
ウァ〜ッ
私《わたし》がつくった紫外線《しがいせん》100%カットスーツよ！行《い》ってきま〜す
バコン バコン
ママッ

母《はは》は、おはだの（　④　）に余念《よねん》がない。

0235

細心《さいしん》

細《こま》かく気《き》をつかうこと。

落《お》とさないように、ゆらさないように…。
いろいろ気《き》をつかうにゃー。
コワレモノ
コワレモノ注意《ちゅうい》
ドキドキ…

（　⑤　）の注意《ちゅうい》をはらって、大切《たいせつ》な荷物《にもつ》を運《はこ》ぶ。

0236

依然《いぜん》

もとの状態《じょうたい》と変《か》わらず。相変《あいか》わらず。

トイレ

（　⑥　）として、夜中《よなか》に一人《ひとり》でトイレに行《い》けないままである。

答え　④ケア　⑤細心　⑥依然

0237

てんぐになる

得意《とくい》になる。いい気《き》になって自慢《じまん》する。

バーン
100
やはり私《わたし》は天才《てんさい》だったようだな!
ホントイヤミだな
おまえ
うぬぼれてなまけてこんなことに…!
15
うああ〜〜

一度《いちど》100点《てん》を取《と》ったぐらいで、(①)ようじゃだめだ。

0238

回《まわ》りくどい

余計《よけい》な話《はなし》が多《おお》くて、分《わ》かりにくい。

ねえ、あまいものは好《す》き?今週末《こんしゅうまつ》は家《いえ》にいる?しっぽのふかふかな男《おとこ》の子《こ》と出《で》かけたいとか、思《おも》ったりすることある?
ふぁ〜

彼《かれ》の話《はなし》は、(②)ので、聞《き》いていてもよく分《わ》からない。

0239

思念《しねん》

いつも心《こころ》に留《とど》めること。思《おも》い考《かんが》えること。

う〜〜ん

(③)すべきは、さる山《やま》の秩序《ちつじょ》をどう保《たも》つかだ。

答え ①てんぐになる ②回りくどい ③思念

0240

先手必勝《せんてひっしょう》

相手《あいて》より先《さき》に行動《こうどう》することで、勝《か》つことができる。

0241

高《たか》をくくる

たいしたことはないと軽《かる》く見《み》る。見《み》くびる。

0242

油断大敵《ゆだんたいてき》

気《き》がゆるみすぎると、思《おも》わぬ失敗《しっぱい》を招《まね》くということ。

うさぎとかめが山《やま》のてっぺんまで競走《きょうそう》しました。
ビュン!!
スタートで一気《いっき》に差《さ》をつけてしまおう。先手必勝《せんてひっしょう》だ!
よし、ここまで来《く》ればもう安心《あんしん》だ。一休《ひとやす》みしてやろう。
カメ
ぐーぐー
zzz…
ふっふっふ…、お先《さき》に失礼《しつれい》。
そろ～

敵《てき》に勝《か》つには（④）、スタートで差《さ》をつけるのがいちばんだ。

（⑤）ってなまけていると、あとでひどい目《め》にあうよ。

弱《よわ》い相手《あいて》だからといっても、（⑥）だ。

答え ④先手必勝　⑤高をくくる　⑥油断大敵

0243

すでに　既に

それより前《まえ》に。とっくに。

試《し》合《あい》終了《しゅうりょう》!
ピピーッ
○○くん ファイト!

あわててかけつけたが、
（　①　）試合《しあい》は終《お》わっていた。

0244

舌《した》を巻《ま》く

相手《あいて》の素晴《すば》らしさにおどろき、言葉《ことば》が出《で》ない様子《ようす》。非常《ひじょう》に感心《かんしん》する。

マジシャンの優《すぐ》れた
テクニックに（　②　）。

0245

さえぎる　遮る

途中《とちゅう》で止《と》める。

私《わたし》は夏休《なつやす》み、海《うみ》に行《い》って…。
夏休《なつやす》みかあ!ぼくはハワイのプライベートビーチで…。
ペラペラ
ペラ

人《ひと》の話《はなし》を（　③　）のはよくない。

答え　①すでに　②舌を巻く　③さえぎる

0246

違和感《いわかん》

しっくりこない感《かん》じ。いつもとちがう感《かん》じ。

ええっ

何《なに》か（ ④ ）があると思《おも》ったら、先生《せんせい》が派手《はで》な短《たん》パン姿《すがた》だった。

0247

まどわす　惑わす

迷《まよ》わす。だます。混乱《こんらん》させる。

なんて美《うつく》しい歌声《うたごえ》なんだ…。
フラフラ〜
♪〜♪

人魚《にんぎょ》の美《うつく》しい歌声《うたごえ》は、船乗《ふなの》り達《たち》を（ ⑤ ）せた。

0248

渡《わた》る世間《せけん》に鬼《おに》はない

世《よ》の中《なか》には冷《つめ》たい人《ひと》ばかりではなく、心優《こころやさ》しい人《ひと》も必《かなら》ずいる。

ポトッ
さいふ落《お》としましたよ！
お礼《れい》はけっこうですよ！
あ、ありがとう、助《たす》かった…。

さいふを拾《ひろ》って届《とど》けてくれるなんて、（ ⑥ ）ね。

答え　④ 違和感　⑤ まどわ　⑥ 渡る世間に鬼はない

0249

不眠不休《ふみんふきゅう》

ねむることも休《やす》むこともせず、ひたすら働《はたら》く様子《ようす》。

冷蔵庫《れいぞうこ》は不眠不休《ふみんふきゅう》で働《はたら》いてえらいなあ!
いや〜 てれるなァ〜

家電《かでん》とはいえ、(①)で働《はたら》いてくれている物達《ものたち》に感謝《かんしゃ》しよう。

0250

やはり

予想《よそう》した通《とお》り。前《まえ》と同《おな》じに。

3時間経過《じかんけいか》…。
ハチ公前《こうまえ》で2時《じ》って言ったのに…。

いつも遅刻《ちこく》するあの子《こ》は、今日《きょう》も(②)時間《じかん》におくれた。

0251

太鼓判《たいこばん》を押《お》す

確実《かくじつ》だと保証《ほしょう》する。

もうだいじょうぶ。心配《しんぱい》いりませんよ。
よかった。
ありがとうございます。
ポン
OK

医者《いしゃ》が(③)しているから、もう心配《しんぱい》はいらないよ。

答え ①不眠不休 ②やはり ③太鼓判を押

身《み》についた言葉《ことば》の力《ちから》を確《たし》かめよう！

アタック・ザ・言葉《ことば》クイズ 12

漢字《かんじ》を線《せん》で結《むす》んで、意味《いみ》に合《あ》う四字熟語《よじじゅくご》をつくろう。

①気《き》がゆるみすぎると、思《おも》わぬ失敗《しっぱい》を招《まね》くこと。

②ねむることも休《やす》むこともせず、ひたすら働《はたら》く様子《ようす》。

③相手《あいて》より先《さき》に行動《こうどう》することで、勝《か》つことができる。

①	②	③
油《ゆ》	不《ふ》	先《せん》
眠《みん》	手《て》	断《だん》
必《ひっ》	大《たい》	不《ふ》
休《きゅう》	勝《しょう》	敵《てき》

⇒答《こた》えは136ページにあります。

0252

歯《は》が立《た》たない

相手《あいて》が強《つよ》くてかなわない。

おれと勝負《しょうぶ》なんて100年早《ねんはや》いわ!
どうだ!
まいった! ごめんなさい!

強《つよ》い相手《あいて》で、私《わたし》の力《ちから》ではまるで（　①　）。

0253

ともなう　伴う

いっしょに連《つ》れていく。

いってらっしゃーい
荷物持《にもつも》ちにされるとも知《し》らずに…。

母《はは》が妹《いもうと》を（　②　）って、デパートに行《い》く。

0254

事態《じたい》

物事《ものごと》が進《すす》んでいく過程《かてい》や、その結果《けっか》。特《とく》に好《この》ましくない状態《じょうたい》を指《さ》す場合《ばあい》が多《おお》い。

5-1
ビュウウッ

前日《ぜんじつ》の天気予報《てんきよほう》では、だれもこの（　③　）を予測《よそく》できなかった。

答え　①歯が立たない　②ともなう　③事態

0255

矢継《やつ》ぎ早《ばや》

素早《すばや》く、次《つぎ》から次《つぎ》に。

昨日《きのう》は何《なに》していたの?
だれと?
どこで?何時《なんじ》から?
何時《なんじ》まで?
あ…あう

先生《せんせい》は、(④)に質問《しつもん》を浴《あ》びせた。

0256

にもかかわらず

それなのに。前文《ぜんぶん》であげた条件《じょうけん》に関係《かんけい》なく。「…にもかかわらず〜ない」の形《かたち》で使《つか》うことが多《おお》い。

オオカミだ〜

助《たす》けを呼《よ》んだ(⑤)、だれも来《き》てくれない。

0257

それきり

それを最後《さいご》に。

7月
7

去年《きょねん》の7月《がつ》に会《あ》って、(⑥)彼《かれ》の姿《すがた》を見《み》ていない。

答え ④矢継ぎ早 ⑤にもかかわらず ⑥それきり

0258

見下《みくだ》す

自分《じぶん》よりも下《した》だと、相手《あいて》をばかにする。

君《きみ》ごときがぼくと同《おな》じねこだなんて。
ハン!!
なんだと!謝《あやま》れ!

人《ひと》を（①）ような態度《たいど》は、だれであろうと許《ゆる》せない。

0259

目《め》がない

大好《だいす》きであること。良《よ》し悪《あ》しを見分《みわ》ける力《ちから》がないこと。

福袋《ふくぶくろ》
お買《か》い得《どく》
また買《か》ってしまった。
福袋《ふくぶくろ》、大好《だいす》きなのよねえ。

母《はは》は以前《いぜん》から、お買《か》い得品《どくひん》には（②）。

0260

察《さっ》する

想像《そうぞう》して分《わ》かってあげる。思《おも》いやる。

がんばったな!

泣《な》いている子《こ》の気持《きも》ちを（③）して、声《こえ》をかける。

答え ①見下す ②目がない ③察

0261

自我《じが》

意識《いしき》や行《おこな》いをコントロールする主体《しゅたい》としての私《わたし》。自分《じぶん》。

弱
ぼくなんかどうせ…。
やーい!
やーい!
強
いつでもおれがいちばんだ!
口《くち》ごたえするな!
すいません…

（　④　）は、強《つよ》すぎても弱《よわ》すぎても困《こま》るものだ。

0262

よる　拠る

あることの理由《りゆう》になる。「～による」の形《かたち》で使《つか》うことが多《おお》い。

こんなに宇宙《うちゅう》は広《ひろ》いのだから、宇宙人《うちゅうじん》はいる!

天文学《てんもんがく》の博士《はかせ》に（　⑤　）と、宇宙人《うちゅうじん》は本当《ほんとう》にいるらしい。

0263

さとる　悟る

本当《ほんとう》のことを知《し》ること。かくされている意味《いみ》を見《み》ぬくこと。

修行《しゅぎょう》!　と思《おも》ったけど…、
寒《さむ》い～っ!　ムリ～っ!
ザーッ

人生《じんせい》を（　⑥　）には、まだまだ早《はや》い。

答え　④自我　⑤よる　⑥さとる

0264 **クオリティー**

品質《ひんしつ》。質《しつ》。

いよいよラストナンバーは…！
キャーッ
ワーッ
お誕生会《たんじょうかい》
ハッピーバースディトゥ…
サクラちゃん
コンサート並《な》みじゃん！

このパーティーの演出《えんしゅつ》の（　①　）の高《たか》さにはおどろいた。

0265 **ときめく**

胸《むね》がワクワク、ドキドキする。

LOVE
キャー！ッ

好《す》きなアイドルのコンサートに行《い》くと、心《こころ》が（　②　）。

0266 **ぬか喜《よろこ》び**

あてが外《はず》れて、初《はじ》め喜《よろこ》んだのがむだになる。

てっきりいいおみやげだと思《おも》ったのに…。
とほほ…。

ごうかなプレゼントかと思《おも》えば、（　③　）もいいところだ。

答え　①クオリティー　②ときめく　③ぬか喜び

0267

思惑《おもわく》

あらかじめ、こうしようと考《かんが》えていること。見《み》こみ。

ゴ〜ール
ぜったい決《き》めるぞ〜
まさかゴールポストをけるとは〜
うう〜

（④）が外《はず》れるのもまた人生《じんせい》だ。

0268

とびきり

ずばぬけて。素晴《すば》らしく。

ぷりぷりの食感《しょっかん》、このうまみ…。
まさに味《あじ》の玉手箱《たまてばこ》〜！

それは、（⑤）おいしいおべんとうだった。

0269

音《ね》を上《あ》げる

弱音《よわね》をはく。限界《げんかい》だと感《かん》じてあきらめる。

先《さき》に行《い》ってくれ！あとはたのんだ！
なにかっこつけてんだ、本番予行《ほんばんよこう》のレースだぞ。
ハア ハア ハア

厳《きび》しい練習《れんしゅう》に（⑥）生徒《せいと》が続出《ぞくしゅつ》した。

答え ④思惑 ⑤とびきり ⑥音を上げる

0270

召《め》し上《あ》がる

「食《た》べる」の尊敬語《そんけいご》。

どうぞ。
たくさん食《た》べてね！

「どうぞ（ ① ）れ」と、ごちそうをすすめられた。

0271

水《みず》を差《さ》す

うまくいっているのにじゃまをして、関係《かんけい》や状況《じょうきょう》を悪《わる》くさせる。

やっほー！！
何《なん》の話《はなし》してるの？

状況《じょうきょう》をよく見《み》ないで割《わ》りこんで、（ ② ）してしまった。

0272

主題《しゅだい》

いちばん主張《しゅちょう》したい内容《ないよう》。テーマ。

ネコ話
わがはいは ネコえもん である

その作品《さくひん》は、ねこの活躍《かつやく》を（ ③ ）にしている。

答え ①召し上が ②水を差 ③主題

身《み》についた言葉《ことば》の力《ちから》を確《たし》かめよう！

アタック・ザ・言葉《ことば》クイズ 13

□に入《はい》る言葉《ことば》を、[ ]から選《えら》ぼう。

①おどろいて、はっと息《いき》を止《と》める。

息《いき》を□

②相手《あいて》を優《すぐ》れていると認《みと》めて、一歩《いっぽ》ゆずる。

一目《いちもく》□

③弱音《よわね》をはく。限界《げんかい》だと感《かん》じてあきらめる。

音《ね》を□

④うまくいっているのにじゃまをして、関係《かんけい》や状況《じょうきょう》を悪《わる》くさせる。

水《みず》を□

置《お》く　上《あ》げる　差《さ》す　のむ

⇒答《こた》えは 136 ページにあります。

0273

有害《ゆうがい》

悪《わる》いえいきょうがあること。

⇔無害《むがい》

このマンガは暴力的《ぼうりょくてき》だからいけません!
たたかえワンコ!!
えー

きつい描写《びょうしゃ》のあるマンガは、(①)だと禁止《きんし》される。

0274

しばしば

たびたび。何度《なんど》も。

ドキ
ドキ
ドキ
ドキドキドキ

この場所《ばしょ》で、(②)おばけが目撃《もくげき》されている。

0275

口《くち》が重《おも》い

口数《くちかず》が少《すく》なくて、おしゃべりではない。

ねえねえ、このドレスどう?
あら、こっちもいいわよ。
お父《とう》さん、どうかしら?
ムスー
ウェディング

父《ちち》は、姉《あね》の結婚《けっこん》の話《はなし》になると、とたんに(③)くなる。

答え ①有害 ②しばしば ③口が重い

0276

コスト

ものを生産《せいさん》するのに必要《ひつよう》なお金《かね》。生産費《せいさんひ》。仕入《しい》れの値段《ねだん》。

いよいよバレンタイン…。
ヒッヒッヒッ
コレゼッタイウマいわよ
売《う》っている高級《こうきゅう》チョコを調合《ちょうごう》して…。

手作《てづく》りチョコは、意外《いがい》と（④）がかかる。

0277

物足《ものた》りない

いまひとつ足《た》りなくて、不満《ふまん》だ。

え〜、もう帰《かえ》るの？
1時間《じかん》しか遊《あそ》んでないじゃん！

遊園地《ゆうえんち》で1時間《じかん》しか遊《あそ》ばないなんて、（⑤）。

0278

挫折《ざせつ》

計画《けいかく》がうまくいかなくなること。またそのことで、やる気《き》や気力《きりょく》をなくすこと。

ダイエットは今日《きょう》でおしまいです！
甘《あま》いもの禁止《きんし》！ママ
ドン！
またか…
それ、食《た》べるのね

母《はは》がダイエットに（⑥）するのは、今年《ことし》でもう2回目《かいめ》だ。

答え ④コスト ⑤物足りない ⑥挫折

0279

打《う》ちしおれる

すっかり元気《げんき》がなくなる。

ズーン

好《す》きな子《こ》にふられ、兄《あに》は見《み》るからに（　①　）てしまった。

0280

三人《さんにん》寄《よ》れば文殊《もんじゅ》の知恵《ちえ》

ふつうの人《ひと》でも、何人《なんにん》か集《あつ》まって相談《そうだん》すれば、よい案《あん》が出《で》るということ。

う〜ん、分《わ》かんない。助《たす》けて！
ふむふむ
これはこの公式《こうしき》を…。
図《ず》にかくといいよ。

この問題《もんだい》はみんなで考《かんが》えよう。（　②　）というからね。

0281

未明《みめい》

深夜《しんや》から、明《あか》るくなり始《はじ》めるまでの間《あいだ》。午前《ごぜん》0時《じ》から午前《ごぜん》3時《じ》。

日《ひ》が出《で》る前《まえ》にそーっと出発《しゅっぱつ》だ！

事件《じけん》は、○月《がつ》×日《にち》（　③　）に起《お》きた。

答え　①打ちしおれ　②三人寄れば文殊の知恵　③未明

0282

格差《かくさ》

同《おな》じ種類《しゅるい》や同《おな》じ仲間《なかま》の間《あいだ》に生《しょう》じる、程度《ていど》のちがい。

チェッ
ずるいよ…
1000
お年玉
5000
お年玉《としだま》

お年玉《としだま》の金額《きんがく》の、姉《あね》との（④）には納得《なっとく》がいかない。

0283

留《と》める

残《のこ》しておく。覚《おぼ》えておく。

人生《じんせい》とはラグビーボールのようなものだ！
いい言葉《ことば》だ！意味分《いみわ》からないけど…！

引退試合《いんたいじあい》での先生《せんせい》の言葉《ことば》を心《こころ》に（⑤）。

0284

二《に》の足《あし》を踏《ふ》む

気《き》が進《すす》まなくてぐずぐずする。しりごみする。

何《なに》してるの、早《はや》くして。
早《はや》く
いや その、
こ、これはちょっと…。

彼《かれ》は、前進《ぜんしん》することに（⑥）んでいるようだ。

答え ④格差 ⑤留める ⑥二の足を踏

0285

賢明《けんめい》

物事《ものごと》の判断《はんだん》ややり方《かた》が、正《ただ》しくふさわしい様子《ようす》。

やめときゃ
よかった〜。
グラ
グラッ

（　①　）な人《ひと》は、こんな危《あぶ》ない橋《はし》はわたらないよ。

0286

まつわる

関係《かんけい》がある。えんがある。

むかしむかし、このぬまにはかっぱがすんでいて…。
カッパ伝説《でんせつ》

このぬまには、ようかいに（　②　）話《はなし》が数多《かずおお》く残《のこ》っている。

0287

険悪《けんあく》

今《いま》にも争《あらそ》いが起《お》こりそうな、おだやかでない空気《くうき》。

プン
だからおまえとプレイするの、いやなんだよ!
プン
こっちのせりふだ!

ゲームで白熱《はくねつ》しすぎて、（　③　）なムードになった。

答え　①賢明　②まつわる　③険悪

0288

格段《かくだん》

程度《ていど》が大《おお》きく、明《あき》らかにちがう様子《ようす》。

寒《さむ》い…
いつもはこのくらいの雪《ゆき》…
ビュウウーッ

今年《ことし》の冬《ふゆ》は、いつもより（④）に寒《さむ》い気《き》がする。

0289

全《まっと》うする

完全《かんぜん》にする。終《お》わりまでする。

給食片《きゅうしょくかた》づけ係《がかり》として、残《のこ》ったものは全部食《ぜんぶた》べます！
バク
バクバクーッ

自分《じぶん》の役目《やくめ》は、何《なに》があろうと（⑤）つもりだ。

0290

自由自在《じゆうじざい》

自分《じぶん》の思《おも》いのままにできること。

あんなふうにすべれたらなー。
スイー

氷《こおり》の上《うえ》で（⑥）に動《うご》くのは、とても難《むずか》しい。

答え ④格段 ⑤全うする ⑥自由自在

0291

滅多《めった》に

たまにしかないさま。ほとんど「滅多《めった》に～ない」の形《かたち》で使《つか》う。

サル村《むら》、木登《きのぼ》りうまいなー。
サル村君《むらくん》がほめられるなんて…！

ぼくが友達《ともだち》にほめられるなんて、（　①　）起《お》きないことだ。

0292

一《いち》も二《に》もなく

あれこれ文句《もんく》や反対《はんたい》を言《い》うことがない。すぐさま。

ラーメン大好《だいす》きなのー♥
い、意外《いがい》と食《た》べるんだね…。

何《なに》が好《す》きかと問《と》われたら、（　②　）「ラーメン！」と答《こた》える。

0293

手《て》こずる

苦労《くろう》する。苦戦《くせん》する。

3日《か》かかってようやくたおせた…！
ふー…
ザコ→キャラ
ヤラレター!!!

すぐに片《かた》づくと思《おも》ったが、意外《いがい》と（　③　）った。

答え　①滅多に　②一も二もなく　③手こず

身《み》についた言葉《ことば》の力《ちから》を確《たし》かめよう！

アタック・ザ・言葉《ことば》クイズ

14

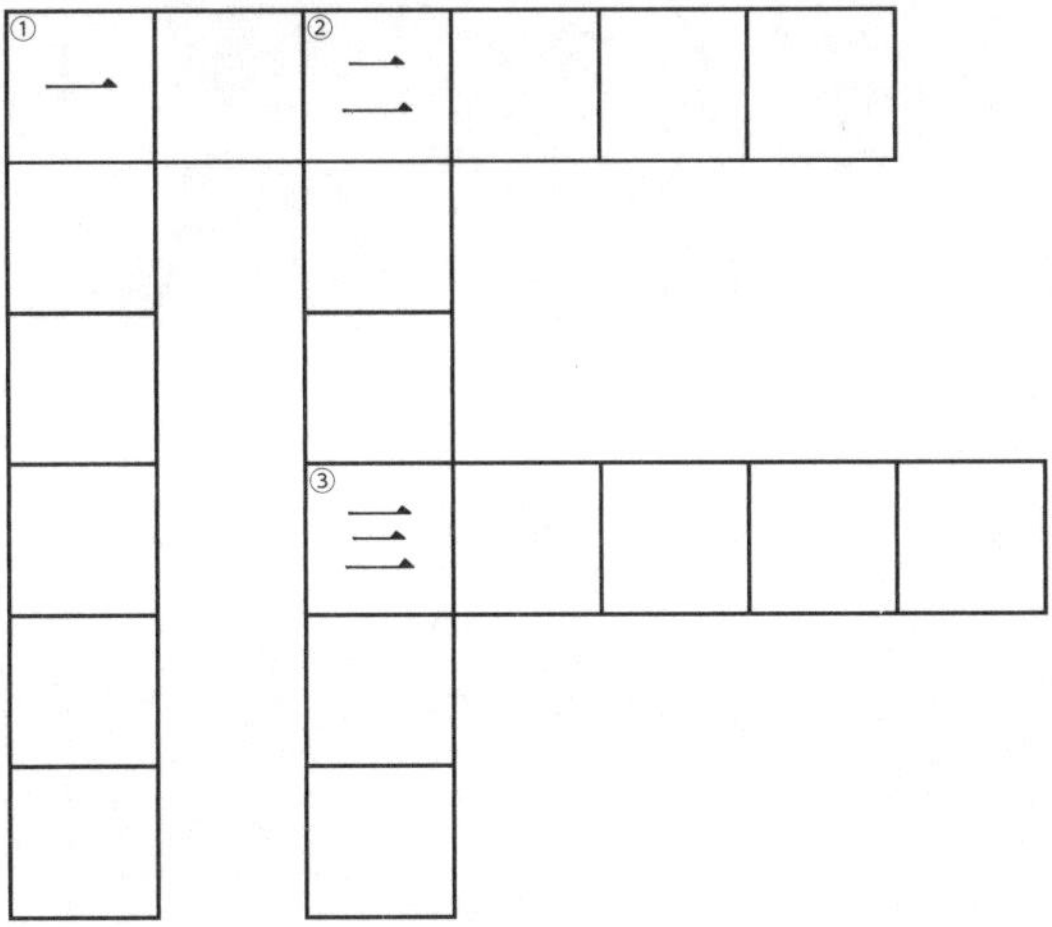

ヒントに合《あ》う言葉《ことば》を、ひらがなでマスに入《い》れよう。

タテのカギ

①始《はじ》めから終《お》わりまでの、くわしい事情《じじょう》。
「一ⓑぶ○じ○○」

②非常《ひじょう》に値段《ねだん》が安《やす》いこと。
「二そ○三○ん」

ヨコのカギ

①あれこれ文句《もんく》や反対《はんたい》を言《い》うことがない。すぐさま。
「一も二○な○」

③長続《ながつづ》きせず、あきっぽいこと。
「三○ぼ○ず」

⇒答《こた》えは 136 ページにあります。

0294

長《なが》い目《め》で見《み》る

今《いま》の様子《ようす》だけで判断《はんだん》せず、気長《きなが》に見守《みまも》る。

まったく…。
次《つぎ》はがんばります！

今後《こんご》に期待《きたい》して、成長《せいちょう》を（ ① ）ことにしよう。

0295

躍起《やっき》

むきになること。必死《ひっし》になること。

だって、そもそもぼくはいやだって言《い》ったのに、キツネ君《くん》がむりやり…！
聞《き》いてる!?

ぼくは（ ② ）になって、言《い》い訳《わけ》をした。

0296

過程《かてい》

物事《ものごと》が変化《へんか》して、ある結果《けっか》にたどり着《つ》くまでの道《みち》。

ガタンゴトン
いってきまーす
遠《とお》いところ、よく来《き》たね。

目的地《もくてきち》に着《つ》くまでの（ ③ ）も、旅《たび》の楽《たの》しみの一《ひと》つだ。

答え ①長い目で見る ②躍起 ③過程

0297

オプション

多《おお》くのものの中《なか》から、よいものなどを自由《じゆう》に選《えら》ぶ権利《けんり》。通常《つうじょう》の仕様以外《しよういがい》に、注文《ちゅうもん》でつける装備《そうび》。

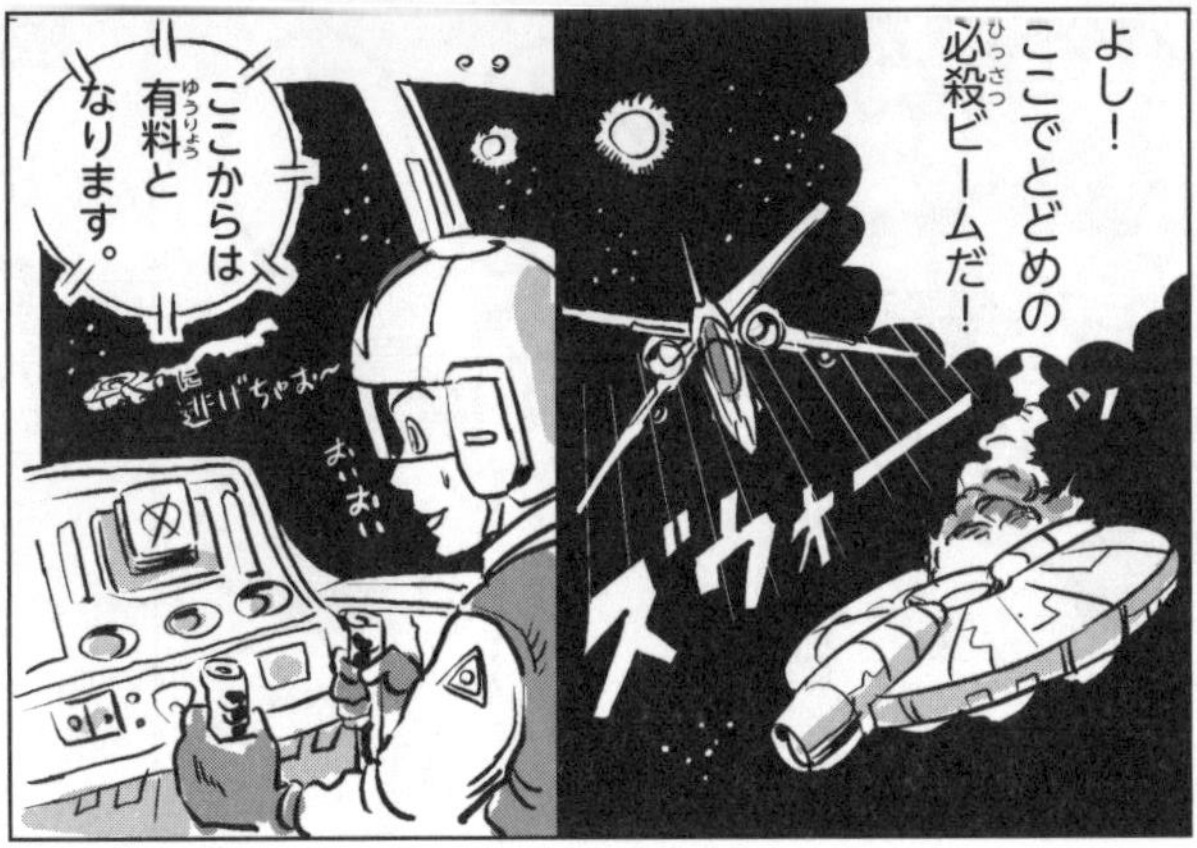
よし！ここでとどめの必殺《ひっさつ》ビームだ！
ズウォー
ここからは有料《ゆうりょう》となります。
おいおい

（　④　）の機能《きのう》は、有料《ゆうりょう》になるそうだ。

0298

したたる

滴る

水《みず》などがたれる。

夏《なつ》のマラソンは暑《あつ》い！
ジリ
ジリ

（　⑤　）あせをぬぐい、夏《なつ》の日《ひ》、ぼくはひたすら走《はし》り続《つづ》けた。

0299

絶体絶命《ぜったいぜつめい》

せっぱつまった、体《からだ》も命《いのち》も絶《た》える危険《きけん》があるほどの状態《じょうたい》。

うわー！！

（　⑥　）の大《だい》ピンチ…と思《おも》ったら、夢《ゆめ》だった。

答え　④オプション　⑤したたる　⑥絶体絶命

0300

険《けわ》しい

困難《こんなん》が予想《よそう》されること。いかりや不満《ふまん》が表《あらわ》れた顔《かお》つき。

ただいま。
おかえり、通知《つうち》表《ひょう》は？
ゴゴゴ
通知表
なによこれ…。

通知《つうち》表《ひょう》を見《み》せたとたん、母《はは》の顔《かお》が（　①　）くなった。

0301

交《まじ》える

やり合《あ》う。やり取《と》りする。

このやろー!!

おこったかにが、さると一戦《いっせん》を（　②　）。

0302

大同小異《だいどうしょうい》

大体《だいたい》が同《おな》じで、細《こま》かいちがいしかないこと。似《に》たり寄《よ》ったり。

あなたもスターだ!
予選《よせん》
なかなかスターは現《あらわ》れないな。
う～ん

演技力《えんぎりょく》は（　③　）で、飛《と》びぬけていい者《もの》はいなかった。

答え ① 険し ② 交える ③ 大同小異

0303

歓心《かんしん》を買《か》う

相手《あいて》に気《き》に入《い》られるよう、きげんをとる。

いやー いつも
お世話《せわ》になって
ペコ
ありがとうございます
ペコ
応援《おうえん》しております です、ハイ！
おう、いつもご苦労《くろう》さん。

えらい人《ひと》の（ ④ ）ために、おせじを言《い》う人《ひと》は信用《しんよう》できない。

0304

てき面《めん》

効果《こうか》や結果《けっか》などが、すぐに現《あらわ》れること。

あれ？
頭《あたま》がよくなる薬《くすり》
それは頭《あたま》の形《かたち》がよくなる薬《くすり》じゃ！

この薬《くすり》の効果《こうか》は、（ ⑤ ）だった。

0305

独立独歩《どくりつどっぽ》

人《ひと》にたよらず、自分《じぶん》で考《かんが》え、自《じ》分《ぶん》の信《しん》じる道《みち》を歩《あゆ》むこと。

痛《いた》いっ!!
今日《きょう》は、自分《じぶん》で立《た》ってみようか。がんばれ！
ゴロゴローッ

小《ちい》さいころから（ ⑥ ）の人生《じんせい》を歩《あゆ》んできた。

答え ④ 歓心を買う ⑤ てき面 ⑥ 独立独歩

0306

待《ま》ちかねる

長《なが》い間《あいだ》待《ま》っていて、もう待《ま》てないこと。

いつになったら来《く》るんだよ、桃太郎《ももたろう》！
イライラ
もういいわ～、おうち帰《かえ》るわ～～！

おには桃太郎《ももたろう》を（　①　）て、家《いえ》に帰《かえ》ってしまった。

0307

したためる

書《か》き記《しる》す。

メールよりも手紙《てがみ》だよね。
フフッ
おべんとう ありがとう!
かわいくてビックリ
おいしかったです!!
今日《きょう》はイヌとサルと
キジが仲間《なかま》になり
ました!! キビダンゴの
おかげです

旅《たび》の途中《とちゅう》、ふるさとへの手紙《てがみ》を（　②　）。

0308

傾向《けいこう》

人《ひと》や物《もの》の性質《せいしつ》や状態《じょうたい》が、ある方向《ほうこう》に向《む》かうこと。かたより。

小学校《しょうがっこう》では、女子《じょし》のほうが読書量《どくしょりょう》が多《おお》い（　③　）にある。

答え ①待ちかねる ②したためる ③傾向

0309

羽目《はめ》を外《はず》す

調子《ちょうし》に乗《の》って節度《せつど》を失《うしな》う。

ワー
ワー
ハッピー
ハロウィーン!
トリック
オア
トリート!

パーティーで盛《も》り上《あ》がりすぎて、ついつい（　④　）してしまった。

0310

つくろう 繕う

こわれたりしている所《ところ》を直《なお》す。うまくごまかす。

お母《かあ》さんの
好《す》きな
ドラマ
始《はじ》まった
よ～♪

その場《ば》の空気《くうき》を（　⑤　）って、話題《わだい》を変《か》える。

0311

刻《きざ》む

細《こま》かく切《き》る。心《こころ》にしっかり留《と》めておく。

先生《せんせい》のことは
これからも
忘《わす》れません
もっと
集中《しゅうちゅう》し
なさい!
また
いねむ
りか!
まったく
おまえと
いうやつ
は!
グサ
卒業証書

卒業生《そつぎょうせい》は、先生《せんせい》の言葉《ことば》を胸《むね》に（　⑥　）んで巣立《すだ》っていく。

答え ④羽目を外 ⑤つくろ ⑥刻

0312

矢先《やさき》

ちょうど、そのとき。

遊《あそ》びにいってきま～…
ちょっと待《ま》ちなさい！宿題《しゅくだい》は？

家《いえ》を出《で》ようとした（　①　）、母《はは》に呼《よ》び止《と》められた。

0313

敬意《けいい》

相手《あいて》を尊敬《そんけい》する気持《きも》ち。

自然《しぜん》への（　②　）を、決《けっ》して忘《わす》れてはならない。

0314

青写真《あおじゃしん》

予定《よてい》や計画《けいかく》のこと。

日本《にっぽん》の夜明《よあ》けがくるぜよ！

新《あたら》しい世《よ》の中《なか》の（　③　）を頭《あたま》の中《なか》にえがく。

答え　①矢先　②敬意　③青写真

身《み》についた言葉《ことは》の力《ちから》を確《たし》かめよう！

アタック・ザ・言葉《ことば》クイズ

15

上《うえ》の言葉《ことば》に合《あ》う意味《いみ》を、線《せん》で結《むす》ぼう。

① 躍起《やっき》

② とげる

③ 矢先《やさき》

④ したためる

(ア) ちょうど、そのとき。

(イ) 書《か》き記《しる》す。

(ウ) 希望《きぼう》していたことや、目標《もくひょう》を達成《たっせい》する。

(エ) むきになること。必死《ひっし》になること。

⇒答《こた》えは136ページにあります。

0315

見過《みす》ごす

気《き》づいていても、そのままにしておく。見《み》ているのに気《き》づかないままになる。見落《みお》とす。

授業中《じゅぎょうちゅう》にほかのことしちゃだめ！
ぜったい！

国語《こくご》の時間《じかん》にほかの勉強《べんきょう》をするなんて、（ ① ）ことはできないよ。

0316

喜怒哀楽《きどあいらく》

人間《にんげん》がもっている様々《さまざま》な感情《かんじょう》。

喜《よろこ》ぶ
ワーイ
悲《かな》しむ
喜
怒
哀
楽
おこるー
楽《たの》しむ

君《きみ》は、（ ② ）がはっきり顔《かお》に出《で》るタイプだね。

0317

切実《せつじつ》

自分《じぶん》にとって、深《ふか》く関係《かんけい》のあること。

学校《がっこう》の成績《せいせき》より…、
こっちのほうが大問題《だいもんだい》だ！

おこづかいが少《すく》ないのが、今《いま》の（ ③ ）な問題《もんだい》だ。

答え ①見過ごす ②喜怒哀楽 ③切実

0318

疑似《ぎじ》

本物《ほんもの》によく似《に》ていて、見分《みわ》けがつきにくいもの。

わー
ヒー

あの科学館《かがくかん》には、台風《たいふう》を（ ④ ）体験《たいけん》できる装置《そうち》がある。

0319

まさしく

まちがいなく。確《たし》かに。

かれこそ英雄《えいゆう》よー!

敵《てき》と戦《たたか》って王女《おうじょ》を救《すく》ったのは、（ ⑤ ）あの男《おとこ》だ。

0320

九死《きゅうし》に一生《いっしょう》を得《え》る

危《あや》ういところで命拾《いのちびろ》いする。

ああ、人《ひと》だ、助《たす》かった!
おーい
おーい
ゾロゾロ
ツアー

遭難《そうなん》しかけたが、（ ⑥ ）て、救出《きゅうしゅつ》された。

答え ④疑似 ⑤まさしく ⑥九死に一生を得

0321

とりこ

いけどりにした敵《てき》。心《こころ》をうばわれること。気《き》持《も》ちがひかれて、はなれられなくなること。

こんな子がうちの息子《むすこ》だったら…。
母《かあ》ちゃん…

アイドルの笑顔《えがお》に、（　①　）になった。

0322

イシュー

議論《ぎろん》の中心《ちゅうしん》となる問題点《もんだいてん》。考《かんが》えるべき問題《もんだい》。発行物《はっこうぶつ》。

我々《われわれ》の世界征服《せかいせいふく》が進《すす》まないのはなぜだ？
ニャ〜ッ
5時間経過《じかんけいか》
ず〜っと会議《かいぎ》してろ。
ウ〜ン
プランAは……
プランBは……

肝心《かんじん》な（　②　）が定《さだ》まらず、話《はな》し合《あ》いが長引《ながび》く。

0323

あてど

めあてとする所《ところ》やもの。「あてどもない」の形《かたち》で使《つか》うことが多《おお》い。

あこがれるナ〜
山の中駅《やまのなかえき》
ねー、お母《かあ》さんっ！聞《き》いてる!?

（　③　）もなく、気《き》ままな一人旅《ひとりたび》に出《で》たい気分《きぶん》だ。

答え ①とりこ ②イシュー ③あてど

0324

くつじょく 屈辱

相手《あいて》に負《ま》け、はずかしいと感《かん》じること。また、はじをかかされたという思《おも》い。

白雪姫《しらゆきひめ》の美《うつく》しさに、王女《おうじょ》は今《いま》までにない（　④　）を味《あじ》わった。

0325

常《つね》に

いつも。

休《やす》み時間《じかん》は元気《げんき》だが、授業中《じゅぎょうちゅう》は（　⑤　）ねむそうだ。

0326

一心不乱《いっしんふらん》

一《ひと》つのことに集中《しゅうちゅう》して、熱心《ねっしん》に取《と》り組《く》むこと。

（　⑥　）に取《と》り組《く》み、難《むずか》しい課題《かだい》を1日《にち》で終《お》わらせた。

答え　④くつじょく　⑤常に　⑥一心不乱

0327

両立《りょうりつ》

二《ふた》つのことを、同時《どうじ》にきちんとすること。

恋《こい》と勉強《べんきょう》を（　①　）させるのは、少《すこ》し難《むずか》しいみたいだ。

0328

希薄《きはく》

気持《きも》ちや意欲《いよく》が、あまりないこと。

表情《ひょうじょう》にとぼしいが、感情《かんじょう》が（　②　）なわけではない。

0329

さすが

やっぱり。期待通《きたいどお》り。

プロの歌手《かしゅ》は、（　③　）に聞《き》かせる歌《うた》を歌《うた》う。

答え　①両立　②希薄　③さすが

0330

後《うし》ろ髪《がみ》を引《ひ》かれる

気《き》がかりが残《のこ》ること。

子《こ》ねこだわ。
あっちに親《おや》がいたみたいだけど…。
ミャー
ミャー
ミャー

（ ④ ）思《おも》いで、その場《ば》を後《あと》にした。

0331

時折《ときおり》

時々《ときどき》。

ギャッ
こんなによっぱらって！
ごめんなさーい!!
父《とう》ちゃん…

（ ⑤ ）、父《ちち》と母《はは》は大《おお》きなケンカをする。

0332

有頂天《うちょうてん》

喜《よろこ》びすぎて、我《われ》を忘《わす》れてしまうこと。気分《きぶん》がまいあがる様子《ようす》。

うむ、いいあいさつだ！
おはようございます
えっ
やった！
おはようございます!!
ほめられたー！

思《おも》わぬことでほめられて、（ ⑥ ）になる。

答え ④後ろ髪を引かれる ⑤時折 ⑥有頂天

0333

やみつき

やめられなくなるほど、夢中《むちゅう》になる。

牛乳《ぎゅうにゅう》ラーメン
こりゃ たまんね〜！
くせに なるね！
ズゾゾ
ゾゾ…

牛乳《ぎゅうにゅう》ラーメンは変《か》わった味《あじ》だけど、おいしくて（　①　）になる。

0334

半信半疑《はんしんはんぎ》

本当《ほんとう》と思《おも》っていいかどうか迷《まよ》うこと。半《なか》ば信《しん》じ、半《なか》ば疑《うたが》うこと。

バナナでダイエットできるって本当《ほんとう》？
うーん…どうかなあ。

（　②　）でも、新《あたら》しいダイエット法《ほう》は必《かなら》ず試《ため》してみる。

言葉《ことば》クイズの答《こた》え

08 ①馬耳東風《ばじとうふう》 ②急転直下《きゅうてんちょっか》 ③品行方正《ひんこうほうせい》 ④再三再四《さいさんさいし》

09 ①さぞ ②専《もっぱ》ら ③次第《しだい》に ④知《し》らず知《し》らず ⑤てっきり

10 ①胸《むね》 ②手《て》 ③足《あし》 ④目《め》

11 ①うつつをぬかす ②らちがあかない（らちが明《あ》かない） ③りょうてにはな（両手《りょうて》に花《はな》）

12 ①油断大敵《ゆだんたいてき》 ②不眠不休《ふみんふきゅう》 ③先手必勝《せんてひっしょう》

13 ①のむ ②置《お》く ③上《あ》げる ④差《さ》す

14 タテ ①一ぶしじゅう（一部始終《いちぶしじゅう》） ②二そく三もん（二束三文《にそくさんもん》）
ヨコ ①一も二もなく ③三かぼうず（三日坊主《みっかぼうず》）

一	も	二	も	な	く	
ぶ		そ				
し		く				
じ		三	か	ほ	う	ず
ゅ		も				
う		ん				

15 ①(エ) ②(ウ) ③(ア) ④(イ)

身《み》についた言葉《ことば》の力《ちから》を確《たし》かめよう！

アタック・ザ・言葉《ことば》クイズ

16

正《ただ》しいほうを選《えら》んで、◯をつけよう。

①幼《おさな》いころに身《み》につけた習慣《しゅうかん》や芸事《げいごと》は、年《とし》をとっても忘《わす》れない。

{うさぎ / すずめ}百《ひゃく》まで踊《おど》り忘《わす》れず

②わずかな助《たす》けでも欲《ほ》しいほど、人手《ひとで》が足《た》りないこと。

{くま / 猫《ねこ》}の手《て》も借《か》りたい

③よくないことが重《かさ》なって起《お》こることのたとえ。ふんだりけったり。

泣《な》き面《つら》に{はえ / 蜂《はち》}

④平凡《へいぼん》なものばかりで、優《すぐ》れたものが見当《みあ》たらないこと。

{どんぶり / どんぐり}の背比《せいくら》べ

⇒答《こた》えは200ページにあります。

0335

ひときわ

ほかよりも特《とく》に。

あの、いちばん背《せ》の高《たか》いのがウサ男君《おくん》だよ。
高《たか》っ!!

クラスの中《なか》では飛《と》びぬけて背《せ》が高《たか》いので、（ ① ）目立《めだ》つ。

0336

案《あん》の定《じょう》

予想通《よそうどお》りに。

この展開《てんかい》、ひいじいさんに聞《き》いたことある!
チラっ
あっ やっぱりかーっ
ゴール

競走《きょうそう》で油断《ゆだん》して休《やす》んでいたら、（ ② ）、追《お》いぬかれてしまった。

0337

スタンス

何《なに》かをするときの立場《たちば》や態度《たいど》。心構《こころがま》え。

試験前《しけんまえ》にジタバタかい、見苦《みぐる》しいね。
試験後《しけんご》のジタバタはどーよ。
テストのことで呼《よ》び出《だ》しよ
行《い》きたくぬ〜
ジタバタ
ジタバ

ぼくとあいつは、勉強《べんきょう》に対《たい》する（ ③ ）がちがう。

答え ①ひときわ ②案の定 ③スタンス

0338

けがの功名《こうみょう》

当初《とうしょ》は失敗《しっぱい》と思《おも》われたことが、思《おも》いがけなくいい結果《けっか》をもたらすこと。

あ、まちがえてカレーにみそ入《い》れちゃった。
変《か》わった味《あじ》だけど、おいしい！
で、でしょ？
ホッ

調味料《ちょうみりょう》をまちがえたが、（④）でよりおいしくなった。

0339

万《まん》が一《いち》

そんなことは絶対《ぜったい》ないと思《おも》うが、もしかして。

絶対《ぜったい》負《ま》けることはないけれど…！
万《まん》が一《いち》、かめなんかに負《ま》けたら、うさぎをやめます！
カメに負《ま》けるのなんて1万回《まんかい》に1回《かい》だ!!

（⑤）、かめに負《ま》けたら、ぼくはうさぎをやめます。

0340

さっそう

さわやかに、格好《かっこう》よく。

悪者《わるもの》どもそこまでだ！
え…？
だれ…？
？
バァーン

絶体絶命《ぜったいぜつめい》と思《おも》われたそのとき、ヒーローが（⑥）と現《あらわ》れた。

答え ④けがの功名 ⑤万が一 ⑥さっそう

0341

飛《と》んで火《ひ》に入《い》る夏《なつ》の虫《むし》

身《み》をほろぼすような危険《きけん》の中《なか》に、進《すす》んで身《み》を投《とう》ずること。

その子《こ》を放《はな》しなさい!
ヒヒヒ、ワナにかかったな!

戦略《せんりゃく》もなく敵《てき》にいどむなんて、（①）と同《おな》じだ。

0342

間接《かんせつ》

直接《ちょくせつ》ではなく、ほかの人《ひと》やものを通《とお》して。⇔直接《ちょくせつ》

これをミユキちゃんにお願《ねが》い。
任《まか》せとけ!
マオちゃんボクから
マ〜ッ
アイツこのやろう!!

友達《ともだち》にたのんで、（②）的《てき》にプレゼントをわたす。

0343

需要《じゅよう》

必要《ひつよう》として求《もと》めること。

明日《あす》は暑《あつ》くなるので、アイスがおいしく感《かん》じられるでしょう。
天気予報《てんきよほう》
高《こう》
高《こう》
フムフム

アイスクリームの（③）は、季節《きせつ》ごとに大《おお》きく変化《へんか》する。

答え ① 飛んで火に入る夏の虫 ② 間接 ③ 需要

0344

うなぎ上《のぼ》り

勢《いきお》いよく上《あ》がっていく様子《ようす》。

点数《てんすう》がぐんぐん上《あ》がってるわね。
一応《いちおう》上《あ》がってるよね。

兄《あに》は最近《さいきん》よく勉強《べんきょう》しているので、成績《せいせき》が（ ④ ）だ。

0345

杞憂《きゆう》

取《と》りこし苦労《ぐろう》。大《おお》げさに考《かんが》えすぎること。

私《わたし》は、天《てん》が落《お》ちてこないか心配《しんぱい》でならない。
ピチャッ
ははは。そんな心配《しんぱい》いりません。
アホー アホー
フンが落《お》ちてきた!?

降水確率《こうすいかくりつ》が0％で、雨《あめ》の心配《しんぱい》をするなんて（ ⑤ ）だよ。

0346

せいぜい

いくらよくても。

今回《こんかい》まったく勉強《べんきょう》しなかったからな～。
でも得意科目《とくいかもく》だし、50点《てん》はいくよな～。

今回《こんかい》のテストの結果《けっか》は、（ ⑥ ）50点《てん》くらいだろう。

答え ④うなぎ上り ⑤杞憂 ⑥せいぜい

0347

チェンジ

取《と》りかえること。入《い》れかわること。変化《へんか》すること。

○△家《け》ファッションショー
続《つづ》きまして ミニのドレスと…
いつまで続《つづ》くの?
家族行事《かぞくぎょうじ》なんだって。

ファッションショーでの衣装《いしょう》（ ① ）の時間《じかん》は、とても短《みじか》い。

0348

根《ね》も葉《は》もない

なんのよりどころもない。いい加減《かげん》な。

昨日《きのう》、ここできょうりゅうを見《み》たんだよ。
はくちょう号

湖《みずうみ》にきょうりゅうがいると、（ ② ）うわさが広《ひろ》がっている。

0349

あながち

必《かなら》ずしも。決《けっ》して。

だから、そっちの道《みち》は危《あぶ》ないって言《い》ったじゃない!
でも、こっちだと時間《じかん》が…。
いや、そうだね。君《きみ》が正《ただ》しいよ!
オオカミ!!

あの人《ひと》が言《い》ったことは、（ ③ ）まちがってはいなかったようだ。

答え ①チェンジ ②根も葉もない ③あながち

0350 客観《きゃっかん》

直接《ちょくせつ》は関係《かんけい》がない立場《たちば》から、冷《れい》静《せい》に観《かん》察《さつ》し、考《かんが》えること。⇔主《しゅ》観《かん》

またぶつけられた…。
ヒリヒリ
ワ
ワ
でもパワーがあるから、将来《しょうらい》の期待大《きたいだい》！

（④）的《てき》に見《み》て、あの子《こ》にはサッカーの才能《さいのう》があると感《かん》じる。

0351 すたれる

はやらなくなる。

みんなー、元気《げんき》ーー？
ガラーーーン

大人気《だいにんき》だったアイドルだが、今《いま》はもう（⑤）てしまった。

0352 好《す》きこそものの上手《じょうず》なれ

好きなことは、熱心《ねっしん》にやるから、上達《じょうたつ》するものだ。

パカッ
ナイスショ！
今《いま》の最高《さいこう》のショットだったな。
ビューン
バシッ
ゴルフならだれにも負《ま》けないぞ！
ゴルフのことばかり考《かんが》えてるんじゃないぞ！

（⑥）で、好《す》きなスポーツは上達《じょうたつ》が早《はや》い。

答え ④客観 ⑤すたれ ⑥好きこそものの上手なれ

0353

いろどる　彩る

色《いろ》や物《もの》を組《く》み合《あ》わせて、かざること。

ドーン

夜空《よぞら》を美《うつく》しく（　①　）花火《はなび》は、夏《なつ》の風物詩《ふうぶつし》だ。

0354

こっそり

人《ひと》に知《し》られないようにかくれて。そっと。

勉強《べんきょう》、進《すす》んでる？
サッ
ガチャン

（　②　）ゲームをしているのは、母《はは》にはまだばれていない。

0355

データ

何《なに》かを考《かんが》える際《さい》に参考《さんこう》となる事実《じじつ》や資料《しりょう》、情報《じょうほう》。

タイキ君《くん》の話《はなし》、まちがってたよ。
ショートケーキ
キライ！
あ、ユミちゃんのデータだったかも？
テキトーすぎ！
ガセばっかっていうか……

彼《かれ》が収集《しゅうしゅう》している（　③　）では、参考《さんこう》にならないようだ。

答え　①いろどる　②こっそり　③データ

身《み》についた言葉《ことば》の力《ちから》を確《たし》かめよう！

アタック・ザ・言葉《ことば》クイズ

17

正《ただ》しいものを選《えら》んで、○をつけよう。

①そのときの様子《ようす》。または映画《えいが》などにおける、ある場面《ばめん》の設定《せってい》のこと。

ジェネレーション（　）
シミュレーション（　）
シチュエーション（　）

②何《なに》かを考《かんが》える際《さい》に参考《さんこう》となる事実《じじつ》や資料《しりょう》、情報《じょうほう》。

デリート（　）
データ（　）
デジタル（　）

③科学《かがく》の知識《ちしき》を応用《おうよう》した技術《ぎじゅつ》。科学技術《かがくぎじゅつ》。

テクニック（　）
テクノロジー（　）
テクスチャー（　）

④品質《ひんしつ》。質《しつ》。

クオリティー（　）
アイデンティティー（　）
セキュリティー（　）

⇒答《こた》えは200ページにあります。

0356 くつろぐ

ゆっくり休《やす》む。のんびりする。

何《なに》してるの…!?
ハッ
マンガ
クッキー
せんべい
ポテトチップス

日曜日《にちようび》は、出《で》かけないで、一日中《いちにちじゅう》、家《いえ》で（ ① ）いでいた。

0357 コントロール

ほどよく整《ととの》えること。まとめて管理《かんり》すること。ねらった所《ところ》に思《おも》い通《どお》りに当《あ》てること。

隕石型《いんせきがた》ばくだんを地球《ちきゅう》にぶつけてやる!
ドーン
発《はっ》しゃ!
ドカーン
ザンネン、先《さき》にやられた! ねらいは正確《せいかく》だったのに…。
あたるまで3年《ねん》もかかるから

スピードはいまいちだが、（ ② ）ならだれにも負《ま》けない。

0358 したたか

強《つよ》くて手《て》ごわい様子《ようす》。

お母《かあ》さんにばらされたくなければ、
パクパク
おやつ全部《ぜんぶ》ちょうだい!

ぼくをおどすとは、なんて（ ③ ）な女《おんな》だ。

答え ①くつろ ②コントロール ③したたか

0359

いかにも

どう考《かんが》えても。まさしくその通《とお》り。

転校生《てんこうせい》は、（ ④ ）モテそうな感《かん》じの顔《かお》をしていた。

0360

弱肉強食《じゃくにくきょうしょく》

強《つよ》いものが弱《よわ》いものを支配《しはい》すること。

ガルルルッ
それアリ？
助《たす》けてー！

（ ⑤ ）の環境《かんきょう》で弱者《じゃくしゃ》が生《い》きぬくには、知恵《ちえ》が必要《ひつよう》だ。

0361

はなから

最初《さいしょ》から。

犯人《はんにん》はやっぱりコアラ君《くん》だよ。
最初《さいしょ》から分《わ》かっていたけどね…。

あいつが犯人《はんにん》だということは、（ ⑥ ）分かっていた。

答え ④いかにも ⑤弱肉強食 ⑥はなから

0362

浪費《ろうひ》

お金《かね》や時間《じかん》、労力《ろうりょく》などをむだづかいすること。

あら
こっちも
かわい～♡
ストレス発散《はっさん》！
こっちがストレスたまるんですけど…。
Sale会場《かいじょう》

ぼくからすれば、母《はは》の買《か》い物《もの》につき合《あ》うのは時間《じかん》の（ ① ）だ。

0363

コンプレックス

ほかのだれかよりおとっていると感《かん》じる気持《きも》ち。

おれも実《じつ》は白鳥《はくちょう》だったりして。
みにくいアヒルの子
ネエネエ
おれってみにくくない？
みにくいって言《い》ってよ！
どっからどう見《み》てもふつうよ。
？
どう見《み》てもふつうのアヒルよ

『みにくいあひるの子《こ》』は、「（ ② ）」が一《ひと》つのテーマだ。

0364

しゃにむに

何《なに》も考《かんが》えないで、がむしゃらに。

うおおおおおおお

彼《かれ》はラグビーの試合《しあい》で、（ ③ ）つっこんでいった。

0365

寝《ね》た子《こ》を起《お》こす

いったん収《おさ》まっていたことにふれて、また問題《もんだい》を引《ひ》き起《お》こすこと。

そういえば、スキーの約束《やくそく》は?
温泉《おんせん》も行《い》くって言《い》ってたよね?
せっかく忘《わす》れてたのに…。

やっと落《お》ち着《つ》いたのに、（ ④ ）ようなことはやめてほしい。

0366

兆《きざ》し

ある状態《じょうたい》になりそうな感《かん》じ。

ウァ~ッ
春《はる》を感《かん》じるなあ。
やべっ、それどころじゃねえ!
キーン
ドカン

3月《がつ》になると、あちらこちらで春《はる》の（ ⑤ ）を感《かん》じる。

0367

端的《たんてき》

手《て》っ取《と》り早《ばや》いさま。分《わ》かりやすく。

見《み》た目《め》じゃ分《わ》からんもんだなあ…。

彼《かれ》について（ ⑥ ）に言《い》うと、見《み》た目《め》はこわいがとても優《やさ》しい。

答え ④寝た子を起こす ⑤兆し ⑥端的

0368

見《み》るからに

ちょっと見《み》ただけでも。

頭《あたま》よさそうなのに0点《てん》!?
予想外《よそうがい》!

（　①　）成績《せいせき》がよさそうだが、テストでは0点《てん》だった。

0369

鳴《な》かず飛《と》ばず

将来《しょうらい》の活躍《かつやく》に備《そな》え、機会《きかい》を待《ま》つさま。また、なんの活躍《かつやく》もしないでいること。

選手時代《せんしゅじだい》はさっぱりだったけど、
アウト!
コーチ♪
コーチには向《む》いていたみたい。
コーチ!

選手《せんしゅ》としては（　②　）だったが、コーチとして成功《せいこう》した。

0370

サプライズ

人《ひと》をおどろかせること。びっくりさせるためのしかけ。

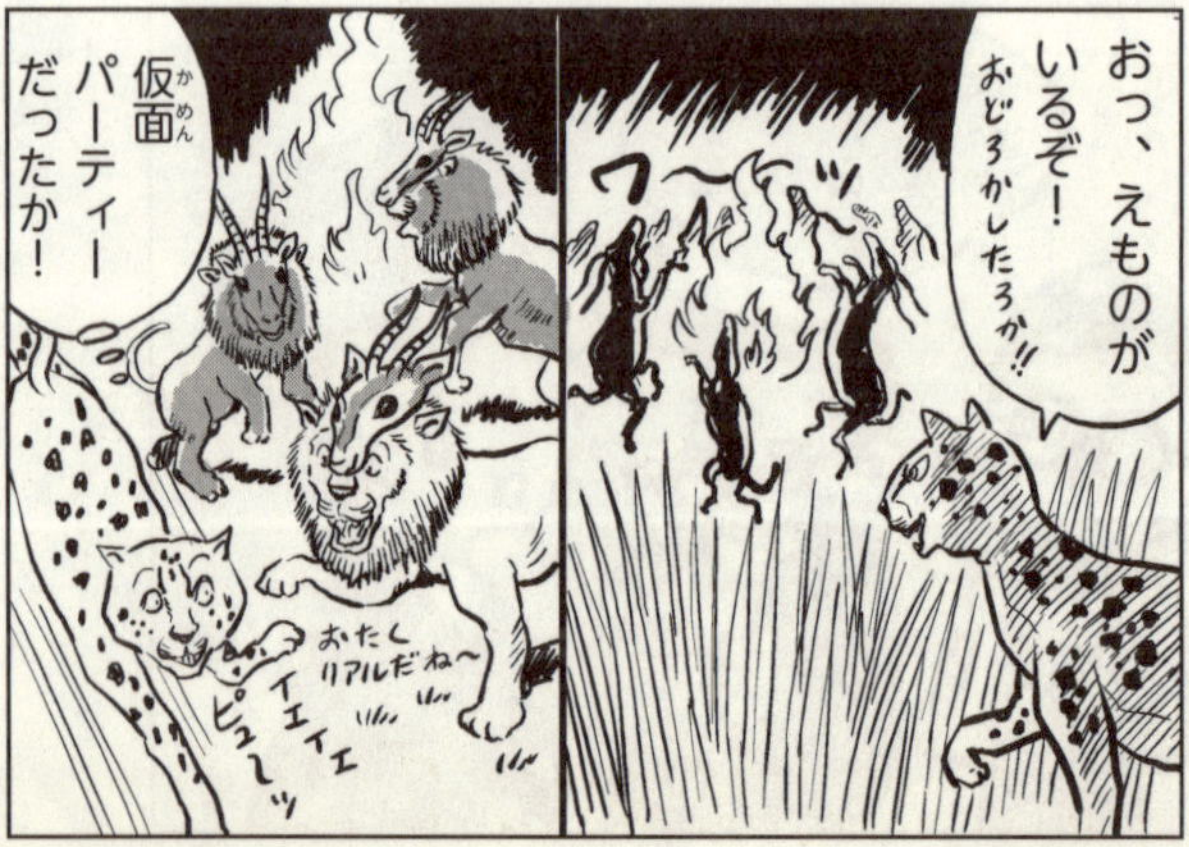
おっ、えものがいるぞ!
おどろかしたろか!!
仮面《かめん》パーティーだったか!
おたくリアルだね〜
イエイエ
ピュ〜ッ

友達《ともだち》の誕生日《たんじょうび》に、（　③　）で仮面《かめん》パーティーを開《ひら》く。

答え ① 見るからに　② 鳴かず飛ばず　③ サプライズ

0371

音《おん》信《しん》不《ふ》通《つう》

便《たよ》りがないこと。連絡《れんらく》が取《と》れない状態《じょうたい》。

知《し》り合《あ》いから、久《ひさ》しぶりにメールが来《き》たんだって。
すごい！
いいね
50年ぶりですね 元気ですか

卒業後《そつぎょうご》、ずっと（ ④ ）だった友達《ともだち》から、メールが届《とど》いた。

0372

めっきり

すっかり。はっきりと。

ゲームはもうあきたのかい？
メラメラ
そんなヒマないよ！
ゲーム

最近《さいきん》は、ゲームで遊《あそ》ぶことも（ ⑤ ）少《すく》なくなってきた。

0373

けげん

理由《りゆう》や意図《いと》に納得《なっとく》できずに、変《へん》だと思《おも》うこと。

マンガっておもしろいの？
おもしろいに決《き》まってるわ！
マンガ

「マンガはつまらない」と言《い》ったら、（ ⑥ ）な顔《かお》をされた。

0374

耳《みみ》にたこができる

同《おな》じ話《はなし》を何度《なんど》も聞《き》かされて、うんざりすること。

パパが小学生《しょうがくせい》のときは勉強《べんきょう》も運動《うんどう》も…。
また〜ッ耳《みみ》にタコだよ
中学生《ちゅうがくせい》からはどうだったの?
野球《やきゅう》も補欠《ほけつ》…もう話《はな》したくない
いや、それからはめっきりな…。

父《ちち》の苦労話《くろうばなし》は、（①）ほど聞《き》いた。

0375

極《きわ》めて

これ以上《いじょう》にないほど強《つよ》く。とても。

たぁーっ
とうっ
ガンッ

人《ひと》は、好《す》きなものから、（②）大《おお》きなえいきょうを受《う》ける。

0376

差《さ》し引《ひ》き

あるものからあるものを引《ひ》いて。

左《ひだり》のポッケに
入《はい》ってた!

50円《えん》落《お》として100円《えん》見《み》つけた。（③）50円《えん》の得《とく》だ。

答え ① 耳にたこができる ② 極めて ③ 差し引き

身《み》についた言葉《ことば》の力《ちから》を確《たし》かめよう！

アタック・ザ・言葉《ことば》クイズ 18

あみだくじで進《すす》もう。線《せん》を1本《ぽん》足《た》して、言葉《ことば》と意味《いみ》を合《あ》わせるには、(ア)(イ)(ウ)のどれを選《えら》べばいいかな？

① 見《み》るからに

② はなから

③ いかにも

④ 極《きわ》めて

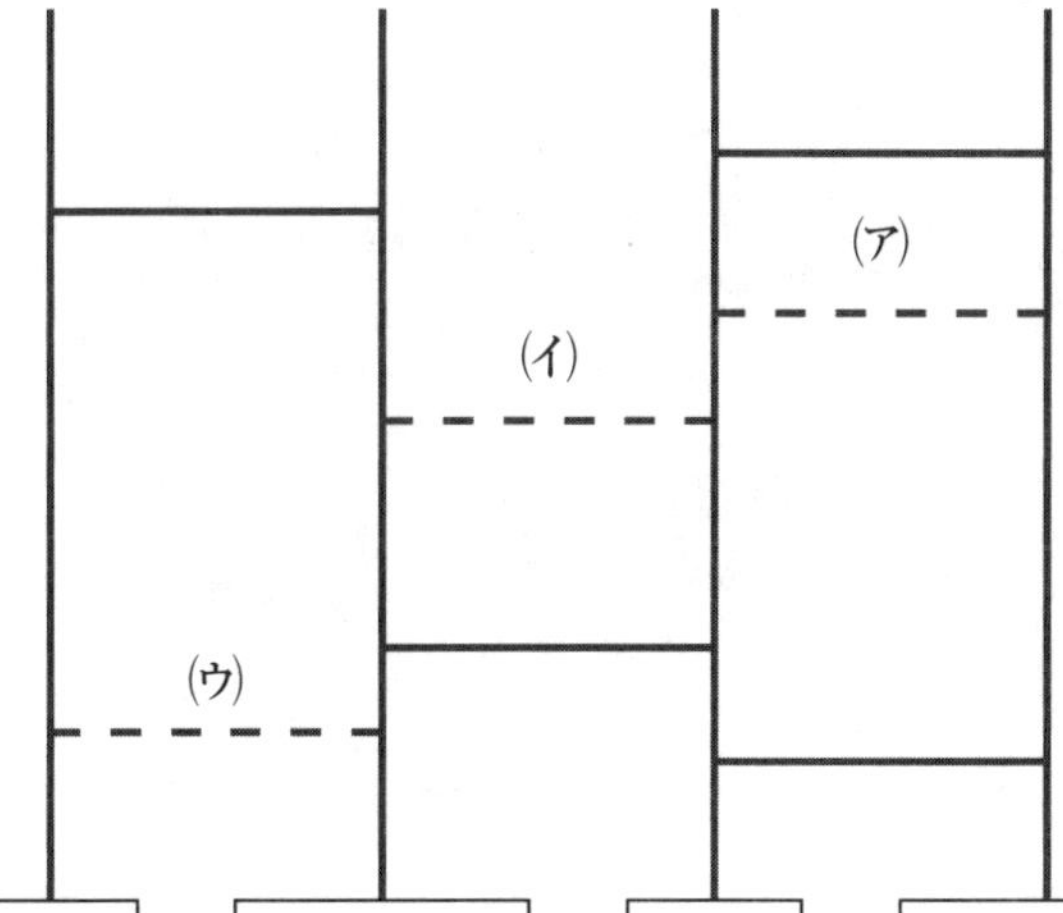

Ⓐ これ以上《いじょう》にないほど強《つよ》く。とても。

Ⓘ 最初《さいしょ》から。

Ⓤ どう考《かんが》えても。まさしくその通《とお》り。

Ⓔ ちょっと見《み》ただけでも。

⇒答《こた》えは200ページにあります。

0377

ぎこちない

動《うご》きがスムーズでない。ぎくしゃくしている。

あの人《ひと》野球《やきゅう》初《はじ》めて？
イヤ元《もと》プロだよ
エッ!?ゾンビ!?
生《い》きてるときにはね…。

久《ひさ》しぶりの野球《やきゅう》で、どうしていいか分《わ》からず、動《うご》きが（　①　）。

0378

認識《にんしき》

物事《ものごと》の本質《ほんしつ》を理解《りかい》すること。

卵《たまご》が先《さき》だ！
にわとりが先《さき》だ！

（　②　）のちがいが、争《あらそ》いを生《う》むこともある。

0379

反面《はんめん》

その一方《いっぽう》で。反対《はんたい》の面《めん》。

キャプテンになれてうれしい…！
にゃっほう!!
でも、本当《ほんとう》におれに務《つと》まるのか？
どーん

キャプテンになり、うれしい（　③　）、不安《ふあん》もある。

答え　①ぎこちない　②認識　③反面

0380

テクノロジー

科学《かがく》の知識《ちしき》を応用《おうよう》した技術《ぎじゅつ》。科《か》学《がく》技術《ぎじゅつ》。

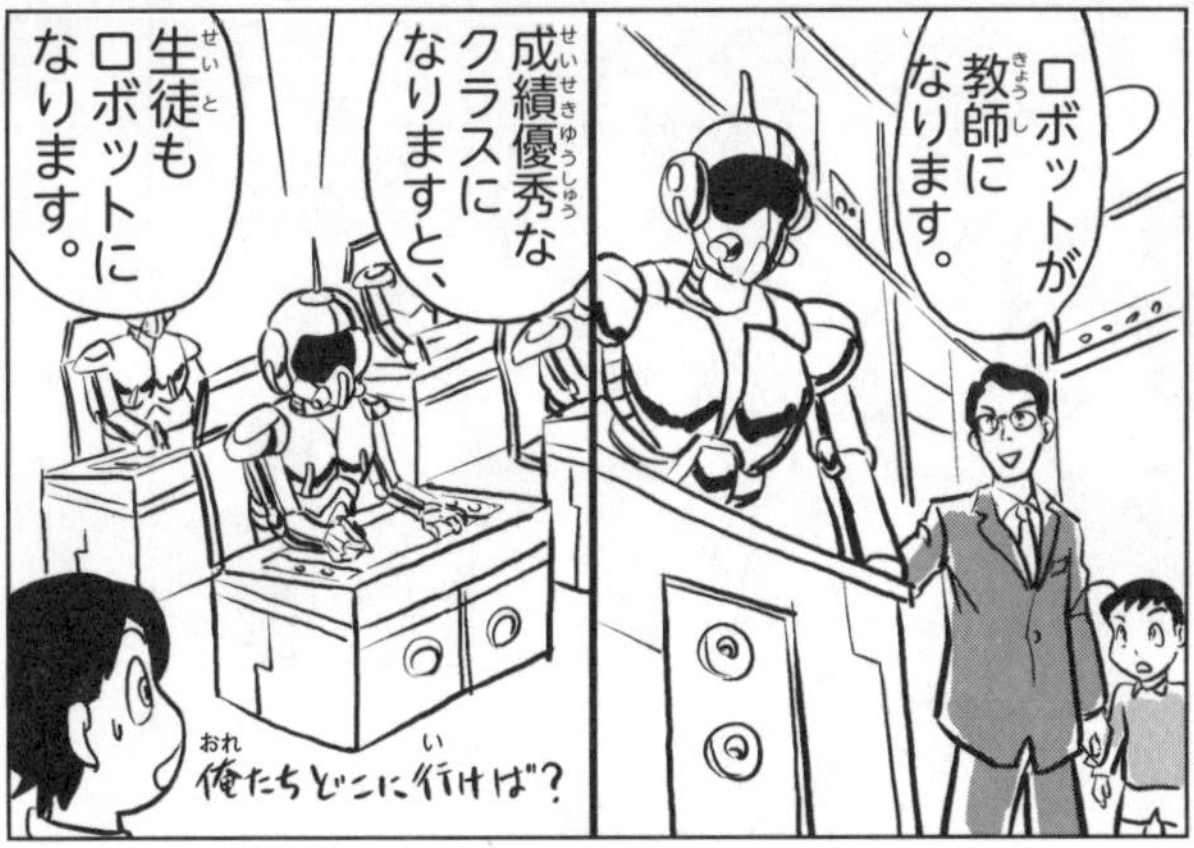
ロボットが教師《きょうし》になります。
成績優秀《せいせきゆうしゅう》なクラスになりますと、
生徒《せいと》もロボットになります。
俺《おれ》たちどこに行《い》けば?

最先端《さいせんたん》の（　④　）を用《もち》いた教室《きょうしつ》で、授業《じゅぎょう》を受《う》ける。

0381

いぶかしい

変《へん》なところや納得《なっとく》のいかないところがあること。疑《うたが》わしい。

ちょ…ちょっとキミ…
おはようございまーす

通《とお》りかかった人《ひと》が、（　⑤　）目《め》でぼくを見《み》た。

0382

定《さだ》か

確《たし》かなこと。はっきりして、明《あき》らかなこと。

物語《ものがたり》はここで終《お》わり…。
おれ…これからどうなるんだろ…。

浦島太郎《うらしまたろう》がその後《ご》どうなったかは、（　⑥　）ではない。

答え　④テクノロジー　⑤いぶかしい　⑥定か

0383

いわゆる

世《よ》の中《なか》の人《ひと》がよく言《い》うところの。

との〜〜 その作戦《さくせん》は私《わたし》が考《かんが》えたので……
ありがたき幸《しあわ》せ！
よくやった！ほうびをあげよう

人《ひと》をだまして得《とく》をする、（ ① ）ひきょう者《もの》はきらわれる。

0384

朱《しゅ》に交《まじ》われば赤《あか》くなる

人《ひと》は、その環境《かんきょう》や交際《こうさい》する友達《ともだち》によって、良《よ》くも悪《わる》くもなるということ。

金《かね》を出《だ》せ！
マア あの子《こ》が悪《わる》い仲間《なかま》と……
今度《こんど》はぼくらがヒーロー役《やく》ね！
ホッ

（ ② ）というから、人《ひと》づき合《あ》いにも注意《ちゅうい》が必要《ひつよう》だ。

0385

すがる

助《たす》けを求《もと》める。たよりにする。

たのむ…！
テストのはんいを教《おし》えてくれ…！
今度《こんど》0点《てん》とったらやばいんだ…!!
算数

（ ③ ）ような目《め》でこっちを見《み》ないでほしい。

0386

白《しろ》い目《め》で見《み》る

冷《つめ》たい目《め》で見《み》る。軽蔑《けいべつ》する。

あの値段《ねだん》じゃ、すぐこわれるよね。
安《やす》いよ〜
いくら安《やす》くたって…。
ステキなバッグ
なんと10円!

評判《ひょうばん》のよくないお店《みせ》を、多《おお》くの人《ひと》が（ ④ ）て通《とお》りすぎる。

0387

デザイン

建築《けんちく》やファッション、広告《こうこく》などの分野《ぶんや》で、それらの形《かたち》や色《いろ》、模《も》様《よう》などを考《かんが》えること。

マネージャー!
アイドルなのにこのカッコ、ダサくないですか?
お前《まえ》らアイドルだと思《おも》えたのか
そ〜よ そ〜よ
ガチガチ
それは防弾《ぼうだん》セーラー服《ふく》に特殊強化《とくしゅきょうか》カチューシャだ!
私達《わたしたち》、何《なに》させられんの?
GO! アイドル戦士《せんし》
セーラーアイアン

洋服《ようふく》の（ ⑤ ）が、どうしても気《き》に入《い》らない。

0388

多様《たよう》

変化《へんか》に富《と》んでいること。

行《い》ってきまーす!

旅《たび》は、（ ⑥ ）な文化《ぶんか》や価値観《かちかん》にふれる絶好《ぜっこう》の機会《きかい》だ。

答え ④白い目で見 ⑤デザイン ⑥多様

0389

後《うし》ろめたい

自分《じぶん》が悪《わる》いことをしているのが分《わ》かっていて、申《もう》し訳《わけ》なく思《おも》う気持《きも》ち。

トボトボ
やりすぎたかもしれないなア

あいつにも、（ ① ）気持《きも》ちがあったのかもしれない。

0390

もはや

今《いま》となってはもう。すでに。

テスト勉強《べんきょう》、本気《ほんき》でやるぞ！
もうあと5分《ふん》でテスト始《はじ》まるよ。

今《いま》から本気《ほんき》を出《だ》しても、（ ② ）手《て》おくれだ。

0391

事《じ》実《じつ》無《む》根《こん》

まったくのでたらめであること。

ど、どうしよう…。
おまえがやったんだな！
ぼく、通《とお》りかかっただけ…。

ぼくが犯人《はんにん》だといううわさは、（ ③ ）だよ。

答え ①後ろめたい ②もはや ③事実無根

0392

センサー

音《おと》や光《ひかり》、温度《おんど》、圧力《あつりょく》などを感《かん》じたり、計測《けいそく》したりする機器《きき》。

ブーッ
ブーッ
パパ！
ブーッ
ブーッ
いつの間《ま》にこんなもの取《と》りつけたんだ！
通報《つうほう》しましたか？

侵入者《しんにゅうしゃ》を探知《たんち》する（④）がついた警報器《けいほうき》が鳴《な》った。

0393

疑《うたが》わしい

本当《ほんとう》かどうか分《わ》からず、信用《しんよう》できないこと。

アイライク
ビール
ベェリィ
マ〜ッティ
イエーッ

おじさんの話《はな》す英語《えいご》は、日本語《にほんご》のように聞《き》こえて、どこか（⑤）。

0394

明快《めいかい》

気持《きも》ちがいいほど、はっきりしていて、分《わ》かりやすいこと。

人《ひと》はなぜ生《い》きるの？
う〜ん、う〜ん…、う、生《う》まれたから…？

人生《じんせい》の意味《いみ》を聞《き》いても、（⑥）な答《こた》えはなかった。

答え ④センサー ⑤疑わしい ⑥明快

0395

じかに

間《あいだ》に何《なに》もはさまずに。直接《ちょくせつ》。

電気《でんき》うなぎをつかんじゃだめだよ！

新《あたら》しくできた水族館《すいぞくかん》は、魚《さかな》に（　①　）さわれるらしい。

0396

寝耳《ねみみ》に水《みず》

突然《とつぜん》の意外《いがい》な出来事《できごと》におどろく。

ボクたち解散《かいさん》します！
エーッ
エッ
ファンだったの？

そのニュースは、まさに（　②　）だった。

0397

いじける

すねる。素直《すなお》でいられなくなる。

ドン
時間《じかん》です！
ドン
早《はや》く出《で》て来《き》てください！
イジイジ
いいよ、もうどうせ反対《はんたい》なんでしょ…
首相

しかられて、（　③　）た態度《たいど》をとってしまった。

答え ①じかに ②寝耳に水 ③いじけ

身《み》についた言葉《ことば》の力《ちから》を確《たし》かめよう！

アタック・ザ・言葉《ことば》クイズ

19

文《も》字《じ》をたどって、それぞれに合《あ》う言葉《ことば》を探《さが》そう。

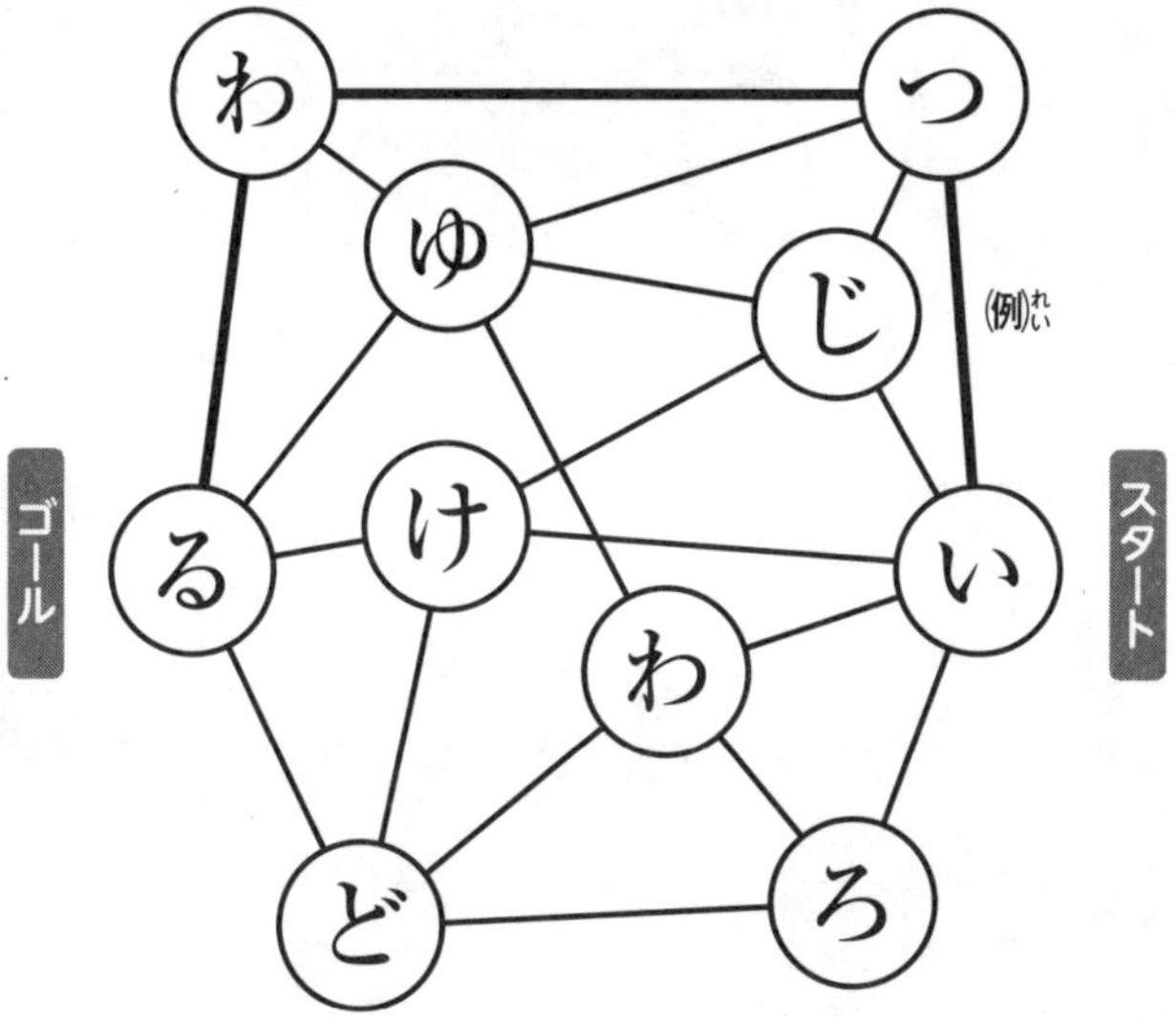

(例《れい》) ごまかす。うそをつく。

い つ わ る

① 世《よ》の中《なか》の人《ひと》がよく言《い》うところの。

い ○ ○ る

② すねる。素直《すなお》でいられなくなる。

い ○ ○ る

③ 色《いろ》や物《もの》を組《く》み合《あ》わせて、かざること。

い ○ ○ る

⇒答《こた》えは 200 ページにあります。

0398

終始《しゅうし》

始《はじ》まりから終《お》わりまで。

もうすぐ給食《きゅうしょく》の時間《じかん》♪
ワクワク
?
こくご

授業中《じゅぎょうちゅう》、となりの席《せき》の子《こ》は（　①　）にこにこしていた。

0399

聞《き》こえよがし

わざと聞《き》こえるように。

ボガッ
弱《よわ》ッ!!
ふられてんじゃね～ぞ～!
キラァ!

くやしくて、（　②　）に文句《もんく》を言《い》ってしまった。

0400

いまだに

以前《いぜん》から続《つづ》いていることが、今《いま》もなお続《つづ》いている様子《ようす》。

理科室
実《じつ》は迷《まよ》っちゃって…。
そこを行《い》って右側《みぎがわ》です!

高学年《こうがくねん》なのに、（　③　）理科室《りかしつ》の場所《ばしょ》がよく分《わ》からない。

答え　①終始　②聞こえよがし　③いまだに

0401

わきがあまい　脇が甘い

守《まも》りが弱《よわ》く、相手《あいて》につけこまれやすいこと。用心《ようじん》が足《た》りないこと。

あなたかわいいからまけるよ
100円《えん》でーす!
安《やす》い!
やった～～
サンキュ～～

だまされやすいのは、（ ④ ）証拠《しょうこ》だ。

0402

シミュレーション

災害《さいがい》など、起《お》きる可能性《かのうせい》のある事象《じしょう》について、コンピュータなどを使《つか》って予測《よそく》すること。

地図《ちず》で何度《なんど》も確認《かくにん》したのに。
おかしいなぁ
だいじょうぶか?
ここに道《みち》があるはずなんだけど…。
ZZZ

何度《なんど》も（ ⑤ ）したはずなのに、道《みち》に迷《まよ》ってしまった。

0403

うろたえる

思《おも》いがけないことが起《お》こり、あわてること。

えぇっ

家《いえ》の前《まえ》で急《きゅう》に告白《こくはく》されて、（ ⑥ ）てしまった。

答え　④わきがあまい　⑤シミュレーション　⑥うろたえ

0404

針《はり》のむしろ

そこにいるのが苦《くる》しいだけの、つらい場所《ばしょ》。「むしろ」は敷物《しきもの》のこと。

したでしょ！
お酒《さけ》はほどほどにって約束《やくそく》したでしょ！
したでちょ！
ケイ
ギクッ

しかられるときは、いつも（①）に座《すわ》る気持《きも》ちだ。

0405

心底《しんそこ》

心《こころ》の底《そこ》から。

な〜んちゃって！

お調子者《ちょうしもの》の友達《ともだち》の態度《たいど》には、（②）あきれてしまう。

0406

断片的《だんぺんてき》

全体《ぜんたい》から切《き》り取《と》られた一部分《いちぶぶん》。全《ぜん》体《たい》としてまとまっておらず、切《き》れ切《ぎ》れなさま。

ボカ
このヤロー
いい子《こ》だね—
本当《ほんとう》はいいところもあるんだけどな

（③）な情報《じょうほう》だけで、人《ひと》を悪《わる》く言《い》うのはよくない。

答え ① 針のむしろ ② 心底 ③ 断片的

0407

ショック

人《ひと》や物《もの》が激《はげ》しくぶつかったときのしょうげき。予想外《よそうがい》のことが起《お》こり、平静《へいせい》を失《うしな》うこと。

私《わたし》はおまえの本当《ほんとう》の母親《ははおや》ではないのよ。
父親《ちちおや》なんだ!
バッ
ドテッ

今《いま》までかくされていた秘密《ひみつ》を知《し》り、（　④　）を受《う》ける。

0408

考察《こうさつ》

よく調《しら》べて、考《かんが》えること。

不景気《ふけいき》だからおこづかいが減《へ》ったのかな?
株価《かぶか》
おこづかい
きっとそうにちがいない!

社会《しゃかい》の動《うご》きと、おこづかいの関係《かんけい》について（　⑤　）する。

0409

今《いま》さら

ふさわしい時期《じき》をのがして。今《いま》ごろになって。

昼寝《ひるね》しすぎた…ねむれない!
ぱっちり

（　⑥　）後悔《こうかい》しても、もうおそい。

答え ④ショック ⑤考察 ⑥今さら

0410

ターゲット

標的《ひょうてき》。商品《しょうひん》を売《う》る相手《あいて》。

ファッ
ナンマイダ
ナンマイダ
おまえとまちがえちゃったよ。
失礼《しつれい》ねっ！

ドッキリ作戦《さくせん》をしかける（　①　）をまちがえた。

0411

見《み》まがう

あるものと見《み》まちがえる。

げっ、芸能人《げいのうじん》!?
ピカー！
Before《ビフォー》
美《うつく》しい！

芸能人《げいのうじん》と（　②　）ほど、あの子《こ》はきれいになっていた。

0412

銀世界《ぎんせかい》

雪《ゆき》が降《ふ》り積《つ》もり、辺《あた》りが真《ま》っ白《しろ》になること。

キャッホーイ
出勤《しゅっきん》…
雪《ゆき》かき…

朝起《あさお》きたら、外《そと》は一面《いちめん》の（　③　）だった。

答え　①ターゲット　②見まがう　③銀世界

0413 棚《たな》からぼた餅《もち》

思《おも》いもかけない幸運《こううん》。労《ろう》せず幸《こう》運《うん》を得《え》ること。

あるとき、馬《うま》がにげ出《だ》した。
あっ！待《ま》て！
ヒヒーン
しかし、名馬《めいば》を連《つ》れてもどってきた。
およめさんつれてきました～
父《とう》さん、むしろラッキーでしたね。
どうかな…？

何《なに》もせず、馬《うま》が2頭《とう》になるなんて、（④）だ。

0414 図《ず》に乗《の》る

うまくいって調子《ちょうし》に乗《の》る。いい気《き》になる。

馬《うま》を見《み》せびらかしていたら、落馬《らくば》した。
うわあっ。
ガキ
あーあ。ついてないなあ。
いい気《き》になっているからだ。

うまくいったからといって、（⑤）と、次《つぎ》は失敗《しっぱい》するよ。

0415 塞翁《さいおう》が馬《うま》

人生《じんせい》は、何《なに》が幸福《こうふく》で何《なに》が不幸《ふこう》か、前《まえ》もって分《わ》からないこと。「人間《にんげん》万事塞翁《ばんじさいおう》が馬《うま》」とも。

けがをしたおかげで、戦争《せんそう》に行《い》かずにすんだ。
これじゃあムリだな…。
しみじみ～
まったく、何《なに》が幸《さいわ》いして、何《なに》が災《わざわ》いをもたらすか、分《わ》からないものだなあ。

何《なに》が幸《さいわ》いとなるか分《わ》からない、人生《じんせい》は（⑥）だよ。

答え ④棚からぼた餅 ⑤図に乗る ⑥塞翁が馬

0416

人事《じんじ》を尽《つ》くして天命《てんめい》を待《ま》つ

力《ちから》の限《かぎ》り努力《どりょく》したら、後《あと》は天《てん》の定《さだ》める運命《うんめい》に任《まか》せるということ。

ヨ～シ!
やるべきことはやった!
目《め》ざせ!!
さっ
後《あと》は天命《てんめい》を待《ま》とう…。
おい!
まだ試験《しけん》は3か月《げつ》も先《さき》でしょ!

やるだけやったので、後《あと》は（　①　）という気持《きも》ちだ。

0417

身《み》も蓋《ふた》もない

あからさますぎて、ふくみも情緒《じょうちょ》もないこと。

そんなのいらないよ…
こげつきやすいのでお安《やす》くします!
TVショッピング
おなべ特売《とくばい》!

正論《せいろん》だとしても、その言《い》い方《かた》では（　②　）よ。

0418

気《き》づかう

心配《しんぱい》すること。相手《あいて》のために気《き》をつかうこと。

だいじょうぶかい?
ズラッ

泣《な》いている友達《ともだち》を（　③　）。

答え ① 人事を尽くして天命を待つ　② 身も蓋もない　③ 気づかう

身《み》についた言葉《ことば》の力《ちから》を確《たし》かめよう！

20 アタック・ザ・言葉《ことば》クイズ

意味《いみ》に合《あ》うように、線《せん》で結《むす》んで正《ただ》しい言葉《ことば》をつくろう。

① あからさますぎて、ふくみも情緒《じょうちょ》もないこと。

② 人《ひと》の身《み》の上《うえ》のつらさを、自分《じぶん》のことのように感《かん》じること。

③ 気《き》がかりが残《のこ》ること。

④ 思《おも》いもかけないことに出会《であ》い、おどろいたり、あきれたりすること。

身《み》も蓋《ふた》も・ ・引《ひ》かれる

身《み》に・ ・ない

後《うし》ろ髪《がみ》を・ ・とられる

あっけに・ ・つまされる

⇒答《こた》えは200ページにあります。

0419

出《だ》しぬけ

いきなり、予想《よそう》していなかったことが起《お》こること。

お次《つぎ》♫
おりまーす!♪

前《まえ》の席《せき》のおじいさんが、（①）に大声《おおごえ》で歌《うた》い出《だ》した。

0420

久《ひさ》しい

あるときから長《なが》い時間《じかん》がたっている様子《ようす》。

最近《さいきん》の子《こ》は、外《そと》で遊《あそ》ばないのねえ。
ずいぶん前《まえ》からそうですよ。

「外《そと》で遊《あそ》ぶ子《こ》どもが少《すく》なくなった」と言《い》われて（②）。

0421

潮時《しおどき》

何《なに》かを始《はじ》めたり、やめたりするのに、ちょうどいいタイミング。チャンス。

また帰《かえ》ってくるぜ!
アイルビーバック!
ズブ
ズブ
もうやめろー!
帰《かえ》ってくるな

優《すぐ》れた政治家《せいじか》は、（③）を見極《みきわ》めるのが上手《じょうず》だ。

0422

システム

様々《さまざま》な要素《ようそ》がえいきょうし合《あ》いながら、全体《ぜんたい》として機能《きのう》するまとまりや仕組《しく》み。制度《せいど》。

ガタン
こんなのたのんでないぜ。
サバイバル宇宙旅行
うちゅうりょこう
縁起《えんぎ》悪《わる》いな…。

図書館《としょかん》の、本《ほん》の予約《よやく》（ ④ ）は、とても便利《べんり》だ。

0423

棒《ぼう》にふる

それまでの努力《どりょく》をすっかりだめにする。

がんばるぞ！
○○大学《だいがく》
やってやる！
ああっ、
日《ひ》にちまちがえた！
○○大学《だいがく》

1年《ねん》の努力《どりょく》を、危《あや》うく（ ⑤ ）ところだった。

0424

耳《みみ》が痛《いた》い

自分《じぶん》の弱点《じゃくてん》を言《い》われて、聞《き》くのがつらいこと。

よくできていたけど、名前《なまえ》を忘《わす》れていたから減点《げんてん》だよ。
95
うっかりグセを直《なお》さんとな。

先生《せんせい》の言葉《ことば》には、（ ⑥ ）。

答え ④システム ⑤棒にふる ⑥耳が痛い

0425

継続《けいぞく》

そのまま続《つづ》けること。

失敗《しっぱい》は成功《せいこう》のもと！
なんの
めげずに続《つづ》けるぞ！

研究《けんきゅう》は、（　①　）することが何《なに》より大切《たいせつ》だ。

0426

折《お》り紙《がみ》つき

これなら確《たし》かだという保証《ほしょう》がついている。

留学生《りゅうがくせい》のメロス君《くん》だ。
ギリシャで一番《いちばん》のランナーだ
ヨロシクオネガイシマス！
カーッ
どうしたんですかね
日没直前《にちぼつちょくぜん》じゃないと、力《ちから》が出《で》ないらしい。

あの選手《せんしゅ》の実力《じつりょく》は（　②　）だ。

0427

かろうじて

どうにかこうにか。やっとのことで。

夕日《ゆうひ》よ、しずまないでくれ〜！
ダーッ
ゴール
ビッ
日没前《にちぼつまえ》に急《きゅう》に力《ちから》を発揮《はっき》しても…。

今年《ことし》のマラソン大会《たいかい》では、（　③　）ビリにならずにすんだ。

答え　①継続　②折り紙つき　③かろうじて

0428

痛感《つうかん》

痛《いた》いほど思《おも》い知《し》ること。強《つよ》く心《こころ》に感《かん》じること。

ギャハ
普段《ふだん》からやっておけばよかった…

勉強不足《べんきょうぶそく》を（　④　）したので、今日《きょう》からがんばろう。

0429

すずなり　鈴なり

たくさんの人《ひと》が集《あつ》まっている様子《ようす》。

キャー
キャー
キャー
LOVE

会場《かいじょう》の入《い》り口《ぐち》には、ファンが（　⑤　）になっている。

0430

裏腹《うらはら》

正反対《せいはんたい》であること。あべこべ。

いっしょに帰《かえ》ろうよ。
ムリ

好《す》きな子《こ》にはつい、気持《きも》ちと（　⑥　）な態度《たいど》をとってしまう。

答え　④痛感　⑤すずなり　⑥裏腹

0431

セオリー

研究《けんきゅう》に基《もと》づいてまとめられた学《がく》問上《もんじょう》の考《かんが》え。理論《りろん》。

バッターアウト
試合《しあい》終了《しゅうりょう》!!
ソコデ打《う》テヨー!
ナゼ人間《にんげん》ハ設定《せってい》通《どお》リニ動《うご》カナインダ!
ボン
バチバチ
カントクがコワれた!

スポーツの試合《しあい》は、(①)通《どお》りにいかないからおもしろい。

0432

さとす 諭す

正《ただ》しいことを教《おし》える。

反省《はんせい》しなさい!

うす達《たち》は、意地悪《いじわる》なさるを厳《きび》しく(②)した。

0433

おおらか

心《こころ》にゆとりがあって、おだやかな様子《ようす》。

遊《あそ》びなんだからさ
フン
まあまあ源《げん》さん

小《ちい》さなことにこだわらない、(③)な心《こころ》をもちたいものだ。

答え ①セオリー ②さとす ③おおらか

0434

もて余《あま》す

どうしたらいいか、困《こま》る。

コラ！
やめて！
もー!!
あ～もう！
どうしたら
いいの～!?

いたずらっ子《こ》の弟《おとうと》を、（ ④ ）している。

0435

通説《つうせつ》

世《よ》の中《なか》で広《ひろ》く知《し》られている考《かんが》え方《かた》や意見《いけん》。

こういう場合《ばあい》、
目《め》を合《あ》わせない
ようにって本《ほん》に
書《か》いてあったな…。
知《し》らん
顔《かお》してよ。
バッ
めっちゃ
見《み》てくる
～！
助《たす》けて～～

（ ⑤ ）といえど、必《かなら》ず正《ただ》しいとは限《かぎ》らない。

0436

シェア

分《わ》けること。だれかといっしょにものを共有《きょうゆう》すること。

ママの手作《てづく》り
ケーキはおれの
もんだ！
ガルルルルッ
シッ
シッ
どうぞ
マッズ！
テヘッヤッパリ

母《はは》の作《つく》ったケーキを、妹《いもうと》と（ ⑥ ）して食《た》べる。

答え ④もて余 ⑤通説 ⑥シェア

0437

専念《せんねん》

一《ひと》つのことだけに集中《しゅうちゅう》し、がんばる。

しーーーん
もぐ　もぐ
ジャンボチャーハン　食《た》べきれたら　1万円《まんえん》

おしゃべりはやめて、食《た》べることに（　①　）する。

0438

糸口《いとぐち》

問題《もんだい》を解決《かいけつ》するためのきっかけ。手《て》がかり。

プ
ベーだ

話《はな》し合《あ》いは、解決《かいけつ》の（　②　）が見《み》つからないまま終《お》わった。

0439

千差万別《せんさばんべつ》

いろいろなちがいがあること。「千《せん》」や「万《まん》」は数《かず》の多《おお》いことのたとえ。

犯人《はんにん》はこの中《なか》にいますか？
目《め》はこの人《ひと》で、鼻《はな》はこの人《ひと》。口《くち》はこの人がいいかな？
好《この》み聞《き》いてるんじゃないですよ。

人《ひと》の好《この》みは（　③　）だから、意見《いけん》を一《ひと》つにまとめるのは難《むずか》しい。

答え　①専念　②糸口　③千差万別

身《み》についた言葉《ことば》の力《ちから》を確《たし》かめよう！

アタック・ザ・言葉《ことば》クイズ

21

意味《いみ》に合《あ》う言葉《ことば》になるように、漢字《かんじ》を選《えら》んで○をつけよう。

①正反対《せいはんたい》であること。

裏《うら》

庭《にわ》（　）　腹《はら》（　）　方《かた》（　）

②世《よ》の中《なか》で広《ひろ》く知《し》られている考《かんが》え方《かた》や意見《いけん》。

（　）通《つう》　（　）取《とり》　（　）解《かい》

説《せつ》

③気《き》が楽《らく》なこと。動《うご》きが軽《かろ》やかなこと。

（　）身《み》　（　）足《あし》　（　）手《て》

軽《がる》

④問題《もんだい》を解決《かいけつ》するためのきっかけ。手《て》がかり。

糸《いと》

巻《まき》（　）　口《ぐち》（　）　車《ぐるま》（　）

⇒答《こた》えは200ページにあります。

0440

シチュエーション

そのときの様子《ようす》。または映画《えいが》などにおける、ある場面《ばめん》の設定《せってい》のこと。

ギャーッ
日本一
桃太郎《ももたろう》は少数民族《しょうすうみんぞく》のオレ達《たち》をいじめたんだ。
イタタ
オレ達《たち》の仲間《なかま》にならないか?
そうなんだ オレ
次《つぎ》はイヌだな

（①）が変《か》われば、ものの見方《みかた》も変《か》わってくる。

0441

意固地《いこじ》

がんこに意地《いじ》を張《は》り続《つづ》けること。

さっきはごめんね。これ、どうぞ。
いらないってば!
あら? じゃ、私《わたし》が食《た》べるね～。

希望《きぼう》が通《とお》らなかったからといって、（②）になるのはよくない。

0442

あたかも

まるで。ちょうど。

イヌ山君《やまくん》、100点《てん》なんてすごいなあ!
すげー
100
50

ぼくは、友達《ともだち》の高得点《こうとくてん》を（③）自分《じぶん》のことのように自慢《じまん》した。

答え ①シチュエーション ②意固地 ③あたかも

0443

おのずと

特《とく》に何《なに》もしなくても、自然《しぜん》にそうなる様子《ようす》。

よ〜し、将来《しょうらい》は宇宙飛行士《うちゅうひこうし》になるぞ〜！
宇宙人《うちゅうじん》を家庭教師《かていきょうし》にして…
へへ、これでカンペキさ。

目標《もくひょう》ができれば、（④）勉強《べんきょう》にも力《ちから》が入《はい》るものだ。

0444

ふくろのねずみ

袋のねずみ

追《お》いつめられて、にげようにもにげる方法《ほうほう》がない。

観念《かんねん》しろ、怪人《かいじん》30面相《めんそう》！
ついにつかまえたぞ！
あっ、ちがう…これはねずみ!?

犯人《はんにん》は警官《けいかん》に取《と》り囲《かこ》まれ、もはや（⑤）だった。

0445

抽象的《ちゅうしょうてき》

物事《ものごと》をおおまかにとらえていて、具体的《ぐたいてき》ではないこと。⇔具体的《ぐたいてき》

オレ、中学生《ちゅうがくせい》らしい…？

「中学生《ちゅうがくせい》らしい髪型《かみがた》」という表現《ひょうげん》は、（⑥）すぎる。

答え ④おのずと ⑤ふくろのねずみ ⑥抽象的

0446

シンプル

混《ま》じり気《け》がなく、すっきりしている様子《ようす》。

パラシュート
電気《でんき》ショック
ガツン
ゴーッ
ジェットノズル
こんな物《もの》、学校《がっこう》に持《も》ってきちゃまずいだろ。
何《なに》かとぶっそうですから…

ランドセルのデザインは、（①）なほうがいい。

0447

異《こと》なる

同《おな》じではない。ちがいがある。

同《おな》じように見《み》える動物《どうぶつ》でも、性格《せいかく》はそれぞれ（②）。

0448

五里霧中《ごりむちゅう》

判断《はんだん》に迷《まよ》ってしまい、とまどっている状態《じょうたい》。

先生《せんせい》のにがおえ
だれがかいた？
分《わ》かりません。
ぼくじゃありません。
ちがいまーす。

事件《じけん》の手《て》がかりがつかめず、（③）の状態《じょうたい》だ。

答え ①シンプル ②異なる ③五里霧中

0449

軽《かる》はずみ

調子《ちょうし》に乗《の》って、何《なに》も考《かんが》えずに行《こう》動《どう》すること。

ガ〜ッ
この タワーを 武器《ぶき》に!
ズボッ
市民《しみん》の宝《たから》に何《なに》するんだ!
貴重《きちょう》な観光資源《かんこうしげん》だぞ!

(④)な行動《こうどう》をすると、後《あと》で困《こま》ることになるよ。

0450

損《そこ》ねる

悪《わる》くする。傷《きず》つける。

あれ？ 少《すこ》し太《ふと》った？
ムカッ

ちょっとした一言《ひとこと》で、きげんを(⑤)ことがある。

0451

言《い》い放《はな》つ

自分《じぶん》の考《かんが》えを思《おも》ったままに、はっきりと言《い》うこと。

はあ？

子《こ》どもは、王様《おうさま》に「どうしてはだかなの？」と(⑥)った。

答え ④軽はずみ ⑤損ねる ⑥言い放

0452

歯《は》がゆい

思《おも》うようにいかず、じれったい様子《ようす》。

これ、私《わたし》の手作《てづく》りの…。
ドキドキ
ん？
あー、あいつにわたすやつか。
オッケー、預《あず》かっておくよ！
ギリギリ
ドンカンなやつ…。

気持《きも》ちが相手《あいて》にうまく伝《つた》わらず、（ ① ）思《おも》いをする。

0453

必然《ひつぜん》

必《かなら》ずそうなること。当然《とうぜん》そうなること。

飛《と》べると思《おも》ったのに！
……。どうしてそう思《おも》ったの？

計画《けいかく》がまちがいなのだから、失敗《しっぱい》するのは（ ② ）だ。

0454

遅《おそ》かれ早《はや》かれ

少《すこ》しのちがいはあっても、結局《けっきょく》、いつかはそうなること。

そんな子《こ》どもっぽいことできるかよ…。
はーい おいでー
ダーッ

（ ③ ）、大人《おとな》になるのだから、そんなに背伸《せの》びしなくていいよ。

答え ① 歯がゆい ② 必然 ③ 遅かれ早かれ

0455

ディスカッション

意見《いけん》を出《だ》して話《はな》し合《あ》うこと。議《ぎ》論《ろん》。

なんでそんなにのんびりしているんだよ。
この前《まえ》のレースだって…
ハッハッ
万年生《まんねんい》きるから…。
ズズ…

おたがいの考《かんが》えを知《し》るためには、（ ④ ）が必要《ひつよう》だ。

0456

首尾一貫《しゅびいっかん》

始《はじ》めから終《お》わりまで、行動《こうどう》や態《たい》度《ど》が変《か》わらないこと。

ホントに宝物《たからもの》があるんですか？
ある！

計画《けいかく》の方針《ほうしん》は、（ ⑤ ）していることが大切《たいせつ》だ。

0457

はばむ

阻む

進《すす》もうとするのをじゃまする。

また敵《てき》が出《で》た！
いつになったらたどり着《つ》くの？

多《おお》くの敵《てき》が、行《ゆ》く手《て》を（ ⑥ ）。

答え ④ディスカッション ⑤首尾一貫 ⑥はばむ

0458

水《みず》に流《なが》す

過去《かこ》のもめごとなどを、なかったことにして和解《わかい》する。

昨日《きのう》はごめん。
ごめんな！

昨日《きのう》のケンカは（　①　）して、仲良《なかよ》くしよう。

0459

船頭多《せんどうおお》くして船山《ふなやま》に上《のぼ》る

指図《さしず》する人間《にんげん》が多《おお》すぎると、目指《めざ》す方向《ほうこう》とちがうほうへ進《すす》んでしまうこと。

あっち
こっち
帰《かえ》れなくなっちゃうよ～。
そのときは山小屋《やまごや》Aに
イヤ山小屋《やまごや》Bに

専門家同士《せんもんかどうし》で意見《いけん》が割《わ》れ、（　②　）状態《じょうたい》になった。

0460

殊勝《しゅしょう》

心《こころ》がけがよく、しっかりしている様子《ようす》。また、特《とく》に優《すぐ》れていること。

バランスよく食《た》べて、早《はや》くねてね！
分《わ》かってるよ。
規則正《きそくただ》しく生活《せいかつ》してるよー。
カップメン

親《おや》に心配《しんぱい》をかけないようにするとは、（　③　）な心《こころ》がけだ。

答え ①水に流 ②船頭多くして船山に上る ③殊勝

身《み》についた言葉《ことば》の力《ちから》を確《たし》かめよう！

アタック・ザ・言葉《ことば》クイズ 22

正《ただ》しいほうを選《えら》んで、○をつけよう。

①指図《さしず》する人間《にんげん》が多《おお》すぎると、目指《めざ》す方向《ほうこう》とちがうほうへ進《すす》んでしまうこと。

船頭《せんどう》多《おお》くして
- 行《い》き先《さき》を知《し》らず（　）
- 船山《ふねやま》に上《のぼ》る（　）

②つらくてもしんぼうして努力《どりょく》すれば、やがて報《むく》われるということ。

石《いし》の上《うえ》にも
- 五年《ごねん》（　）
- 三年《さんねん》（　）

③名人《めいじん》にも失敗《しっぱい》はあるということのたとえ。

弘法《こうぼう》にも
- 筆《ふで》の誤《あやま》り（　）
- 墨《すみ》の過《あやま》ち（　）

④身《み》をほろぼすような危険《きけん》の中《なか》に、進《すす》んで身《み》を投《とう》ずること。

- （　）飛《と》んで火《ひ》に入《い》る
- （　）古池《ふるいけ》飛《と》びこむ

夏《なつ》の虫《むし》

⇒答《こた》えは200ページにあります。

0461

目《め》が高《たか》い

良《よ》し悪《あ》しを見分《みわ》ける力《ちから》がある。

君《きみ》は才能《さいのう》がある! 私《わたし》がコーチになろう。
ありがとうございます!
いい選手《せんしゅ》ですね。
私《わたし》が育《そだ》てたんですよ。
ビュッ

彼《かれ》を見《み》いだすとは、なかなかお（①）ですね。

0462

ジェネレーション

世代《せだい》。生《う》まれた子《こ》どもが成長《せいちょう》し、子《こ》をもうけるまでの、およそ30年間《ねんかん》。

兄《にい》ちゃん、まだゲームなんかやってんの?
今《いま》はメンコでしょ!
昭和《しょうわ》か!
さすがじいちゃん子《こ》!
バチン

1年生《ねんせい》と6年生《ねんせい》の間《あいだ》には、大《おお》きな（②）ギャップがある。

0463

しぶる

渋る

あまりやりたくなさそうに、ぐずぐずする。

預《あず》けていたお年玉《としだま》、ちょうだい♪
くっ…
ギリギリ

むだづかいすると思《おも》うのか、母《はは》は私《わたし》にお金《かね》をわたすのを（③）。

0464

ありふれた

どこにでもあって、めずらしくないこと。一般的《いっぱんてき》なこと。

あら？もうこんな時間《じかん》！
ウチのお母《かあ》さんは1時間《じかん》…
2時間《じかん》かかってるんだよ

女《おんな》の人《ひと》の、出《で》かけるしたく時間《じかん》が長《なが》いのは、ごく（　④　）話《はなし》だ。

0465

鼻《はな》にかける

自慢《じまん》する。

毎日《まいにち》拝《おが》んでよね！
俺《おれ》って天才《てんさい》！
人生初《じんせいはつ》の100点《てん》だもんね…。
ハイハイ

成績《せいせき》のよさを（　⑤　）ては、いやがられるよ。

0466

あげ足《あし》を取《と》る

相手《あいて》の言葉《ことば》じりや、言《い》いまちがいをとらえて、困《こま》らせる。

先生《せんせい》が、「今回《こんかい》はがんばったな」だって！
「今回《こんかい》は」ってことは、いつもはがんばりが足《た》りないってことだろ！
ちゃんと、ほめてあげなさい。

人《ひと》の（　⑥　）ってばかりでは、話《はなし》が続《つづ》かないよ。

答え　④ありふれた　⑤鼻にかけ　⑥あげ足を取

0467

冷《ひ》やかす

相手《あいて》がはずかしがったり、困《こま》ったりすることを言《い》ってからかう。

モテモテだね!
よっ ヒューヒュー
いとこだよ!!

女《おんな》の子《こ》と町《まち》を歩《ある》いていたら、友達《ともだち》に(①)された。

0468

自負《じふ》

自分《じぶん》に自信《じしん》があり、自分《じぶん》の力《ちから》をほこらしく思《おも》うこと。

勉強《べんきょう》なら、ぼくがクラスでいちばんさ!
やなかんじ~
転校《てんこう》してきたロボ村君《むらくん》はIQ300の天才少年《てんさいしょうねん》だ。
おねがいしまーす!
ガーン

天才転校生《てんさいてんこうせい》の登場《とうじょう》で、ぼくの(②)は、打《う》ちくだかれた。

0469

ダイレクト

途中《とちゅう》に何《なに》もはさまないこと。

この機械《きかい》で隣《となり》の会話《かいわ》をぬすみ聞《ぎ》き…。
このままでも聞《き》こえるわ!
今回《こんかい》は~プランAで~
声《こえ》デカッ

かべがうすく、となりの部屋《へや》の会話《かいわ》が(③)に聞《き》こえる。

答え ①冷やか ②自負 ③ダイレクト

0470

あごで使《つか》う

いばった態度《たいど》で、人《ひと》をこき使《つか》う。

はいはい、ご苦労《くろう》。
ジュースも忘《わす》れずにな。
クイッ
じゃんけんで負《ま》けただけでこんな目《め》にあうとは…。

人《ひと》を（④）なんて、にくたらしい兄《あに》だ。

0471

結束《けっそく》

強《つよ》く結《むす》びつくこと。同《おな》じ意見《いけん》をもつ人《ひと》が、心《こころ》を一《ひと》つにしてまとまること。

よーし、みんなで力《ちから》を合《あ》わせて戦《たたか》うぞ！
オー!!

仲間同士《なかまどうし》で（⑤）して、強《つよ》い敵《てき》に立《た》ち向《む》かった。

0472

同質《どうしつ》

同《おな》じ物質《ぶっしつ》。性質《せいしつ》や中身《なかみ》などが同《おな》じであること。

女王《じょおう》アリは出《で》ていけ〜
女王制反対
アリにも権利を
残業代払え!
働《はたら》きアリにも休日《きゅうじつ》を!!

（⑥）の目的《もくてき》をもつ集団《しゅうだん》は、結束《けっそく》が強《つよ》くなりやすい。

答え ④あごで使う ⑤結束 ⑥同質

0473

かねる　兼ねる

一度《いちど》に二つ《ふた》の用をする。一つ《ひと》のものが二つ《ふた》以上《いじょう》の役目《やくめ》をもっている。

きっと化石《かせき》がでるぞ!
パパー、外《そと》も見《み》ようよ〜。
ザッザッ

地質学者《ちしつがくしゃ》の父《ちち》は、研究《けんきゅう》と趣味《しゅみ》を(①)て、休日《きゅうじつ》を過《す》ごす。

0474

くさる　腐る

やる気《き》をなくす。いやになる。

GAME OVER
ゲームオーバー
もうやめた!

すべてが思《おも》い通《どお》りにならなくて、気持《きも》ちが(②)。

0475

元《もと》も子《こ》もない

すべてのものを失《うしな》う。だめになる。

健康《けんこう》には運動《うんどう》がいちばん!
がんばろう!
ピョン
張《は》り切《き》りすぎた…。

健康《けんこう》のためでも、やりすぎて体《からだ》をいためたら(③)。

答え ①かね ②くさる ③元も子もない

0476

サスティナブル

ある状態《じょうたい》を維持《いじ》すること。特《とく》に環境《かんきょう》や社会《しゃかい》に優《やさ》しい考《かんが》え方《かた》や仕《し》組《く》みのことをいう。

大富豪《だいふごう》のロックンロール・フェラー氏《し》は買《か》い取《と》った森《もり》をそのまま生《い》かして暮《く》らしています。
CNM
自然《しぜん》をそのままに、住居《じゅうきょ》も木《き》の《うろ》を利用《りよう》して…。
ハ〜イ
で、いなかにあきたら、この別荘《べっそう》で…。
こんなお屋敷《やしき》持《も》っとんのかい！
CNM

※うろ：中《なか》が空《から》になっているところ。

（ ④ ）な暮《く》らしのためには、人々《ひとびと》の努力《どりょく》が必要《ひつよう》だ。

0477

出《で》るくいは打《う》たれる

才能《さいのう》があり目立《めだ》つ者《もの》は、他人《たにん》からねたまれ、じゃまされるものだ。

今年《ことし》はいまいちね。
あ ストライク 三振《さんしん》!!
敵《てき》チームに徹底的《てっていてき》に研究《けんきゅう》されているなあ。

（ ⑤ ）で、人気《にんき》のある選手《せんしゅ》には敵《てき》も多《おお》い。

0478

かたをもつ

肩をもつ

味方《みかた》をする。ひいきをする。

コラ！また泣《な》かせて！
すぐ妹《いもうと》の味方《みかた》する！

けんかをすると、母《はは》はいつも妹《いもうと》の（ ⑥ ）。

答え ④サスティナブル ⑤出るくいは打たれる ⑥かたをもつ

0479

かねがね

以前《いぜん》から、何度《なんど》も。

ちょっとひどいよな…
たべものくださ〜い
さぼってるからそういうことになるの
そーだそーだ
イソップ物語

『ありときりぎりす』の童話《どうわ》には、（①）疑問《ぎもん》をもっていた。

0480

腹《はら》が黒《くろ》い

悪《わる》い考《かんが》えをもっている。腹黒《はらぐろ》い。

グァ〜ッ
腹《はら》が痛《いた》い、ちょっとタイム！
だいじょうぶ？
このスキに弱点《じゃくてん》を検索《けんさく》して…
ピッピッ

いい人《ひと》に見《み》えても、（②）こともあるから気《き》をつけよう。

0481

至《いた》る

ある場所《ばしょ》や時間《じかん》にたどり着《つ》くこと。ある状態《じょうたい》になること。

えーっ

ラブレターなんて、今《いま》に（③）まで見《み》たこともなかった。

答え ①かねがね ②腹が黒い ③至る

身《み》についた言葉《ことば》の力《ちから》を確《たし》かめよう！

アタック・ザ・言葉《ことば》クイズ 23

□に入《はい》る言葉《ことば》を、[ ]から選《えら》ぼう。関係《かんけい》ないものもあるよ。

①良《よ》し悪《あ》しを見分《みわ》ける力《ちから》がある。

□が高《たか》い

②自慢《じまん》する。

□にかける

③相手《あいて》の言葉《ことば》じりや、言《い》いまちがいをとらえて、困《こま》らせる。

あげ□を取《と》る

④悪《わる》い考《かんが》えをもっている。

□が黒《くろ》い

足《あし》　頭《あたま》　鼻《はな》　目《め》　腹《はら》　耳《みみ》

⇒答《こた》えは200ページにあります。

0482

ジレンマ

どちらの方法《ほうほう》をとってもうまくいきそうになく、迷《まよ》う状態《じょうたい》。板《いた》ばさみ。

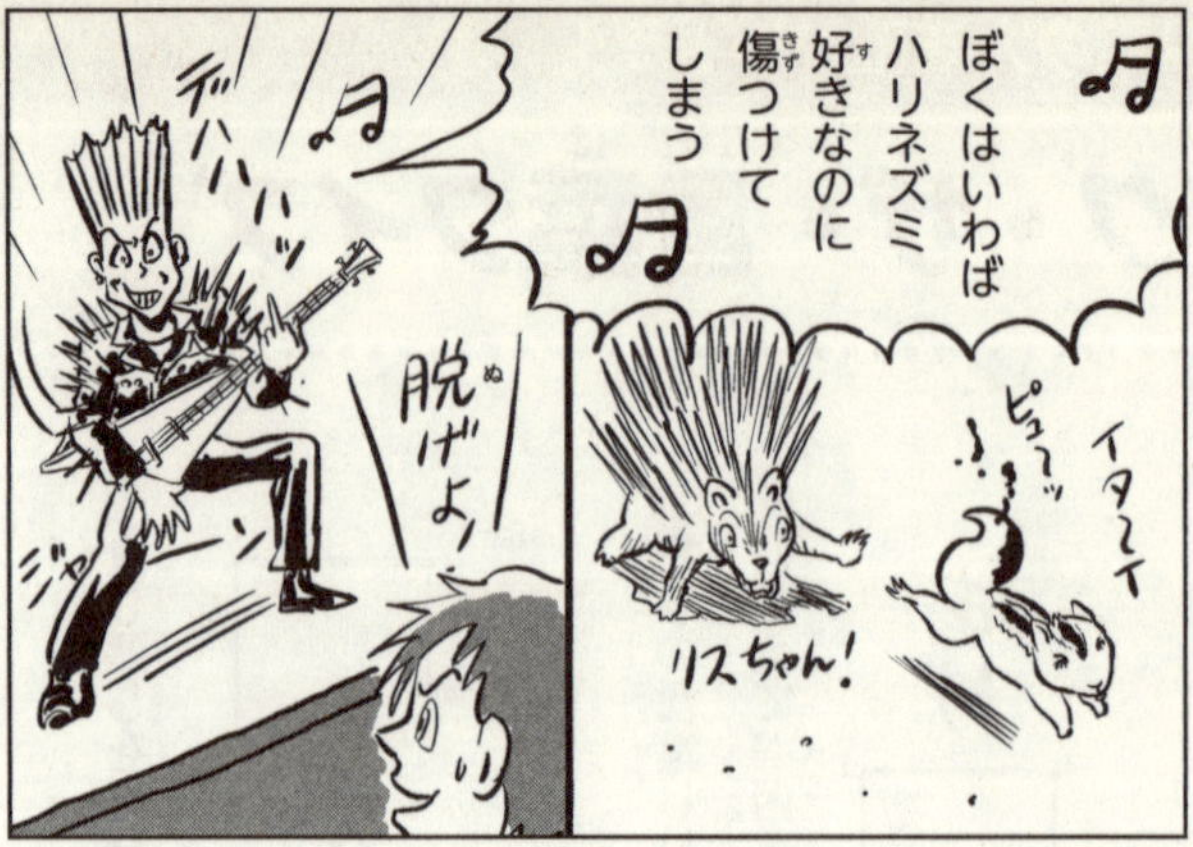

好《す》きな相手《あいて》を傷《きず》つけてしまうという、（　①　）がある。

0483

意気《いき》ごむ

何《なに》かをしようと張《は》り切《き》ること。本気《ほんき》で取《と》り組《く》むこと。

作戦《さくせん》を成功《せいこう》させようと、（　②　）んで準備《じゅんび》する。

0484

みだりに

むやみに。理由《りゆう》もなしに。勝手《かって》に。

家族《かぞく》の秘密《ひみつ》は、（　③　）人《ひと》にしゃべってはいけない。

答え ①ジレンマ ②意気ごむ ③みだりに

0485

有名無実《ゆうめいむじつ》

名《な》ばかりで、実質《じっしつ》がともなわないこと。

プルルルル
プルルルッ
だれだ、ケータイ持《も》ちこんだのは!?
おまえらーっ!!
おれじゃないぞ。
おまえじゃね?

だれも守《まも》らない、（④）のルールでは役《やく》に立《た》たない。

0486

一角《ひとかど》

目《め》立《だ》って優《すぐ》れていること。一人《いちにん》前《まえ》であること。

やーやーどーも
おはようございます

（⑤）の人《ひと》として、校長先生《こうちょうせんせい》は一目《いちもく》置《お》かれている。

0487

底《そこ》をつく

なくなる。空《から》になる。

ああっ、もうない!
CHOCO
POTATO CHIPS
マンガ
10

むだづかいばかりで、貯金《ちょきん》が（⑥）いてしまった。

答え ④有名無実 ⑤一角 ⑥底をつ

0488

棚《たな》に上《あ》げる

都合《つごう》の悪《わる》いことなどをなかったことにする。

もう少《すこ》しがんばったほうがいいよ。
ふ〜ん
30
50

自分《じぶん》のことは（　①　）て、人《ひと》を責《せ》めるのはよくない。

0489

特異《とくい》

ほかと特《とく》に異《こと》なる性質《せいしつ》をもっていること。ふつうでないこと。

ワー
パパスゴイ
海《うみ》の家《いえ》
マイホームだー
パチパチー

父《ちち》に、こんな（　②　）な才能《さいのう》があるなんて知《し》らなかった。

0490

悲願《ひがん》

「なにがなんでも」という切《せつ》ないほどの願《ねが》い。

絶対《ぜったい》に救《すく》うからね!

病気《びょうき》の子《こ》ども達《たち》を救《すく》うことが、博士《はかせ》の（　③　）だ。

答え ① 棚に上げ ② 特異 ③ 悲願

0491

仕留《しと》める

ねらったえものをうちとる。目《め》当《あ》てのものを手《て》に入《い》れる。

バンッ
ムクリ
ゾンビ!! 何発《なんぱつ》うっても起《お》き上《あ》がるわ!
ようやくたおれたわ!
コテッ

最後《さいご》の1発《ぱつ》で、かろうじてえものを（　④　）た。

0492

不死身《ふじみ》

どんなに傷《きず》つけられても死《し》なないほどの強《つよ》い体《からだ》。どんな困難《こんなん》にも負《ま》けないこと。

ガァ〜ッ
…と見《み》せかけて…。
もうたまがない!
ドテッ
ムギュッ

主人公《しゅじんこう》が、（　⑤　）のゾンビにおそわれる映画《えいが》を観《み》た。

0493

ねぎらう

相手《あいて》の苦労《くろう》や努力《どりょく》に、感謝《かんしゃ》の気《き》持《も》ちを表《あらわ》すこと。

秀吉《ひでよし》! このたびはよくぞ戦《たたか》った! ほうびをつかわそう。
信長《のぶなが》
秀吉《ひでよし》
ありがとうございます!
はい、特選《とくせん》バナナ。
さるじゃねーし!

ほうびをあたえ、戦《たたか》いの苦労《くろう》を（　⑥　）。

答え　④仕留め　⑤不死身　⑥ねぎらう

0494

やり玉《だま》に挙《あ》げる

たくさんの中《なか》から選《えら》び出《だ》して、非難《ひなん》の対象《たいしょう》にする。

ビシッ
そりゃ
わるかった
けどさ…

エラーした選手《せんしゅ》を（　①　）のは、よくない。

0495

寸前《すんぜん》

すぐ前《まえ》。直前《ちょくぜん》。

ワアアアアアア
逆転《ぎゃくてん》ゴール!!
ここで試合終了《しあいしゅうりょう》！

試合終了《しあいしゅうりょう》の笛《ふえ》が鳴《な》る（　②　）に、勝利《しょうり》のゴールが決《き》まった。

0496

ソーシャル

社会《しゃかい》の。社交《しゃこう》の。

おまえのひいばあちゃん、UFO呼《よ》べるのか?
SNSで活躍中《かつやくちゅう》の96才《さい》だって。
人間《にんげん》に正体《しょうたい》がバレたら、どうすんだ！

おばあちゃんが、（　③　）メディアの有名人《ゆうめいじん》になった。

※SNS：ソーシャル・ネットワーク・サービス。インターネット上《じょう》で利用者《りようしゃ》が交流《こうりゅう》する場《ば》。

答え　①やり玉に挙げる　②寸前　③ソーシャル

0497

立《た》て板《いた》に水《みず》

話《はな》し方《かた》がよどみなく、すらすらと上手《じょうず》な様子《ようす》。

実演《じつえん》
どうですか、このくっつかないフライパン！
ペラペラ ペラ ペラ
買《か》うゅ！
キャーッ
ガミガミ
ママの前《まえ》だといつもとちがうね
イヤんの…
しどろもどろ

（ ④ ）のたくみな話術《わじゅつ》に、思《おも》わず聞《き》き入《い》ってしまう。

0498

考慮《こうりょ》

いろいろなことに気《き》を配《くば》りながら、よく考《かんが》えること。

ぼくはファーストを守《まも》りたいです！
おれはキャッチャー！
ぼくはライト！
よく考《かんが》えておくよ。

選手《せんしゅ》の希望《きぼう》を（ ⑤ ）して、ポジションを決《き》める。

0499

日常《にちじょう》

ふだんの日々《ひび》。毎日《まいにち》。

ハイ、ごくろうさま
おつかれさまでした！
芸能
ヒョイ
ヒョイ

（ ⑥ ）の生活《せいかつ》で、体《からだ》を動《うご》かす機会《きかい》が減《へ》るのはよくないことだ。

答え ④立て板に水 ⑤考慮 ⑥日常

0500

足元《あしもと》を見《み》る

人《ひと》の弱《よわ》い部分《ぶぶん》につけこむこと。

ゴロ
ゴロ
ひゃあ!
値段《ねだん》の高《たか》いかさばかり…。
カサあります
1本
5000円

客《きゃく》の（　①　）て、値段《ねだん》をつり上《あ》げるなんて許《ゆる》せない。

0501

ありありと

そこにはないものが、実際《じっさい》にあるかのようにはっきりと見《み》える様子《ようす》。

母《はは》がおこる姿《すがた》は、（　②　）想像《そうぞう》できた。

言葉《ことば》クイズの答《こた》え

16 ①すずめ ②猫《ねこ》 ③蜂《はち》 ④どんぐり

17 ①シチュエーション ②データ ③テクノロジー ④クオリティー

18 (ウ(①え ②い ③う ④あ)

19 ①いわゆる ②いじける ③いろどる

20 ①身《み》も蓋《ふた》もない ②身《み》につまされる ③後《うし》ろ髪《がみ》を引《ひ》かれる ④あっけにとられる

21 ①裏腹《うらはら》 ②通説《つうせつ》 ③身軽《みがる》 ④糸口《いとぐち》

22 ①船山《ふねやま》に上《のぼ》る ②三年《さんねん》 ③筆《ふで》の誤《あやま》り ④飛《と》んで火《ひ》に入《い》る

23 ①目《め》 ②鼻《はな》 ③足《あし》 ④腹《はら》

答え ①足元を見 ②ありありと

身《み》についた言葉《ことば》の力《ちから》を確《たし》かめよう！

24 アタック・ザ・言葉《ことば》クイズ

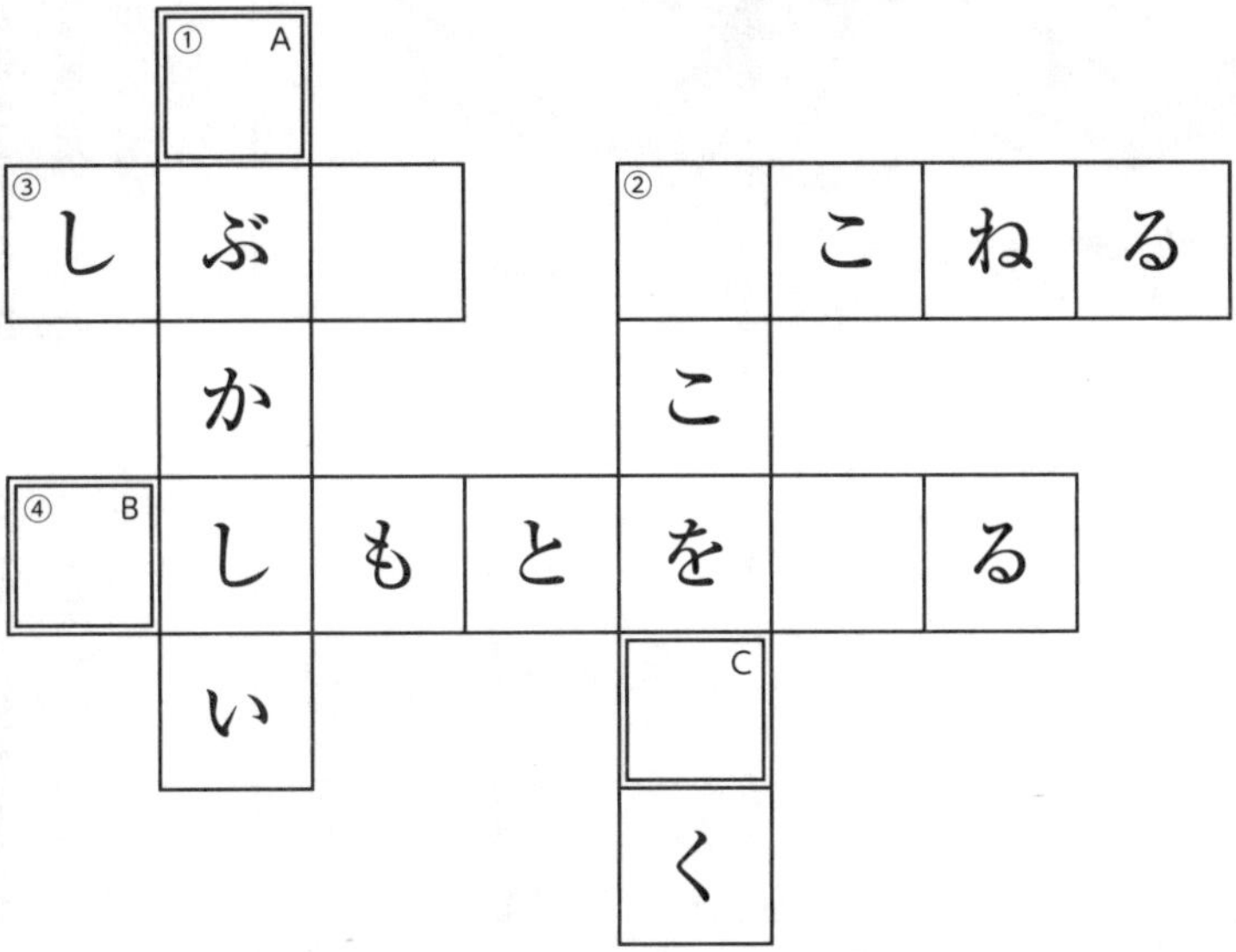

ヒントに合《あ》う言葉《ことば》を、ひらがなでマスに入《い》れよう。
二重《にじゅう》のマスの文字《もじ》を組《く》み合《あ》わせて、できる言葉《ことば》は何《なに》かな？

タテのカギ

①変《へん》なところや納得《なっとく》のいかないところがあること。
②なくなる。空《から》になる。

ヨコのカギ

②悪《わる》くする。傷《きず》つける。
③あまりやりたくなさそうに、ぐずぐずする。
④人《ひと》の弱《よわ》い部分《ぶぶん》につけこむこと。
（ヒント：体《からだ》のある部分《ぶぶん》を見《み》る。）

●権力《けんりょく》などの強《つよ》い力《ちから》で相手《あいて》をおさえつけたり、無理《むり》に従《したが》わせたりすること。

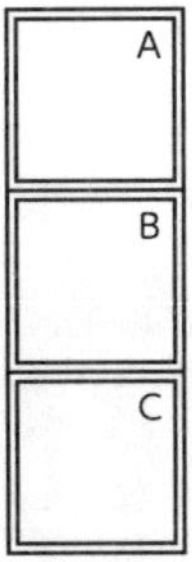

⇒答《こた》えは264ページにあります。

0502

一寸《いっすん》の虫《むし》にも五分《ごぶ》の魂《たましい》

小《ちい》さく弱《よわ》いと思《おも》えるものにも、意《い》地《じ》があるのだから、あなどってはいけないということ。

えー!?
うおおお
おおお

体《からだ》が小《ちい》さいからってばかにするな、（①）だ。

0503

お目《め》にかかる

「会《あ》う」の謙譲語《けんじょうご》。

この前《まえ》のパーティーで、王子様《おうじさま》にお目《め》にかかったの！
まあ、うらやましい！

先日《せんじつ》は（②）ことができ、大変光栄《たいへんこうえい》でした。

0504

さして

特別《とくべつ》なものとして取《と》り上《あ》げるほどでもないこと。

次《つぎ》はあいつか…。
えー
おお〜
カキン
おお〜〜
サヨナラホームランです！
あんなにすごいヤツだったとは…

（③）注目《ちゅうもく》されていない選手《せんしゅ》が、意外《いがい》にも大活躍《だいかつやく》した。

答え ① 一寸の虫にも五分の魂 ② お目にかかる ③ さして

0505

パターン

模様《もよう》。型紙《かたがみ》。ある行動《こうどう》をするときの、決《き》まったやり方《かた》。

この時期《じき》、ヌーの群《む》れはここを通《とお》るはず。
めずらしい肉《にく》が食《く》えるぞ~
グルルッ

動物《どうぶつ》の群《む》れの移動《いどう》は、大体《だいたい》（④）が決《き》まっている。

0506

しのぐ

がんばって切《き》りぬける。乗《の》り切《き》る。

ゴールを守《まも》れ!

逆転《ぎゃくてん》されそうになったが、力《ちから》を合《あ》わせてピンチを（⑤）いだ。

0507

成《な》り立《た》ち

あるものが、どうやってできたのかということ。

森《もり》という字《じ》は、木《き》が3つ!
木
木木木

漢字《かんじ》の（⑥）を知《し》ると、覚《おぼ》えやすくなる。

0508

いつになく

いつもとはちがって。今《いま》まででいちばん。

先生《せんせい》 トイレに行《い》ってきていいですか?
いつになく
いつになく
いつになく
いつになく

（ ① ）静《しず》かだと思《おも》ったら、トイレに行《い》きたいだけだった。

0509

一心同体《いっしんどうたい》

複数《ふくすう》の人《ひと》が、心《こころ》も体《からだ》もまるで一《ひと》つであるかのようになる様子《ようす》。

もちろん、転《ころ》ぶときも一心同体《いっしんどうたい》!
ズシャアーーッ

二人三脚《ににんさんきゃく》のレースで勝《か》つには、（ ② ）にならないとね。

0510

むやみ

たいした理由《りゆう》もなく、結果《けっか》も考《かんが》えずに行動《こうどう》すること。

うおおーっ
テストがんばるぞーっ!!
翌日《よくじつ》
かぜひいちゃった……

（ ③ ）に気合《きあ》いを入《い》れても、テストでいい点《てん》は取《と》れない。

答え ① いつになく ② 一心同体 ③ むやみ

0511

敵《かたき》

競《きそ》い合《あ》う相手《あいて》。うらみのある相《あい》手《て》。

おまえのせいで父《とう》さんは！

ぼくは、父《ちち》の（　④　）をうつために、旅《たび》に出《で》た。

0512

あらかじめ

始《はじ》まる前《まえ》に。前《まえ》もって。

将来《しょうらい》の新婚旅行《しんこんりょこう》のために今《いま》から調《しら》べているんだ〜。
旅《たび》
ぼくって用意《ようい》がいい！

旅行《りょこう》では、その国《くに》の情報《じょうほう》を（　⑤　）調《しら》べてから出発《しゅっぱつ》する。

0513

せめて

少《すく》なくとも。

絶対勝《ぜったいか》つ！
ゲホッ
ゲホ

今度《こんど》の大会《たいかい》は、（　⑥　）1回戦《かいせん》は突破《とっぱ》したい。

答え　④敵　⑤あらかじめ　⑥せめて

0514

ポジティブ

物事《ものごと》を自分《じぶん》から進《すす》んで行《おこな》うこと。前向《まえむ》き。⇔ネガティブ

これからは後《うし》ろをふり返《かえ》らずに、前向《まえむ》きに生《い》きようと思《おも》う！
ハイハイ
その前《まえ》に、このテストの結果《けっか》についてお話《はな》ししましょうね。
ヤッパリ

（ ① ）に考《かんが》えるようにしたら、テストの点《てん》も上《あ》がる気《き》がする。

0515

ないがしろ

ばかにして、軽《かる》くあつかうこと。無視《むし》すること。

ファンなんていくらでもいるし！
しっ
しっ
感《かん》じ悪《わる》〜い！ファンやめようっと。

ファンを（ ② ）にしては、芸能人《げいのうじん》としてやっていけない。

0516

背《そむ》ける

わきのほうを向《む》いて、見《み》ないようにする。

ビク
ヒィー…
ぐりん

ホラー映画《えいが》がこわすぎて、画面《がめん》から顔《かお》を（ ③ ）てしまう。

答え ①ポジティブ ②ないがしろ ③背け

0517

バッシング

相手《あいて》の失敗《しっぱい》や欠点《けってん》と思《おも》われる点《てん》を、一方的《いっぽうてき》に厳《きび》しく責《せ》めること。非難《ひなん》。

馬《うま》なのにシマ模様《もよう》とか信《しん》じられない。
白《しろ》と黒《くろ》って…、パンダかよ。
黄《き》と黒《くろ》のシマはどうだい？

関係《かんけい》のないところから、不当《ふとう》な（ ④ ）を受《う》ける。

0518

途方《とほう》に暮《く》れる

どうしてよいか、分《わ》からなくなる。

いきなり2000ピースなんて買《か》うんじゃなかった…。
パズル 2000ピース

難《むずか》しすぎるパズルを前《まえ》に、部屋《へや》で一人《ひとり》、（ ⑤ ）た。

0519

受《う》け合《あ》う

人《ひと》のたのみごとを、責任《せきにん》をもって引《ひ》き受《う》けること。

明日《あす》からキミが校長《こうちょう》だっ!!
わかりました!!

校長先生《こうちょうせんせい》と相談《そうだん》して、大切《たいせつ》な役目《やくめ》を（ ⑥ ）った。

答え ④バッシング ⑤途方に暮れ ⑥受け合

0520

仕向《しむ》ける

本人《ほんにん》にははっきりと分《わ》からないようなやり方《かた》で、人《ひと》をある方向《ほうこう》へと導《みちび》く。

バレーボールをする女《おんな》の子《こ》はステキでちゅよ！

父《ちち》は、私《わたし》がスポーツに興味《きょうみ》をもつように（　①　）た。

0521

拝見《はいけん》する

「見《み》る」の謙譲語《けんじょうご》。

王様《おうさま》のお姿《すがた》を一目《ひとめ》拝見《はいけん》したくて、はるばる来《き》たよ！

町《まち》で、王様《おうさま》のお姿《すがた》を（　②　）ことができた。

0522

存分《ぞんぶん》

思《おも》い通《どお》りに。満足《まんぞく》するまで。

日《ひ》が暮《く》れるまで、遊園地《ゆうえんち》で思《おも》う（　③　）遊《あそ》びつくした。

答え ① 仕向け ② 拝見する ③ 存分

身《み》についた言葉《ことば》の力《ちから》を確《たし》かめよう！

アタック・ザ・言葉《ことば》クイズ

25

（　）に合《あ》う言葉《ことば》を、［　］から選《えら》ぼう。

①食事《しょくじ》に行《い》く店《みせ》を（　　）調《しら》べておく。

②先生《せんせい》には、えらそうなところが（　　）もない。

③勝《か》つのは無理《むり》でも、（　　）1点《てん》は取《と》りたい。

④カラオケで、アニメソングを思《おも》う（　　）歌《うた》った。

⑤人《ひと》から聞《き》いた話《はなし》を、（　　）自分《じぶん》で見《み》てきたかのように話《はな》す。

あたかも　あらかじめ　せめて
みじん　存分《ぞんぶん》

⇒答《こた》えは 264 ページにあります。

0523

ノウハウ

物事《ものごと》をうまく運《はこ》ぶための、専門的《せんもんてき》な知識《ちしき》や技術《ぎじゅつ》、経験《けいけん》。

あんな本《ほん》買《か》っちゃったけど、地道《じみち》に勉強《べんきょう》しよ。
100点《てん》を取《と》る方法《ほうほう》
でもやっぱ気《き》になる。
ウァ〜
結局集中《けっきょくしゅうちゅう》できない！
集中《しゅうちゅう》する方法《ほうほう》を書《か》いてくれよ！

勉強《べんきょう》にも、効率的《こうりつてき》に学習《がくしゅう》するための（　①　）がある。

0524

失敗《しっぱい》は成功《せいこう》のもと

失敗《しっぱい》すると原因《げんいん》を考《かんが》えて反省《はんせい》するので、それをもとに成功《せいこう》することができる。

また実験《じっけん》失敗《しっぱい》です…。
しーーん
失敗《しっぱい》ではなく、うまくいかない方法《ほうほう》を発見《はっけん》したのだ！
エジソン先生《せんせい》…!!

結果《けっか》は気《き》にせず、やってみよう。（　②　）だよ。

0525

あっけにとられる

思《おも》いもかけないことに出会《であ》い、おどろいたり、あきれたりすること。

ダー
セーフ
ええ〜？
がっくり

思《おも》わぬタイミングで出《だ》しぬかれ、（　③　）た。

答え ① ノウハウ ② 失敗は成功のもと ③ あっけにとられ

0526

粗末《そまつ》

みすぼらしいこと。また、大切《たいせつ》にしないこと。

コラーーッ!!!
ビク
ガシャ
ポイ

大切《たいせつ》な道具《どうぐ》を、（④）にあつかってはいけないよ。

0527

差《さ》し上《あ》げる

「あたえる」「やる」の謙譲語《けんじょうご》。

この立派《りっぱ》な魚《さかな》を将軍様《しょうぐんさま》に…
と思《おも》ったけどやっぱ食《た》べちゃおーっ!
ぱくーっ

将軍様《しょうぐんさま》に（⑤）ための品《しな》を、つい食《た》べてしまった。

0528

重視《じゅうし》

重要《じゅうよう》だと考《かんが》えること。⇔軽視《けいし》

歌手《かしゅ》オーディション
合格《ごうかく》!
えっ
17

第一印象《だいいちいんしょう》を（⑥）したオーディションに参加《さんか》する。

答え ④粗末　⑤差し上げる　⑥重視

0529

プロフェッショナル

あることを、職業《しょくぎょう》として専門的《せんもんてき》に行《おこな》っている人《ひと》。専門家《せんもんか》。プロ。

プロフェッショナルたる者《もの》は…
パパ～、《プロフェッショナル》って何《なに》?
ズーッ
それでは説明《せつめい》しよう。
学校《がっこう》じゃないんだから
ガーッ
先生《せんせい》だから、説明《せつめい》のプロ…。

父《ちち》は、教育《きょういく》の（ ① ）だ。

0530

こらえる

がまんする。

みんなよくがんばったよ!
くやしい～!!
ぐぬぬぬぬぬ

くやしくてたまらなかったが、必死《ひっし》でなみだを（ ② ）た。

0531

あざむく 欺く

うまくうそをついて、相手《あいて》をだますこと。言《い》いくるめる。

えっ、マジっすか!?
わしは信長《のぶなが》をうつぞ!
あの…、バレバレです…。
変装《へんそう》してヤミうちじゃ。
おぬしとて、わしがだれだか分《わ》かるまい!?

敵《てき》を（ ③ ）には、まず味方《みかた》をだますのが手《て》だ。

答え ①プロフェッショナル ②こらえ ③あざむく

0532

四面楚歌《しめんそか》

自分《じぶん》の周囲《しゅうい》が、みな敵《てき》であること。

ブーブー
かえれー!!
やりにくい…。
フフフ…
打《う》てるかな。

今日《きょう》の試合《しあい》は、（ ④ ）の状態《じょうたい》で心細《こころぼそ》い。

0533

のびやか

伸びやか

のびのびしていること。ゆったりとおおらかなさま。

あははは!

子《こ》ども時代《じだい》は、自然《しぜん》の中《なか》で（ ⑤ ）に育《そだ》てられた。

0534

せわしない

用事《ようじ》がたくさんあって、とてもいそがしいこと。

どの貝《かい》がらも住《す》みやすそうだなあ。
♪
これもいいな〜
何《なに》も全部《ぜんぶ》、入《はい》ってみなくても…。
おっ
ピッタリ!
サッ
サッ

今年《ことし》は引《ひ》っこしなどもあり、（ ⑥ ）1年《ねん》だった。

答え ④四面楚歌 ⑤のびやか ⑥せわしない

0535

切《せつ》ない

さびしくて、胸《むね》がしめつけられるような気《き》持《も》ち。

王子《おうじ》様《さま》サイテー!!
許《ゆる》せない!
にんぎょひめ

この本《ほん》を読《よ》んだら、（　①　）気《き》持《も》ちになった。

0536

パフォーマンス

しばいや音楽《おんがく》、ダンスなどを人《ひと》前《まえ》で演《えん》じること。また、能力《のうりょく》や性能《せいのう》のこと。

素晴《すば》らしいパフォーマンスだったよ!
CKB32
ヲワーーーッ
エエッ
もうすぐ卒業《そつぎょう》ですけどね…。
ぜひ3年《ねん》2組《くみ》劇場《げきじょう》をわが校《こう》に作《つく》ろう!

優勝《ゆうしょう》チームの（　②　）は、息《いき》が合《あ》っていて素晴《すば》らしかった。

0537

うだる

暑《あつ》さで、ゆだったようになること。

（　③　）ような暑《あつ》さのせいで、何《なに》もする気《き》が起《お》きない。

答え ①切ない ②パフォーマンス ③うだる

0538

自滅《じめつ》

自分《じぶん》のせいで、だめにしてしまうこと。

ピーーッ
ダブルドリブル!!
あ…

相手《あいて》の勢《いきお》いにおされて、（ ④ ）しないように気《き》をつけよう。

0539

ご覧《らん》になる

「見《み》る」の尊敬語《そんけいご》。

今日《きょう》も楽《たの》しんでいらっしゃるわ。

あの国《くに》の王様《おうさま》は、競馬《けいば》を（ ⑤ ）のがお好《す》きだそうだ。

0540

率直《そっちょく》

正直《しょうじき》に。ありのままに。

外《そと》、行《い》きたいなあ。

（ ⑥ ）に言《い》うと、苦手《にがて》な教科《きょうか》の勉強《べんきょう》は楽《たの》しくない。

答え ④自滅 ⑤ご覧になる ⑥率直

0541

うらやむ　羨む

他人《たにん》の持《も》ち物《もの》や才能《さいのう》などを見《み》て、自分《じぶん》も欲《ほ》しい、または自分《じぶん》もそうありたいと思《おも》うこと。

いつか、だれもが（　①　）ような立派《りっぱ》な家《いえ》に住《す》みたい。

0542

井《い》の中《なか》のかわず大海《たいかい》を知《し》らず

自分《じぶん》の周辺《しゅうへん》を世界《せかい》のすべてと思《おも》い、外部《がいぶ》にもっと広《ひろ》い世界《せかい》があることを知《し》らない。

黒船《くろふね》だ！
ドォーーーン
外国《がいこく》にはあんなすごい船《ふね》があるのか！

（　②　）とならないよう、広《ひろ》い世界《せかい》を見《み》ることが大事《だいじ》だ。

0543

なじむ

環境《かんきょう》に慣《な》れる。または、慣《な》れて人《ひと》と親《した》しくなる。

ぽつーん
仲間《なかま》に入《い》れてほしいなあ…。

転校《てんこう》した学校《がっこう》にも、ようやく（　③　）ことができた。

答え　①うらやむ　②井の中のかわず大海を知らず　③なじむ

身《み》についた言葉《ことば》の力《ちから》を確《たし》かめよう！

アタック・ザ・言葉《ことば》クイズ

26

意味《いみ》に合《あ》うように、文字《もじ》を正《ただ》しく並《なら》べかえよう。

①想像《そうぞう》して、分《わ》かってあげる。

さ	る	っ	す

②環境《かんきょう》に慣《な》れる。

む	じ	な

③どうしてよいか、分《わ》からなくなる。

ほ	れ	に	る	と	く	う

④たくさんの中《なか》から選《えら》び出《だ》して、非難《ひなん》の対象《たいしょう》にする。

や	ま	あ	り	だ	に	げ	る

⇒答《こた》えは 264 ページにあります。

0544

プログラム

ある物事《ものごと》の計画《けいかく》。予定表《よていひょう》。コンピュータへの指示《しじ》、またはその指示《しじ》の作成《さくせい》。

先生《せんせい》との相性診断《あいしょうしんだん》の結果《けっか》がよく出《で》るようなアプリをつくりたいんだ。
マア!
おませさん♡

※アプリケーションソフト：ある目的《もくてき》のためにつくられたコンピュータのソフトウェア。

アプリケーションソフトの（　①　）作成《さくせい》について学《まな》ぶ。

0545

申《もう》し上《あ》げる

「言《い》う」の謙譲語《けんじょうご》。「申《もう》す」より、さらにへりくだった言《い》い方《かた》。

校長《こうちょう》こっち
謹賀新年《きんがしんねん》、明《あ》けましておめでとうございます。
えっ
誰《だれ》?

校長先生《こうちょうせんせい》に、新年《しんねん》のごあいさつを（　②　）。

0546

帯《おび》に短《みじか》したすきに長《なが》し

中途半端《ちゅうとはんぱ》で役《やく》に立《た》たないこと。「たすき」とは、着物《きもの》のそでをたくし上《あ》げるためのひものこと。

この服《ふく》、小《ちい》さいから、妹《いもうと》にあげよ。
私《わたし》には大《おお》きすぎるよ。

（　③　）で、ちょうどよいサイズのものが見当《みあ》たらない。

0547

くどい

同《おな》じことを何度《なんど》もくり返《かえ》し言《い》ったりして、しつこいこと。

先生《せんせい》っ、くどいようですが明日《あす》の給食《きゅうしょく》は本当《ほんとう》にカレーですよね？
しらんて…

（④）とは思《おも》ったが、心配《しんぱい》なのでもう一度《いちど》確認《かくにん》した。

0548

仲立《なかだ》ち

人《ひと》と人《ひと》の間《あいだ》を取《と》り持《も》って、いろいろめんどうを見《み》ること。

サル絵《え》ちゃんは悪気《わるぎ》はなかった！
ゴリ子《こ》ちゃんはかんちがいしてた！だから、ほら！仲直《なかなお》りね！

ほかの友達《ともだち》の（⑤）のおかげで、親友《しんゆう》と仲直《なかなお》りすることができた。

0549

さりげなく

特《とく》に深《ふか》い理由《りゆう》もないような、気《き》軽《がる》な様子《ようす》。

おお～ナイスキャッチ！
ぱしっ
♪コロリンスットントン

だれかが困《こま》っているときに、（⑥）手《て》を貸《か》せる人《ひと》はすてきだ。

答え ④くどい ⑤仲立ち ⑥さりげなく

0550

想定《そうてい》

「もしも～なら」と、先《さき》に考《かんが》えておくこと。

敵《てき》がいきなり現《あらわ》れることを（　①　）して、作戦《さくせん》を立《た》てる。

0551

ネットワーク

人《ひと》やもの、コンピュータ同士《どうし》のつながり。

ただいま～
あんた、また寄《よ》り道《みち》したでしょ!!
エ～ッ
なんで分《わ》かったの？
ママは情報通《じょうほうつう》なのよ!
もしもし
駄菓子
ヘヘッ

母《はは》の友人関係《ゆうじんかんけい》の（　②　）は強力《きょうりょく》なので、うそはつけない。

0552

明示《めいじ》

はっきりと示《しめ》すこと。明《あき》らかにすること。

いっしょに遊《あそ》びませんか？
連絡先《れんらくさき》はこちら

ホームページに連絡先《れんらくさき》を（　③　）する。

答え　①想定　②ネットワーク　③明示

0553

相当《そうとう》

あるものにふさわしいこと。つり合《あ》うこと。かなりの程度《ていど》であること。

ワンワンワン!
（おう、おまえ、どこ高《こう》?）

犬《いぬ》の1才《さい》は、人間《にんげん》の17才《さい》に（ ④ ）するらしい。

0554

ひしめく

多《おお》くの人《ひと》やものが、おし合《あ》うように集《あつ》まっていること。

コンサート
すごい人《ひと》だ!
ぎっしり!!

コンサート会場《かいじょう》には、大勢《おおぜい》の人《ひと》が（ ⑤ ）いている。

0555

損《そこ》なう

失敗《しっぱい》する。だめにしてしまう。

スカッ
あっ
あっ

大事《だいじ》な場面《ばめん》で、ボールをたたき（ ⑥ ）ってしまった。

答え ④相当 ⑤ひしめ ⑥損な

0556

バラエティー

種類《しゅるい》のちがうものが多《おお》くあること。変化《へんか》に富《と》んでいること。

毎日《まいにち》いろんな国《くに》の料理《りょうり》を作《つく》ってくれるお母《かあ》さん。
今日《きょう》はイタリア料理《りょうり》よ！
今晩《こんばん》はどこ料理《りょうり》かな
今日《きょう》は地球《ちきゅう》を飛《と》び出《だ》して宇宙食《うちゅうしょく》よ。
ネタつきたの？

母《はは》の作《つく》る料理《りょうり》は、いつも（　①　）が豊富《ほうふ》だ。

0557

言語道断《ごんごどうだん》

言葉《ことば》で表《あらわ》せないほど、とんでもないこと。もってのほか。

ふわあああ
説教中《せっきょうちゅう》にあくびをするとは何事《なにごと》だ！

注意《ちゅうい》されているところで、あくびをするなんて（　②　）だ。

0558

いたす

致す

「する」の謙譲語《けんじょうご》。

部屋《へや》を片《かた》づけるよう、努力《どりょく》いたすつもりでございます。
今《いま》すぐやりなさい！

「努力《どりょく》を（　③　）所存《しょぞん》です」と言《い》ったら、なぜかおこられた。

答え　①バラエティー　②言語道断　③いたす

0559

見《み》かねる

近《ちか》くで見《み》ていて、安心《あんしん》できなくなること。

ガオオ
グアー
もうやめなよ…。
大人《おとな》げないね…

兄《あに》たちのけんかが激《はげ》しくなるのを（④）て、注意《ちゅうい》する。

0560

そぐわない

合《あ》わない。しっくりとこない。

オーホホホ
やりたいです！
う〜ん…

優《やさ》しいあの子《こ》には、意地悪《いじわる》な女王《じょおう》の役《やく》は（⑤）。

0561

目《ま》の当《あ》たりにする

自分《じぶん》の目《め》で直接《ちょくせつ》見《み》ること。ある出来事《できごと》に直面《ちょくめん》すること。

すげーっ！

10億円《おくえん》のお金《かね》の山《やま》を（⑥）と、その額《がく》のすごさが分《わ》かる。

答え ④見かね ⑤そぐわない ⑥目の当たりにする

0562

プレッシャー

おさえつける力《ちから》。失敗《しっぱい》が許《ゆる》されない場面《ばめん》などで、心《こころ》にかかる圧《あつ》力《りょく》。

特殊部隊《とくしゅぶたい》の最終《さいしゅう》テストだ。
ヤベッ!! 腹《はら》いたくなってきた
バン バン バン
ピュ〜ッ
トイレ
早《はや》いっ！合格《ごうかく》！

テストの前《まえ》は、いつも（　①　）でお腹《なか》が痛《いた》くなる。

0563

虎《とら》の威《い》を借《か》るきつね

力《ちから》のない者《もの》が、力《ちから》のある者《もの》の力《ちから》を借《か》りて、いばること。

ぼくのパパは強《つよ》いんだぞ！
ふーん…

親《おや》の名声《めいせい》にたよって、いばるなんて、（　②　）にすぎない。

0564

半《なか》ば

半分《はんぶん》。物事《ものごと》の途中《とちゅう》。

8/10
もう夏休《なつやす》みも半分《はんぶん》過《す》ぎちゃった…。
宿題《しゅくだい》ぜーんぜんやってないよ！

夏休《なつやす》みも（　③　）を過《す》ぎたが、宿題《しゅくだい》はまったくやっていない。

答え ①プレッシャー ②虎の威を借るきつね ③半ば

身《み》についた言葉《ことば》の力《ちから》を確《たし》かめよう！

アタック・ザ・言葉《ことば》クイズ

27

□に入《はい》る漢字《かんじ》を、[ ]から選《えら》ぼう。関係《かんけい》ないものもあるよ。

①予定《よてい》や計画《けいかく》のこと。

□写真《じゃしん》

②冷《つめ》たい目《め》で見《み》る。軽蔑《けいべつ》する。

□い目《め》で見《み》る

③人《ひと》は、その環境《かんきょう》や交際《こうさい》する友達《ともだち》によって、良《よ》くも悪《わる》くもなるということ。

朱《しゅ》に交《まじ》われば□くなる

④雪《ゆき》が降《ふ》り積《つ》もり、辺《あた》りが真《ま》っ白《しろ》になること。

□世界《せかい》

青《あお》　白《しろ》　黒《くろ》　赤《あか》　金《きん》　銀《ぎん》

⇒答《こた》えは264ページにあります。

0565

なけなし

あるのかないのか分《わ》からないくらい、少《すく》ないこと。

これよかったら食《た》べてよ！
あ、ありがとう。お気持《きも》ちだけで十分《じゅうぶん》さ！
たべられない…

（　①　）のおこづかいで、プレゼントを買《か》った。

0566

いらっしゃる

「来《く》る」「行《い》く」「いる」「ある」の尊敬語《そんけいご》。

今日《きょう》は遠《とお》くからおじさまがいらっしゃるのよ。

今日《きょう》は大事《だいじ》なお客様《きゃくさま》が（　②　）ので、おやつがごうかだ。

0567

ネガティブ

態度《たいど》や考《かんが》え方《かた》などが後《うし》ろ向《む》きな様子《ようす》。消極的《しょうきょくてき》。⇔ポジティブ

ワーッ！何《なに》も思《おも》いつかん！家《うち》にいてもだめだ。
散歩《さんぽ》でもするか…。
黒《くろ》ねこ、切《き》れたげたの鼻緒《はなお》…不吉《ふきつ》だ。外出《がいしゅつ》はやめ！
ニャ〜ッ

（　③　）に考《かんが》えてばかりでは、物事《ものごと》もはかどらないだろう。

※鼻緒《はなお》：げたやぞうりなどの、足《あし》の指《ゆび》を入《い》れる部分《ぶぶん》。

答え　①なけなし　②いらっしゃる　③ネガティブ

0568

あばたもえくぼ

好《す》きになると、相手《あいて》の欠点《けってん》も長《ちょう》所《しょ》のように思《おも》えるということ。

天使《てんし》の歌声《うたごえ》…！
どういう耳《みみ》してんだか。

好《す》きな人《ひと》なら、（　④　）で、何《なん》でも許《ゆる》せてしまう。

0569

のどか

静《しず》かで、のんびりとした様子《ようす》。

あったかくて気持《きも》ちがいい春《はる》の日《ひ》だなぁ〜。
ポヮポヮ

暖《あたた》かく（　⑤　）な春《はる》の日《ひ》は、だれもがねむくなる。

0570

そつ

不注意《ふちゅうい》な点《てん》。手《て》ぬかり。「そつなく」「そつがない」などの形《かたち》で使《つか》うことが多《おお》い。

スゴーイ
キャー

あの人《ひと》は、どんなスポーツも（　⑥　）なくこなす。

答え　④あばたもえくぼ　⑤のどか　⑥そつ

0571

焦点《しょうてん》

中心《ちゅうしん》となる点《てん》。いくつかあるうちの大事《だいじ》なポイント。

少子化問題
しょうしかもんだい
きょうだいは？
一人《ひとり》っ子《こ》！
一人《ひとり》っ子《こ》！
一人《ひとり》っ子《こ》！

少《しょう》子《し》化《か》問題《もんだい》に（　①　）を当《あ》てて、話《はな》し合《あ》いをする。

0572

くむ　汲む

思《おも》いやる。理解《りかい》する。

だいじょうぶ、分《わ》かってるよ！
こっちがいいんだよね？
ジャーキー

泣《な》いている子《こ》どもの気持《きも》ちを（　②　）んであげる。

0573

そそくさ

落《お》ち着《つ》きなく、急《いそ》いで。

じゃ!!
ササーッ
あーっ!!
?
?

気《き》まずい気持《きも》ちで、（　③　）とにげるように帰《かえ》った。

答え　①焦点　②く　③そそくさ

0574

パラドックス

まちがっているようだが、実際《じっさい》には正《ただ》しいこと。正《ただ》しく聞《き》こえるが、矛盾《むじゅん》をはらんでいること。逆説《ぎゃくせつ》。

この壁《かべ》に
はり紙《がみ》をするな!
このはり紙《がみ》、効果《こうか》あったけど…。
この壁《かべ》に
はり紙《がみ》を
というか、ほかのはり紙《がみ》、はるスペースないじゃん。

「はり紙《がみ》をするな」というはり紙《がみ》は、まさに(④)だ。

0575

完全無欠《かんぜんむけつ》

すべてが素晴《すば》らしく、欠点《けってん》がないこと。

勉強《べんきょう》も運動《うんどう》も得意《とくい》、スタイルバツグン!
完全無欠《かんぜんむけつ》とはこのおれのことだな!
そういうところが欠点《けってん》では…

この世《よ》に(⑤)の人間《にんげん》なんているのだろうか。

0576

わきまえる

正《ただ》しい道《みち》やあり方《かた》とはこういうものだと、しっかり理解《りかい》していること。

入《はい》る時《どき》はノックくらいしたまえ!
社長《しゃちょう》

あの人《ひと》は、礼儀《れいぎ》を(⑥)ことの意味《いみ》をかんちがいしている。

答え ④パラドックス ⑤完全無欠 ⑥わきまえる

0577

率先《そっせん》

自分《じぶん》から進《すす》んですること。

お母《かあ》さんのスマホをこわしたことはナイショ。
そうじしといたよ！
あら、どういう風《かぜ》のふき回《まわ》し？

今日《きょう》は（　①　）して、家《いえ》のトイレそうじをした。

0578

参《まい》る

「行《い》く」「来《く》る」の謙譲語《けんじょうご》。

このおみやげ、お喜《よろこ》びいただけるかしら。

手《て》みやげを持《も》って、ごあいさつに（　②　）ります。

0579

思《おも》いの丈《たけ》

思《おも》っていることすべて。思《おも》いの限《かぎ》り。

アホー
あれっ？
ないっ？
？

好《す》きな子《こ》への（　③　）をつづった手紙《てがみ》を、なくしてしまったようだ。

0580

縁《えん》の下《した》の力持《ちからも》ち

人《ひと》に知《し》られないところで苦労《くろう》すること。または、その人《ひと》。

ゴミが落《お》ちていない！まほうの国《くに》だわ！
サッ
サッ
ゴミばこ

あの人《ひと》が（ ④ ）となってくれているおかげで、心《こころ》から楽《たの》しめた。

0581

いかんなく

思《おも》い残《のこ》すことなく、十分《じゅうぶん》に。思《おも》う存分《ぞんぶん》。

やりきった！これ以上《いじょう》はできない！
サル彦《ひこ》…。最下位《さいかい》だったぞ…。

（ ⑤ ）実力《じつりょく》を発揮《はっき》できたのは、ふだんの努力《どりょく》があったからだ。

0582

火《ひ》のない所《ところ》に煙《けむり》は立《た》たない

うわさが立《た》つのはなんらかの事実《じじつ》があるからで、まったくのでたらめではない。

ヒソヒソ
今度《こんど》ぬきうちテストがあるらしいよ。
準備《じゅんび》しとこ！
なんで知《し》ってるんだ!?
ぬきうちテスト

ただのうわさに思《おも》えても、（ ⑥ ）から用心《ようじん》しておこう。

答え ④ 縁の下の力持ち ⑤ いかんなく ⑥ 火のない所に煙は立たない

0583

しこり

筋肉《きんにく》や皮膚《ひふ》の一部《いちぶ》にできるかたまり。また、心《こころ》からなかなか消《き》えないわだかまり。

…おはよう。
…おはよ。

表面上《ひょうめんじょう》は仲直《なかなお》りをしたが、まだ（①）が残《のこ》っている気《き》がする。

0584

プロセス

物事《ものごと》がある結果《けっか》にたどり着《つ》くまでの道筋《みちすじ》。過程《かてい》。経過《けいか》。

しまった！
ゴール
でも充実《じゅうじつ》した時間《じかん》を過《す》ごしたもんね！
まだやる気《き》？

結果《けっか》より（②）が大事《だいじ》だという考《かんが》えもある。

0585

うつろ

表情《ひょうじょう》がとぼしく、心《こころ》も空《から》っぽで、元気《げんき》がないさま。

さいふ…。
落《お》とした…。
いったい何《なに》があったんだ？

（③）な目《め》をした友達《ともだち》を心配《しんぱい》する。

身《み》についた言葉《ことば》の力《ちから》を確《たし》かめよう！

アタック・ザ・言葉《ことば》クイズ

28

文字《もじ》を線《せん》で結《むす》んで、意味《いみ》に合《あ》う言葉《ことば》をつくろう。

①物事《ものごと》をうまく運《はこ》ぶための、専門的《せんもんてき》な知識《ちしき》や技術《ぎじゅつ》、経験《けいけん》。

↓

ノ・　・ロ・　・イ・　・ウ

②物事《ものごと》がある結果《けっか》にたどり着《つ》くまでの道筋《みちすじ》。過程《かてい》。経過《けいか》。

↓

プ・　・ラ・　・ハ・　・ス

③自分《じぶん》の考《かんが》え方《かた》などに自信《じしん》をもち、大切《たいせつ》にする気持《きも》ち。自尊心《じそんしん》。

↓

プ・　・ウ・　・セ・　・ド

⇒答《こた》えは 264 ページにあります。

0586

打《う》って変《か》わって

以前《いぜん》の状態《じょうたい》と、がらっと大《おお》きく変《か》わること。

あ〜〜っ
今日《きょう》は暑《あつ》いな…
もしかして
氷河期《ひょうがき》の
到来《とうらい》？

今日《きょう》は、昨日《きのう》とは（ ① ）寒《さむ》くなるそうだ。

0587

存《ぞん》じる

「思《おも》う」「知《し》る」の謙譲語《けんじょうご》。

殿《との》！
このがけを
下《くだ》るのは
むぼうかと
存《ぞん》じます！
大丈夫《だいじょうぶ》
大丈夫

この知《し》らせ、殿《との》にぜひともお伝《つた》えしたく（ ② ）ます。

0588

悪事千里《あくじせんり》を走《はし》る

悪《わる》い行《おこな》いやうわさは、すぐに世間《せけん》に広《ひろ》まるということ。

また遅刻《ちこく》した
らしいね？
みんなどこで
それを…。
今日《きょう》は授業中《じゅぎょうちゅう》によく
ねむれたみたいだね！
今日《きょう》も
おこられた
らしいね！

（ ③ ）というから、悪《わる》いことはできない。

答え ① 打って変わって ② 存じ ③ 悪事千里を走る

0589

うららか

天気《てんき》や心《こころ》が晴《は》れわたり、気持《きも》ちのよい様子《ようす》。

ポカ
ポカ

（④）な太陽《たいよう》の光《ひかり》を浴《あ》びながら、のんびりと昼寝《ひるね》をする。

0590

にぎわう

にぎやかになる。

いつ来《き》ても、ここのそば屋《や》はにぎわっているなぁ。
そば
ワイ
ハフ
ハフ
ワイ

近所《きんじょ》のそば屋《や》は、いつも大勢《おおぜい》のお客《きゃく》で（⑤）っている。

0591

上目《うわめ》づかい

相手《あいて》を見《み》るとき、うつむいて目《め》だけを上《うえ》へ向《む》けること。また、きげんをうかがうこと。

はなしなさいッ!!

家《うち》の犬《いぬ》は、おこられるときはいつも（⑥）になる。

答え ④うららか ⑤にぎわ ⑥上目づかい

0592

トラブル

人《ひと》と人《ひと》、集団《しゅうだん》と集団《しゅうだん》の間《あいだ》などで起《お》こる争《あらそ》い事《ごと》。機械《きかい》の故障《こしょう》。

ドーン ドーン
ウチの神がエラい!!
コッチの神がスゴい!!
神《かみ》が一《ひと》つなら戦争《せんそう》は起《お》きまい!
我々《われわれ》が新《あら》たな神《かみ》に…
ウゲッ
ドーン ドーン
なんだと!?
みんなでやっつけよう!

考《かんが》え方《かた》のちがいは、時《とき》として様々《さまざま》な（　①　）を生《う》む。

0593

白々《しらじら》しい

うそが見《み》え見《み》えのこと。本心《ほんしん》でないことが見《み》えすいていること。

ウソ山《やま》ズル男《お》　講演会《こうえんかい》
このウソ山《やま》ズル男《お》! みなさんのために
精《せい》いっぱい働《はたら》かせていただきます!

立派《りっぱ》なことばかり言《い》うが、あの政治家《せいじか》の言葉《ことば》は（　②　）。

0594

選《え》りすぐり

よいものの中《なか》から、最《もっと》もよいものを選《えら》びぬくこと。厳選《げんせん》。

どこがいいのか分《わ》からない…。
ほ〜　すばらしい〜
へ〜　すてきね〜

展示会《てんじかい》には、（　③　）の名品《めいひん》が集《あつ》められた。

答え　① トラブル　② 白々しい　③ 選りすぐり

0595

しげしげ

ひんぱんに。じっくりと。

じーーっ
フッ…。いくらイケてるからって見《み》つめすぎさ…。
ねぐせ

急《きゅう》に（ ④ ）と見《み》つめられて、とまどってしまった。

0596

一長一短《いっちょういったん》

長所《ちょうしょ》もあれば、短所《たんしょ》もあること。

ヒョイ
う〜ん
ゴン
へへへ

人《ひと》はみな、（ ⑤ ）で、だからこそ、それぞれに良《よ》さがあるんだね。

0597

プライバシー

人《ひと》に知《し》られたくない秘密《ひみつ》。また、それを他人《たにん》に知《し》られないようにする権利《けんり》。

ペタッ
パンダ
エッ?
エッエッ?
ササッ
まだ公開時間前《こうかいじかんまえ》なので…。
今のナニ!?

動物園《どうぶつえん》の動物《どうぶつ》にだって、（ ⑥ ）は必要《ひつよう》だ。

答え ④しげしげ ⑤一長一短 ⑥プライバシー

0598

おおよそ

大体《だいたい》のところ。あらまし。

ハンバーガー食《た》べたいけど、ヘルシーなお米《こめ》にしとこっと！
カロリー同《おな》じだけどね…。

ご飯大盛《はんおおもり》1ぱいのカロリーは、（①）ハンバーガー1個分《こぶん》だ。

0599

案《あん》ずるより産《う》むがやすし

あれこれ心配《しんぱい》するよりも、思《おも》いきってやってみると、案外《あんがい》たやすくできるということ。

転校生《てんこうせい》
○○△△くん
友達《ともだち》できるかな。
ワイ
ワイ
楽《たの》しい！

（②）だよ、思《おも》いきってやってごらん。

0600

おしげもなく

惜しげもなく

おしいと思《おも》う気持《きも》ちもなく。思《おも》いきりよく。

トリュフ入《い》りパスタ
フォアグラ&キャビア
ステーキ
すし
フカヒレスープ

高級食材《こうきゅうしょくざい》を（③）使《つか》った、ぜいたくな料理《りょうり》を食《た》べる。

答え ①おおよそ ②案ずるより産むがやすし ③おしげもなく

0601

ニュートラル

かたよりのない、中立的《ちゅうりつてき》な様子《ようす》。

公平《こうへい》であるべき議長《ぎちょう》として判断《はんだん》に迷《まよ》ったので…。
裁判員制度《さいばんいんせいど》で判断《はんだん》します。
みんなが決《き》めてくれ
これは単《たん》なる優柔不断《ゆうじゅうふだん》

議長《ぎちょう》は、いつも（④）な立場《たちば》でいるべきだ。

0602

推《お》し量《はか》る

他人《たにん》の気持《きも》ちを、きっとこうだろうと、推測《すいそく》すること。

うわ〜ん
ごめんなさい

人《ひと》の本当《ほんとう》の気持《きも》ちを（⑤）のは難《むずか》しい。

0603

我田引水《がでんいんすい》

自分《じぶん》の家《いえ》の田《た》んぼにだけ水《みず》を引《ひ》くような、自分《じぶん》だけに都合《つごう》のいいことをすること。

まず税金《ぜいきん》を増《ふ》やします！
その分《ぶん》、私《わたし》の給料《きゅうりょう》も増《ふ》えますが、いろいろがんばるので、よろしくお願《ねが》いします。
なに言《い》ってるの この人《ひと》…

あの政治家《せいじか》は、（⑥）の発言《はつげん》ばかりで、支持者《しじしゃ》を失《うしな》った。

答え ④ニュートラル ⑤推し量る ⑥我田引水

0604

うっとうしい

わずらわしいこと。気分《きぶん》がいかにも重《おも》いこと。

ごほうびはおいなりさんで！
日本一

思《おも》ったより大勢《おおぜい》ついてきて、少《すこ》し（　①　）気分《きぶん》になった。

0605

あけすけ

感情《かんじょう》をかくさず、ありのままに表《おもて》に出《だ》すこと。

私《わたし》、あなたのこと好《す》きよ！でももっと明《あか》るくなったほうがいいと思《おも》う。暗《くら》いよね、あなた！

（　②　）な態度《たいど》は、時《とき》にきらわれることもある。

0606

思《おも》い余《あま》る

いろいろ考《かんが》えてみるものの、どうしてもよい考《かんが》えがうかばないこと。

遠《とおーく》い国《に》
○○新聞《しんぶん》

悲《かな》しいニュースに、（　③　）って泣《な》き出《だ》しそうになった。

答え ①うっとうしい ②あけすけ ③思い余

身《み》についた言葉《ことば》の力《ちから》を確《たし》かめよう！

アタック・ザ・言葉《ことば》クイズ 29

上《うえ》の言葉《ことば》に合《あ》う尊敬語《そんけいご》を、線《せん》で結《むす》ぼう。

①言《い》う・
②見《み》る・
③する・
④来《く》る・

・いらっしゃる
・なさる
・ご覧《らん》になる
・おっしゃる

⇒答《こた》えは264ページにあります。

0607

後《あと》は野《の》となれ山《やま》となれ

後《あと》のことは、どうなってもよいという考《かんが》え。

景色《けしき》は最高《さいこう》なのに…。
台無《だいな》し…。

（　①　）とばかりに捨《す》てられたゴミが、社会問題《しゃかいもんだい》となっている。

0608

並《なみ》

ふつう。上《じょう》・中《ちゅう》・下《げ》の中《ちゅう》。

その程度《ていど》の努力《どりょく》じゃ、スターになんかなれないぞ！
立《た》て!!
立《た》つんだ!!

（　②　）の努力《どりょく》では、スター選手《せんしゅ》にはなれない。

0609

置《お》き去《ざ》り

人《ひと》やものをその場《ば》に残《のこ》して行《い》ってしまうこと。

トイレ
待《ま》ってくださーい！

休憩中《きゅうけいちゅう》、トイレに行《い》っていたら、その場《ば》に（　③　）にされてしまった。

答え　①後は野となれ山となれ　②並　③置き去り

0610

トータル

物事《ものごと》を全体《ぜんたい》としてとらえること。総体的《そうたいてき》。合計《ごうけい》。

おにが3びきいました。私《わたし》が2ひきやっつけました。残《のこ》りは？
1匹《ぴき》！
算数《さんすう》がんばったから2キビダンゴ。これで国語《こくご》と合《あ》わせると？
5キビダンゴ。

ぼくの友達《ともだち》は変《へん》なところもあるが、（④）で見《み》て、いいやつだ。

0611

他山《たざん》の石《いし》

正《ただ》しいことも誤《あやま》ったこともふくめ、他人《たにん》のどんな言動《げんどう》も、自分《じぶん》をみがくために役立《やくだ》てることができる。

あ〜、人生《じんせい》ねて暮《く》らしたい。
ダラ
ダラ
お兄《にい》ちゃんは悪《わる》い例《れい》として役《やく》に立《た》つな。
チョコ

なまけ者《もの》の兄《あに》は、私《わたし》にとって（⑤）になるといえる。

0612

おどおど

不安《ふあん》や緊張《きんちょう》で、おかしな動《うご》きをしたり、落《お》ち着《つ》きがなくなったりする。

あわわ…
ペラペーラ
日本MAP

旅行者《りょこうしゃ》に外国語《がいこくご》で話《はな》しかけられ、（⑥）してしまった。

答え ④トータル ⑤他山の石 ⑥おどおど

0613

要《かなめ》

中心《ちゅうしん》となる部分《ぶぶん》。支《ささ》えとなる部分《ぶぶん》。

キャプテンは、チームワークの（　①　）になる人物《じんぶつ》だ。

0614

承《うけたまわ》る

「受《う》ける」「聞《き》く」「伝《つた》え聞《き》く」の謙譲語《けんじょうご》。

はい、ご伝言《でんごん》、確《たし》かに承《うけたまわ》りました！
社長《しゃちょう》に「先月分《せんげつぶん》の支払《しはら》い早《はや》く！」ですね!!

電話《でんわ》で伝言《でんごん》を（　②　）ときは、必《かなら》ずメモを取《と》りましょう。

0615

助言《じょげん》

その人《ひと》の助《たす》けになるような言葉《ことば》や意見《いけん》。アドバイス。

ここは、この式《しき》をあてはめるといいよ！
なるほど！

算数《さんすう》の問題《もんだい》の解《と》き方《かた》を（　③　）する。

答え　①要　②承る　③助言

0616

プライド

自分《じぶん》の考《かんが》え方《かた》などに自信《じしん》をもち、大切《たいせつ》にする気持《きも》ち。自尊心《じそんしん》。

ワーッ
ワーッ
ワーッ
部長《ぶちょう》ウケるならプライド捨《す》てるよな
ふだんおっさんやるのはホント大変《たいへん》。
ハイヨロシク
あっちがホントの私《わたし》なのよね。

時《とき》には、（ ④ ）を捨《す》てていどむことも、大切《たいせつ》なのかもしれない。

0617

雨降《あめふ》って地固《じかた》まる

もめごとの後《あと》は、かえって事態《じたい》が落《お》ち着《つ》いて、よくなること。

さっきはごめんな。
おれこそごめん！
また同《おな》じことしてる…。

ケンカがきっかけで仲《なか》が深《ふか》まった。（ ⑤ ）だね。

0618

失《う》せる

なくなる。いなくなる。

あっ、セーブできてないっ！
ガーン
また一《いち》から出直《でなお》しかあ…。
……

データが消《き》えてしまっては、やる気《き》が（ ⑥ ）のも当然《とうぜん》だ。

答え ④プライド ⑤雨降って地固まる ⑥失せる

0619

結局《けっきょく》

最後《さいご》は。結果《けっか》として。

この弱虫《よわむし》! おととい 来《き》やがれ!
この役立《やくた》たずーっ!!

(①)、連《つ》れ去《さ》られた姫《ひめ》を助《たす》けることはできなかった。

0620

なさる

「する」の尊敬語《そんけいご》。

殿様《とのさま》が おもちつきを なさるん だって!
えー すごーい

殿様《とのさま》が今日《きょう》、この場所《ばしょ》でもちつきを(②)らしい。

0621

うごめく

絶《た》えず、もぞもぞと動《うご》いている様子《ようす》。

へな へな~…
うわーっ

窓《まど》ガラスの向《む》こうに(③)かげを見《み》て、こしをぬかした。

答え ① 結局 ② なさる ③ うごめく

0622

トラウマ

心《こころ》にずっと残《のこ》るような、おそろしい体験《たいけん》などが原因《げんいん》でできた心《こころ》の傷《きず》。

グワーーッ
ワッワッワーッ
ウルさ！
ドラゴンならあっちの山《やま》で見《み》たよ。
アイツ、ゾンビじゃないのか？
あれは人《ひと》だよ！

（　④　）になりそうな、こわいホラー映画《えいが》を観《み》た。

0623

しりごみ

こわかったり、いやだったりして、後《うし》ろに下《さ》がる。気《き》おくれして、ためらう。

グアアアアア
ヒィー

おそろしい怪物《かいぶつ》が出《で》ると聞《き》いて、思《おも》わず（　⑤　）する。

0624

いわば

分《わ》かりやすくたとえて言《い》うと。言《い》ってみれば。

長《なが》い夏休《なつやす》みは、（　⑥　）子《こ》どもの特権《とっけん》だ。

答え　④トラウマ　⑤しりごみ　⑥いわば

0625

すかさず

そのときすぐに。

オレ、いつもこんな役《やく》じゃ？

敵《てき》が目《め》をはなしたすきに、（①）姫《ひめ》を助《たす》け出《だ》した。

0626

当《あ》てつけ

ほかのことにかこつけて、わざと相手《あいて》がいやがることをしたり、言《い》ったりすること。

うちの子《こ》は本当《ほんとう》によく家《いえ》の手伝《てつだ》いをしてくれるわぁ。それに比《くら》べてだれかさんときたら…。
はーあ
はーあ
その言《い》い方《かた》よくない!!

母《はは》からほめられたが、父《ちち》への（②）だったのでうれしくない。

0627

あがめる

とても価値《かち》が高《たか》いものとして、敬《うやま》うこと。

牛《うし》を神聖《しんせい》な動物《どうぶつ》として（③）人々《ひとびと》もいる。

答え ①すかさず ②当てつけ ③あがめる

身《み》についた言葉《ことば》の力《ちから》を確《たし》かめよう！

アタック・ザ・言葉《ことば》クイズ

30

後《あと》の語《ご》を二《ふた》つずつ組《く》み合《あ》わせて、意味《いみ》に合《あ》う言葉《ことば》をつくろう。

①とても価値《かち》が高《たか》いものとして、敬《うやま》うこと。

②すっかりあきて、いやになる気持《きも》ち。

③多《おお》くの人《ひと》やものが、おし合《あ》うように集《あつ》まっていること。

④相手《あいて》の苦労《くろう》や努力《どりょく》に、感謝《かんしゃ》の気持《きも》ちを表《あらわ》すこと。

めく　あが　らう　ざり　うん　ねぎ　める　ひし

⇒答《こた》えは 264 ページにあります。

0628

念《ねん》じる

心《こころ》の中《なか》で強《つよ》く願《ねが》う。

当《あ》たりますように、当《あ》たりますように、大型《おおがた》テレビが当《あ》たりますように！
くじ

「当《あ》たりますように」と（①）ながら、くじを引《ひ》く。

0629

飽《あ》き足《た》りない

十分《じゅうぶん》に満足《まんぞく》できない様子《ようす》。

やっぱりスゴ〜い!!
本物《ほんもの》が見《み》たいっ！

写真《しゃしん》を見《み》るだけでは（②）ず、実物《じつぶつ》を見《み》に行《い》くことにした。

0630

デメリット

欠点《けってん》や短所《たんしょ》。⇔メリット

008号《ごう》、やつらのアジトの場所《ばしょ》を残《のこ》してくれたんだな…。
ココ
E、W、S、N…？何《なん》だコレ？勉強《べんきょう》しとけばよかった…。

※東《ひがし》(E)・西《にし》(W)・南《みなみ》(S)・北《きた》(N)の英語《えいご》の頭文字《かしらもじ》。

知識《ちしき》が足《た》りないことの（③）について考《かんが》える。

答え ①念じ ②飽き足り ③デメリット

0631

明《あ》け暮《く》れる

朝《あさ》も夜《よる》も関係《かんけい》なく、ずっと一《ひと》つの物事《ものごと》に熱中《ねっちゅう》する。

朝《あさ》
晩《ばん》
のどがいたい〜
手《て》がつかれた

朝《あさ》から晩《ばん》まで、合唱《がっしょう》コンクールの練習《れんしゅう》に（ ④ ）。

0632

過剰《かじょう》

多《おお》すぎること。

このぼくが出《で》たら、試合《しあい》に優勝《ゆうしょう》できると思《おも》います！
おまえ一度《いちど》も試合《しあい》に出《で》たことないだろ！

実力《じつりょく》もないくせに、自信《じしん》（ ⑤ ）なやつだ。

0633

ずけずけ

遠慮《えんりょ》なく、はっきりと。

先生《せんせい》、それは前《まえ》読《よ》んだ！
しかもつまんなかった！
おはなし

相手《あいて》の気持《きも》ちを考《かんが》えずに、（ ⑥ ）言《い》うのは考《かんが》えものだ。

答え ④明け暮れる ⑤過剰 ⑥ずけずけ

0634

こともなげ

たいした手間《てま》もめんどうもない、ごく気軽《きがる》な様子《ようす》。

コン

スター選手《せんしゅ》が、高度《こうど》な技《わざ》を（　①　）に決《き》めてみせた。

0635

絵《え》に描《か》いた餅《もち》

実際《じっさい》には役《やく》に立《た》たないこと。頭《あたま》の中《なか》で考《かんが》えただけで、実現《じつげん》できないこと。

夏休《なつやす》みの目標《もくひょう》
・毎朝《まいあさ》6時《じ》に起《お》きる
・宿題《しゅくだい》は午前中《ごぜんちゅう》にすませる
初日《しょにち》からできてない…。
ぐー

立派《りっぱ》な夢《ゆめ》も、実現《じつげん》に向《む》けて努力《どりょく》しなければ、（　②　）だ。

0636

フィクション

実際《じっさい》には存在《そんざい》しないものや話《はなし》などを、想像《そうぞう》して本当《ほんとう》らしくつくり上《あ》げること。⇕ノンフィクション

ついに映画化《えいがか》!!
リアル ドラゴンバスター
本当《ほんとう》に勇者《ゆうしゃ》さんがたおしたんですか?
どーなんですか～!?
ハイ終《お》わり終《お》わり!!
本当《ほんとう》ですよ
巨大《きょだい》ロボットに乗《の》って、たおしたんだけどね。
ズン!

実際《じっさい》の出来事《できごと》だと信《しん》じていた話《はなし》が、（　③　）だと知《し》り、おどろく。

答え ①こともなげ ②絵に描いた餅 ③フィクション

0637

即座《そくざ》

その場《ば》で、すぐに。

デートしてください！
ちょっとぉ〜、いきなり困《こま》るし〜。

一目《ひとめ》ぼれして、（ ④ ）にデートを申《もう》しこんだ。

0638

あらわ

それまでおおいかくされていたものが、明《あき》らかになること。はっきりすること。

決《けっ》して開《あ》けてはなりませんと言《い》ったのに！

秘密《ひみつ》が（ ⑤ ）になるのは、なんとしてもさけたかったのに。

0639

千里眼《せんりがん》

遠《とお》い場所《ばしょ》にあるものや、そこでの出来事《できごと》などを直感的《ちょっかんてき》に知《し》ることのできる能力《のうりょく》。

あっ、かわいい子《こ》がいる！
よく見《み》つけるね。

この事実《じじつ》に気《き》づくとは、彼《かれ》は（ ⑥ ）の持《も》ち主《ぬし》にちがいない。

答え ④即座 ⑤あらわ ⑥千里眼

0640

頭《あたま》が上《あ》がらない

相手《あいて》にかなわないと感《かん》じて、従《したが》うほかない。

よかったな、母《かあ》さんに報告《ほうこく》してきな！
5×½＝
これは…
母《かあ》さん、オレやったよ！
100
バヒュン

いつも勉強《べんきょう》を教《おし》えてもらっているので、兄《あに》には（　①　）。

0641

こぼれる

あふれる。少《すこ》しだけ見《み》える。

ニャン子《こ》ちゃんからラブレターの返事《へんじ》きた！
にんま～
ねこすけくん
わたしもだいすき♡

ラブレターの返事《へんじ》がうれしくて、思《おも》わず笑《え》みが（　②　）た。

0642

しきりに

何度《なんど》もくり返《かえ》し。ひっきりなしに。

昨日《きのう》のドラマ見《み》た？
しーっ
しーっ
今日《きょう》の給食《きゅうしょく》何《なん》だっけ？
この問題《もんだい》分《わ》かる？

授業中《じゅぎょうちゅう》なのに、（　③　）話《はな》しかけられ、困《こま》ってしまう。

答え ① 頭が上がらない ② こぼれ ③ しきりに

0643

あやふや

態度《たいど》や答《こた》えがあいまいで、はっきりしない。

IT
関係《かんけい》ていうか
いや
その、あの
マスコミみたいな？

父《ちち》の仕事《しごと》については、よく知《し》らないので、（ ④ ）にしか答《こた》えられない。

0644

一日千秋《いちじつせんしゅう》

一日《いちにち》が千年《せんねん》のように長《なが》く思《おも》われるほど待《ま》ち遠《どお》しいこと。

もうすぐ七夕《たなばた》だね。
織姫《おりひめ》と彦星《ひこぼし》は待《ま》ち遠《どお》しいだろうね。

いとしい人《ひと》の帰《かえ》りを、（ ⑤ ）の思《おも》いで待《ま》つ。

0645

ニーズ

人《ひと》や社会《しゃかい》が求《もと》めていること。需要《じゅよう》。

おそうじロボットの試作品《しさくひん》です。社長《しゃちょう》、いかがでしょうか？
武器《ぶき》いらないし、
大《おお》きすぎかな～。
ウ～ン
完成《かんせい》しました！
ガーッ
サッサッ
変《か》わりすぎ!!

消費者《しょうひしゃ》の（ ⑥ ）に応《こた》えた、新商品《しんしょうひん》を発売《はつばい》する。

答え ④あやふや ⑤一日千秋 ⑥ニーズ

0646

あわや

もう少《すこ》しで危険《きけん》なことが起《お》こりそうな様子《ようす》。あやうく。

あぶねー
あふ〜
ファール

(①)逆転満塁《ぎゃくてんまんるい》ホームランになるかと、ひやひやした。

0647

ぬけ目《め》がない

自分《じぶん》の利益《りえき》になるように、うまく立《た》ち回《まわ》ること。

先生《せんせい》、黒板《こくばん》おそうじしておきましたぁ!
ありがとう!
先生《せんせい》の前《まえ》だとふだんとちがーう!

先生《せんせい》の前《まえ》でだけいい子《こ》ぶるなんて、(②)なあ。

0648

あわよくば

いいタイミングであれば。うまくいけば。

いけんじゃね?オレたち
ガックリ
最下位《さいかい》って…

「(③)優勝《ゆうしょう》!」と思《おも》っていたが、まさかの最下位《さいかい》だった。

答え ①あわや ②ぬけ目がない ③あわよくば

身《み》についた言葉《ことば》の力《ちから》を確《たし》かめよう！

アタック・ザ・言葉《ことば》クイズ

31

正《ただ》しいほうを選《えら》んで、◯をつけよう。

①いったん収《おさ》まっていたことにふれて、また問題《もんだい》を引《ひ》き起《お》こすこと。

寝《ね》た子《こ》を｛つねる／起《お》こす｝

②自分《じぶん》の周辺《しゅうへん》を世界《せかい》のすべてと思《おも》い、外部《がいぶ》にもっと広《ひろ》い世界《せかい》があることを知《し》らない。

井《い》の中《なか》のかわず｛大海《たいかい》を知《し》らず／泳《およ》ぎを覚《おぼ》えず｝

③才能《さいのう》があり目立《めだ》つ者《もの》は、他人《たにん》からねたまれ、じゃまされるものだ。

出《で》るくいは｛折《お》れる／打《う》たれる｝

④後《あと》のことは、どうなってもよいという考《かんが》え。

後《あと》は野《の》となれ｛原《はら》／山《やま》｝となれ

⇒答《こた》えは 264 ページにあります。

0649

ひそめる

潜める

体《からだ》をかくしたり、声《こえ》を小《ちい》さくしたりなどして、人《ひと》に自分《じぶん》の存在《そんざい》が気《き》づかれないようにする。

せいきゅう ¥
・スマホゲーム ¥2
・スマホゲーム ¥
・スマホゲーム ¥

敵《てき》に見《み》つからないように、物《もの》かげに身《み》を（ ① ）た。

0650

言《い》うまでもない

今《いま》さら何《なに》も言《い》わなくても、分《わ》かりきったこと。

夏《なつ》が暑《あつ》いのも、冬《ふゆ》が寒《さむ》いのも、この国《くに》では（ ② ）ことだ。

0651

デジタル

数《かず》や量《りょう》の変化《へんか》を、数字《すうじ》で示《しめ》す方法《ほうほう》。デジタルは自動《じどう》、アナログは手動《しゅどう》の意味《いみ》でも使《つか》う。⇔アナログ

02:30
え～？古《ふる》い校舎《こうしゃ》なのに？
3、2、1、0…発射《はっしゃ》！
ドドーッ
移築《いちく》へのカウントダウンだったのね。

学校《がっこう》の時計《とけい》が、アナログ表示《ひょうじ》から（ ③ ）表示《ひょうじ》に変《か》わっていた。

答え ①ひそめ ②言うまでもない ③デジタル

0652

いささか

ほんの少《すこ》し。ちょっと。

必《かなら》ずこらしめてやりますので
もう食《た》べられないや…
ゲフッ

おいしかったのは分《わ》かるけど、これは（　④　）食《た》べすぎだよ。

0653

熱《ねつ》意《い》

絶対《ぜったい》にやってやるという、熱《あつ》い気持《きも》ち。

もっと教《おし》えてください！
ぼくはがんばります！
メラメラ
し、しつこい…

今《いま》はまだ未熟《みじゅく》だが、うまくなろうとする（　⑤　）は強《つよ》い。

0654

強《し》いる

相手《あいて》に無理《むり》やりさせる。

バナナと私《わたし》、どっちが好《す》きなの!?
ヒュー
ヒュー

好《す》きかきらいか、返事《へんじ》を（　⑥　）られた。

答え　④いささか　⑤熱意　⑥強い

0655

あわただしい
慌ただしい

落《お》ち着《つ》かず、いそがしい様子《ようす》。

12月《がつ》
早《はや》く片《かた》づけちゃわないと!

クリスマス、年越《としこ》し、正月《しょうがつ》の準備《じゅんび》…年末《ねんまつ》はなにかと（　①　）。

0656

気《き》まずい

相手《あいて》と気持《きも》ちが合《あ》わなくて、落《お》ち着《つ》かない。

あれ?どうしたの、二人《ふたり》ともけんか中《ちゅう》?
つーん

いつも、仲直《なかなお》りするまでは、（　②　）ちんもくが続《つづ》く。

0657

いずれ

どれか。どちらか。そのうちに。

食《た》べ物《もの》に気《き》をつけるだけで十分《じゅうぶん》!
もどっちゃった…。
やっぱり運動《うんどう》も大切《たいせつ》だね。
ズドン
ズドン
ビフォー
BEFORE
アフター
AFTER

食事《しょくじ》を減《へ》らすだけのダイエットでは、（　③　）また太《ふと》るだろう。

答え ①あわただしい ②気まずい ③いずれ

0658

ニュアンス

言葉《ことば》や色《いろ》などがもつ、びみょうな意味合《いみあ》いや雰囲気《ふんいき》。言葉《ことば》には表《あらわ》されない、話《はな》し手《て》の思《おも》い。

直《なお》った！こわれたと思《おも》ってあせったよー。
正確《せいかく》には「こわしたと思《おも》って」でしょ？
自分でキーボードにジュースこぼしたんでしょ
ハイハイ

言葉《ことば》のびみょうな（　④　）をすべて理解《りかい》するのは難《むずか》しい。

0659

あぶ蜂取《はちと》らず

二《ふた》つのものを一度《いちど》に手《て》に入《い》れようと欲張《よくば》ったせいで、どちらも得《え》られなくなることのたとえ。

国語《こくご》と算数《さんすう》、同時《どうじ》に勉強《べんきょう》して
時間《じかん》の節約《せつやく》だ！

二《ふた》つを同時《どうじ》にすませようなんて、（　⑤　）になってしまうよ。

0660

いちやく

一躍

一気《いっき》に高《たか》い評価《ひょうか》を得《え》ること。

サインください！
キャ
ワ
握手《あくしゅ》して！
ワン
ワー
ニャー
ワ

祖母《そぼ》は、テレビに出《で》てから（　⑥　）、町内《ちょうない》の有名人《ゆうめいじん》になった。

答え　④ニュアンス　⑤あぶ蜂取らず　⑥いちやく

0661

瞬《また》く間《ま》

まばたきするぐらいの短《みじか》い間《あいだ》に。一瞬《いっしゅん》のうちに。

満塁《まんるい》ホームラーン！
ワアアアアアア
大逆転《だいぎゃくてん》です！

ぼく達《たち》のチームは、（　①　）に逆転《ぎゃくてん》されてしまった。

0662

対《たい》する

あるものに向《む》かって。あるものについて。

ねぇお母《かあ》さん、朝食《ちょうしょく》は骨《ほね》つき肉《にく》にして！おこづかいアップして！新《あたら》しい洋服《ようふく》買《か》って！
ねぇねぇ
ねぇねぇ

母《はは》に（　②　）して、いろいろな思《おも》いを伝《つた》える。

0663

圧巻《あっかん》

全体《ぜんたい》の中《なか》の最《もっと》も優《すぐ》れている部分《ぶぶん》。

この場面《ばめん》、何度《なんど》見《み》ても泣《な》ける…！

この映画《えいが》では、やはり再会《さいかい》の場面《ばめん》が（　③　）だった。

答え　①瞬く間　②対　③圧巻

0664

バランス

全体《ぜんたい》がほどよくつりあって、まとまっている状態《じょうたい》。

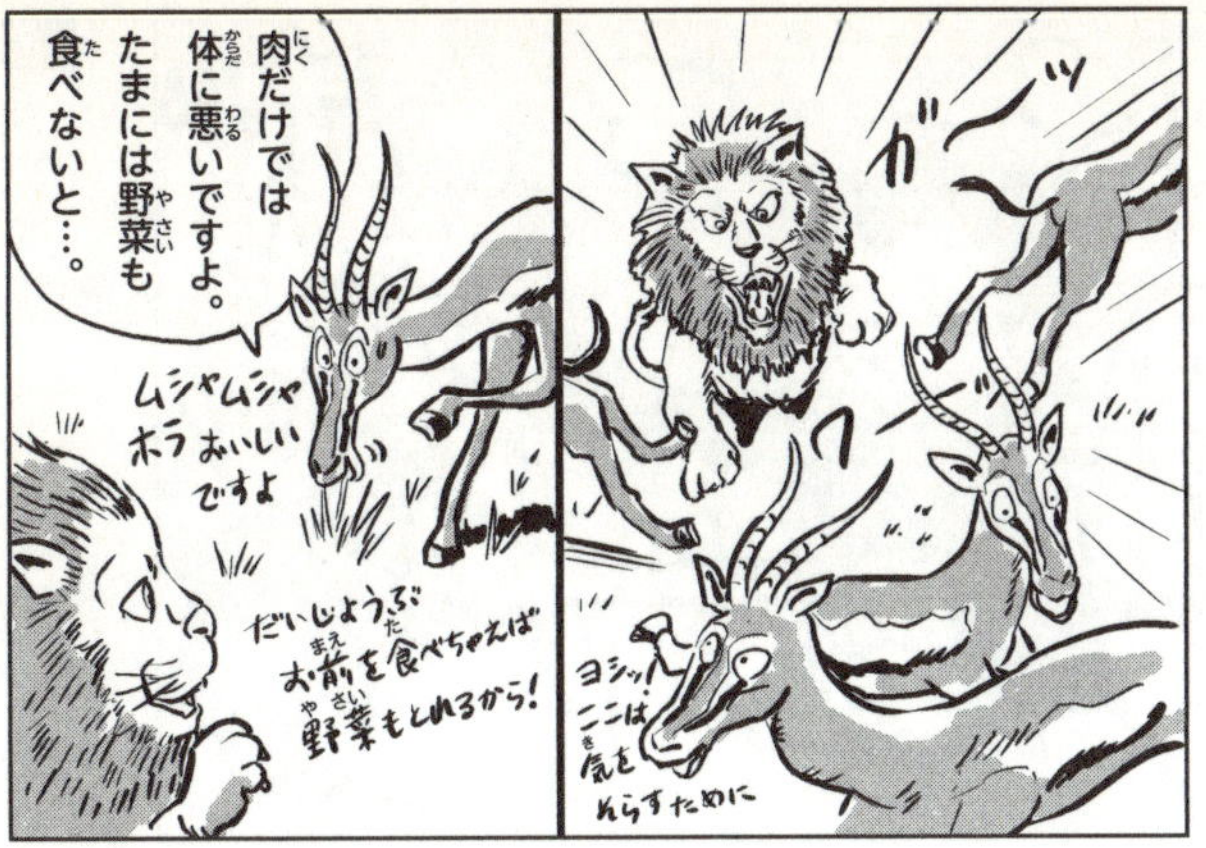
ガーーッ
ワーッ
ヨシッ! ここは気《き》をそらすために
肉《にく》だけでは体《からだ》に悪《わる》いですよ。たまには野菜《やさい》も食《た》べないと…。
ムシャムシャ ホラ おいしいですよ
だいじょうぶ お前《まえ》を食《た》べちゃえば野菜《やさい》もとれるから!

（　④　）の取《と》れた食事《しょくじ》は、心《こころ》も体《からだ》も健康《けんこう》にする。

0665

ひそか

だれにも知《し》られないように。こっそり。

なんでやねん!
なんでやねん!

お笑《わら》い芸人《げいにん》を目指《めざ》し、（　⑤　）に芸《げい》をみがく。

0666

各自《かくじ》

それぞれ。一人《ひとり》ひとり。

いただきまーす!

お弁当《べんとう》は、（　⑥　）で用意《ようい》することになった。

答え ④バランス ⑤ひそか ⑥各自

0667

うすうす

はっきりではなく、おぼろげに。

ボキッ!!
じゃあ次《つぎ》、田中君《たなかくん》。
あ、ねてるから答《こた》えられないかなあ～?

先生《せんせい》のきげんが悪《わる》いことは、さっきから（　①　）感《かん》じていた。

0668

一期一会《いちごいちえ》

一生《いっしょう》に一度《いちど》の機会《きかい》と思《おも》って、出《で》会《あ》いを大切《たいせつ》にする。

このイチゴともたった一度《いちど》の出会《であ》いなのね…。
イチゴイチエ…
ちょっとちがうよ

（　②　）という気持《きも》ちで、人《ひと》との出会《であ》いを大切《たいせつ》にする。

言葉《ことば》クイズの答《こた》え

24 いあつ（威圧《いあつ》）

25 ①あらかじめ　②みじん　③せめて　④存分《ぞんぶん》　⑤あたかも

26 ①さっする（察《さっ》する）　②なじむ　③とほうにくれる（途方《とほう》に暮《く》れる）　④やりだまにあげる（やり玉《だま》に挙《あ》げる）

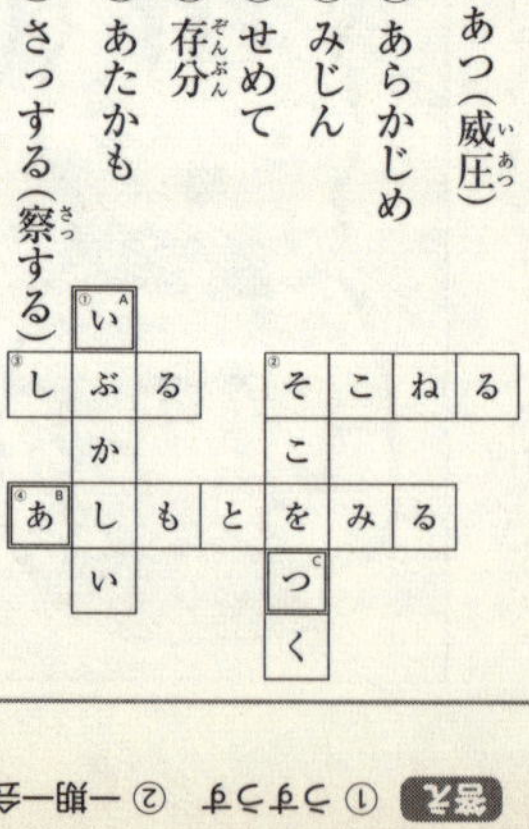
①A いぶかしい
③ しぶる
② そこねる
④B あしもとをみる
C つく

27 ①青《あお》　②白《しろ》　③赤《あか》　④銀《ぎん》

28 ①ノウハウ　②プロセス　③プライド

29 ①おっしゃる　②ご覧《らん》になる　③なさる　④いらっしゃる

30 ①あがめる　②うんざり　③ひしめく　④ねぎらう

31 ①起《お》こす　②大海《たいかい》を知《し》らず　③打《う》たれる　④山《やま》

身についた言葉の力を確かめよう！

アタック・ザ・言葉《ことば》クイズ

32

□には、それぞれ同《おな》じ漢字《かんじ》が入《はい》るよ。［　］から選《えら》ぼう。

①
□口《く》同《どう》音《おん》
大《だい》同《どう》小《しょう》□

②
一《いっ》刀《とう》両《りょう》□
言《ごん》語《ご》道《どう》□

③
□期《ご》□会《え》
□日《じつ》千《せん》秋《しゅう》

④
事《じ》実《じつ》□根《こん》
完《かん》全《ぜん》□欠《けつ》

無《む》　断《だん》　異《い》　一《いち》

⇒答《こた》えは328ページにあります。

0669

くまなく

すみからすみまで。

オレはごみじゃね〜！
家《いえ》でゴロゴロしてるから
ヴィーーッ
ヴィーーッ

家《いえ》の中《なか》を（　①　）そうじする。

0670

骨《ほね》が折《お》れる

だれかのために、本来《ほんらい》は手間《てま》のかかる行動《こうどう》を起《お》こすこと。

骨《ほね》が折《お》れる仕事《しごと》だが、がんばれよ！
えっ
どんな仕事《しごと》？

先生《せんせい》の難《むずか》しい言葉《ことば》を、理解《りかい》するのに（　②　）た。

0671

三拍子《さんびょうし》そろう

必要《ひつよう》な条件《じょうけん》をすべて備《そな》えること。何《なに》もかも完全《かんぜん》に備《そな》わっていること。

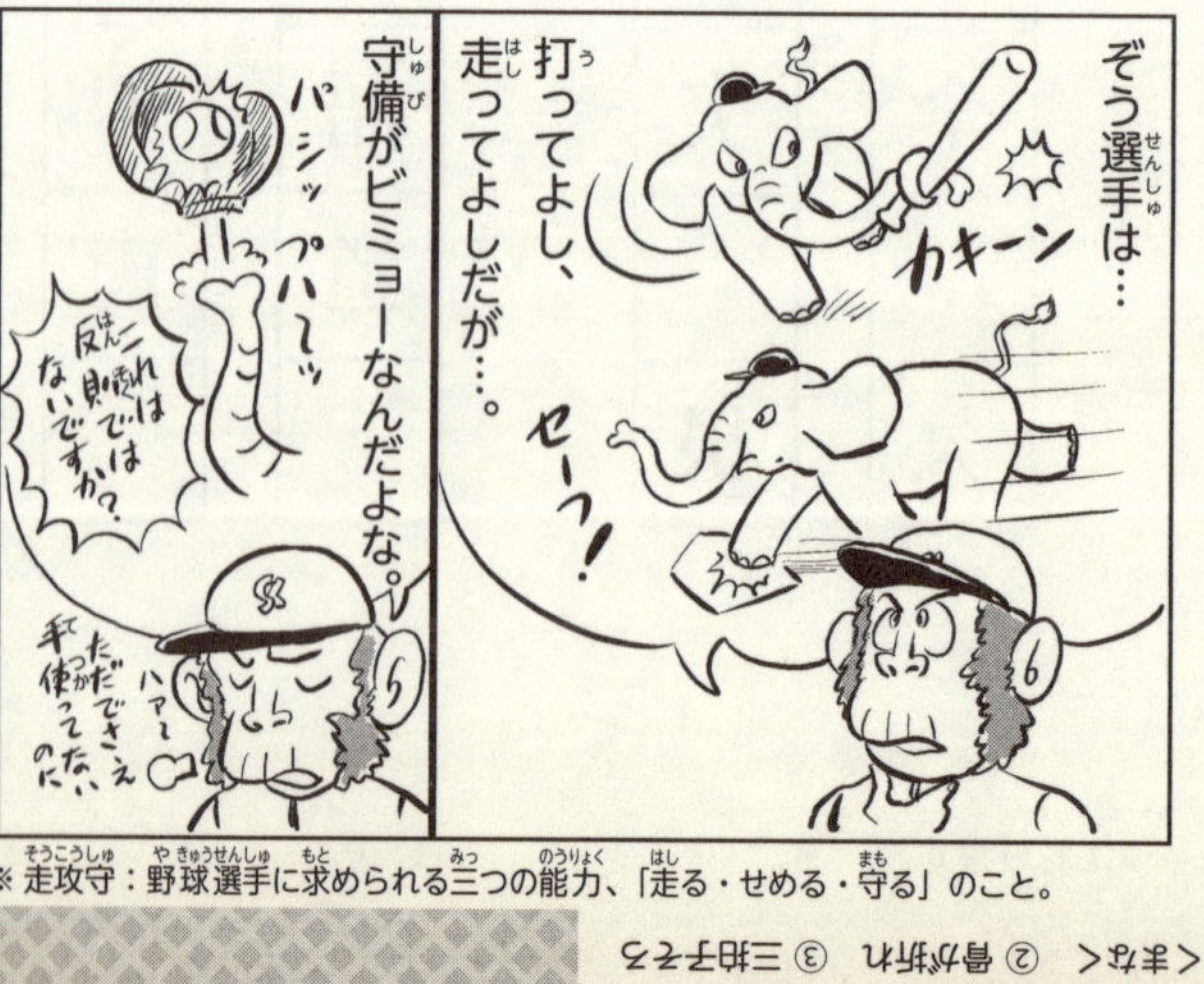

ぞう選手《せんしゅ》は…
カキーン
打《う》ってよし、走《はし》ってよしだが…。
セーフ！
守備《しゅび》がビミョーなんだよな。
パシッ
プハ〜ッ
それは反則《はんそく》ではないですか？
ハァ〜
ただでさえ手《て》使《つか》ってないのに

走攻守《そうこうしゅ》、（　③　）った野球選手《やきゅうせんしゅ》はなかなかいない。

※走攻守《そうこうしゅ》：野球選手《やきゅうせんしゅ》に求《もと》められる三《みっ》つの能力《のうりょく》、「走《はし》る・せめる・守《まも》る」のこと。

答え　①くまなく　②骨が折れ　③三拍子そろ

0672

ひたすら

ただ一《ひと》つのことをする様子《ようす》。

モンスターに追《お》いかけられ、（　④　）走《はし》ってにげた。

0673

モチベーション

意欲《いよく》あふれる心《こころ》の状態《じょうたい》。やる気《き》。動機《どうき》。

見《み》て見《み》て
ゲームしようよ！
オモシロビデオ
めざせ！ノーベル賞《しょう》!!
コッチが大事《だいじ》!!
バーン
ドーン

（　⑤　）が上《あ》がると、集中《しゅうちゅう》して勉強《べんきょう》できる。

0674

一石二鳥《いっせきにちょう》

一《ひと》つのことをして、二《ふた》つの利益《りえき》を同時《どうじ》に得《え》ること。

楽《たの》しくて勉強《べんきょう》になるゲームないかなあ。
おいしくてやせられる食《た》べ物《もの》ないかなあ。
似《に》たもの親子《おやこ》…。

おいしく食《た》べてやせられるなんて、（　⑥　）だね。

答え　④ひたすら　⑤モチベーション　⑥一石二鳥

0675

くい 悔い

「あのときは、ああすればよかった」と、くよくよ思《おも》いなやむ気《き》持《も》ち。

やるだけのことはやりました。
くいはないです
そりゃそうだ
巨大化《きょだいか》してホームランをブロック
剛速球《ごうそっきゅう》すぎる剛速球《ごうそっきゅう》
←相《あい》手《て》チームカントク
やりたい放題《ほうだい》だ!

力《ちから》いっぱい戦《たたか》って、（ ① ）のない試合《しあい》をする。

0676

口車《くちぐるま》に乗《の》る

うまい話《はなし》に乗《の》せられて、だまされる。

お似合《にあ》いですよ、おじょうさん!
そうかしらあ〜?
買《か》っちゃおっかな〜
おじょうさん!?

店員《てんいん》の（ ② ）せられて、高価《こうか》な服《ふく》を買《か》ってしまった。

0677

否定《ひてい》

何《なに》かに対《たい》し、「それはちがう」と言《い》うこと。

私《わたし》は絶対《ぜったい》に銅像《どうぞう》なんてこわしていない!
そんなうわさはうそだ!

犯人《はんにん》あつかいされ、必死《ひっし》になって（ ③ ）した。

答え ①くい ②口車に乗 ③否定

0678

主流《しゅりゅう》

集団《しゅうだん》などの中《なか》で、多《おお》くをしめること。

ゲームもスマホ!
おーい…

最近《さいきん》の携帯電話《けいたいでんわ》は、スマートフォンが（ ④ ）だ。

0679

急《いそ》がば回《まわ》れ

急《いそ》いで失敗《しっぱい》するよりは、安全《あんぜん》な回《まわ》り道《みち》をしたほうがいい。

橋《はし》まで行《い》くのはめんどうだ、えいっ!
ピョーン
ドボーン
やめたほうがよかったよー。

近道《ちかみち》しようとして、失敗《しっぱい》したよ。やっぱり（ ⑤ ）だね。

0680

元来《がんらい》

もともと。初《はじ》めから。

ガサッ
ビクッ

（ ⑥ ）、くまは臆病《おくびょう》な動物《どうぶつ》なので、おどかしてはいけない。

答え ④主流 ⑤急がば回れ ⑥元来

0681

二《に》階《かい》から目《め》薬《ぐすり》

思《おも》うようにならず、もどかしい。回《まわ》りくどくて効果《こうか》がない。

ちがう、もっと右《みぎ》!
今度《こんど》は左《ひだり》にズレてる!
じー…
おしい!
オレ達《たち》何《なに》やってんだろ?

そんなやり方《かた》じゃ、（ ① ）でなかなか効果《こうか》が出《で》ないよ。

0682

的《まと》を射《い》る

矢《や》が的《まと》を射《い》る様子《ようす》から、的確《てきかく》に本質《ほんしつ》をとらえているさま。

君達《きみたち》がやっていることは時間《じかん》のムダですね!
スターンッ
あ、やっぱり…!?

学級委員長《がっきゅういいんちょう》は、いつも（ ② ）た意見《いけん》を言《い》う。

0683

容《よう》易《い》

簡単《かんたん》にできること。たやすいこと。

ヒヒヒ……
パスワード解読《かいどく》っと…。
セキュリティ
セキュリティ
セキュリティ

あの人《ひと》は頭《あたま》がよく、どんな難題《なんだい》も（ ③ ）に解《と》いてしまう。

答え ① 二階から目薬 ② 的を射 ③ 容易

0684

ぼう然《ぜん》

予想《よそう》もしなかった出来事《できごと》にあい、あっけにとられる。

カキーン
そ、そんな…。

ホームランを打《う》たれてしまい、（　④　）と立《た》ちつくした。

0685

周知《しゅうち》

世間《せけん》に広《ひろ》く知《し》れわたること。または知《し》らせること。

でも、この人《ひと》何《なに》を発明《はつめい》したんだっけ？
あーエジソンしってる
エジソン

エジソンが有名《ゆうめい》な発明家《はつめいか》なのは、（　⑤　）の事実《じじつ》だ。

0686

実《じつ》は

本当《ほんとう》は。実際《じっさい》は。正直《しょうじき》に言《い》うと。

実《じつ》はおれ…、魚《さかな》じゃないんだ。
そんな…。
でも、気《き》にすることないよ！

くじらは、（　⑥　）哺乳類《ほにゅうるい》で、魚《さかな》ではありません。

答え　④ぼう然　⑤周知　⑥実は

0687

困難《こんなん》

難《むずか》しいこと。

グレート
バリアリーフで
泳《およ》ぎたいな～。
オーストラリア
今《いま》さら
何《なに》言《い》ってんだ。

この段階《だんかい》になって、計画《けいかく》を変《か》えるのは（ ① ）だ。

0688

手《て》も足《あし》も出《で》ない

まるでかなわない。

あの力士《りきし》には、5人《にん》でかかっても、（ ② ）。

0689

ひんぱん　頻繁

しょっちゅう。ひっきりなしに。

イヌ丸《まる》くーん！
あーそーぼ！
今日《きょう》10回目《かいめ》だ！
全然《ぜんぜん》勉強《べんきょう》に
集中《しゅうちゅう》できないよ！
…

（ ③ ）に声《こえ》をかけられては、勉強《べんきょう》に集中《しゅうちゅう》できないよ。

答え　①困難　②手も足も出ない　③ひんぱん

身《み》についた言葉《ことば》の力《ちから》を確《たし》かめよう！

アタック・ザ・言葉《ことば》クイズ

33

□に合《あ》う漢字《かんじ》を入《い》れよう。

① □
- に余《あま》る
- こずる
- を抜《ぬ》く
- 短《みじか》
- 当《あ》たり次第《しだい》
- も足《あし》も出《で》ない

② □
- が高《たか》い
- がない
- 移《うつ》り
- から鼻《はな》へ抜《ぬ》ける

③ □
- 下《くだ》す
- 過《す》ごす
- まがう
- るからに

⇒答《こた》えは328ページにあります。

0690

試練《しれん》

苦《くる》しみをあたえられ、それを乗《の》りこえられるか、試《ため》されること。

（　①　）にたえて、旅《たび》を続《つづ》ける。

0691

思《おも》い思《おも》い

一人《ひとり》ひとりが思《おも》うままに。

みんなが（　②　）にくつろぎ、楽《たの》しい時間《じかん》を過《す》ごした。

0692

ひたむき

一《ひと》つのことだけに、必死《ひっし》になって取《と》り組《く》むこと。

ゴールを目指《めざ》して、（　③　）に前《まえ》を見《み》て歩《あゆ》みを進《すす》めた。

答え　①試練　②思い思い　③ひたむき

0693

あつらえる

希望通《きぼうどお》りにつくらせる。

七五三《しちごさん》のためにあつらえたのよ。
きれいな着物《きもの》だね！
うちの村《むら》では75才《さい》と3か月《げつ》になるとお祝《いわ》いするの。
おバアちゃんよ
いらっしゃい
エ～ッ

祖母《そぼ》が七五三《しちごさん》のために、着物《きもの》を（④）てくれた。

0694

水《みず》の泡《あわ》

すべてがむだになる。台無《だいな》しになること。

もうすぐ完成《かんせい》！
あーっ
パタパタパタパタ

ドミノが途中《とちゅう》でたおれ、苦労《くろう》が（⑤）となった。

0695

一《いち》を聞《き》いて十《じゅう》を知《し》る

少《すこ》し聞《き》いただけで、全体《ぜんたい》を理解《りかい》すること。とてもかしこいこと。

あのう…。
はいはい。テスト悪《わる》かったのね。

母《はは》は、（⑥）という感《かん》じで、何《なに》を聞《き》いてもすぐに理解《りかい》する。

答え ④あつらえ ⑤水の泡 ⑥一を聞いて十を知る

0696

こうけん　貢献

役立《やくだ》つように、がんばること。

カキーン
ぞう選手《せんしゅ》、ホームランです！
鼻《はな》で打《う》ってますね。
無効《むこう》ですな

さよならホームランを打《う》って、チームの勝利《しょうり》に（　①　）する。

0697

史実《しじつ》

歴史《れきし》のうえで本当《ほんとう》にあったこと。歴史上《れきしじょう》の事実《じじつ》。

おかしい…桃太郎《ももたろう》が教科書《きょうかしょ》にのっていない。
ポン…
日本《にほん》の歴史《れきし》
あれはおとぎ話《ばなし》さ…。

『桃太郎《ももたろう》』の昔話《むかしばなし》は、（　②　）ではない。

0698

ふと

思《おも》いがけなく。いきなり。

ん？
ん？

（　③　）目《め》を覚《さ》ますと、となりに人《ひと》の気配《けはい》があった。

答え　①こうけん　②史実　③ふと

0699 お茶《ちゃ》を濁《にご》す

いい加減《かげん》なことを言《い》ったりして、その場《ば》をごまかす。

キミ、あの企画書《きかくしょ》はどうなってる？
ギクッ
しまった、わすれてた！
は、はい、できてたんですが、パソコンがこわれてしまって…。

答《こた》えにくい質問《しつもん》をされたので、（ ④ ）してその場《ば》をのがれた。

0700 うだつが上《あ》がらない

思《おも》うような出世《しゅっせ》ができない。生《せい》活《かつ》が思《おも》うようにならない。

ガミ
ガミ
ガミ
またぼんやりしているぞ…。
ボーッ

仕事《しごと》を始《はじ》めてしばらくたつが、いまだに（ ⑤ ）。

0701 初心忘《しょしんわす》るべからず

物事《ものごと》を始《はじ》めたときのまっすぐな気持《きも》ちを忘《わす》れてはいけない。

今日《きょう》から社会人《しゃかいじん》！よ〜しバリバリ働《はたら》くぞ！
ハッ…
もう一度《いちど》がんばるぞ！

この仕事《しごと》を始《はじ》めて数年《すうねん》たつが、何事《なにごと》も（ ⑥ ）だ。

答え ④お茶を濁 ⑤うだつが上がらない ⑥初心忘るべからず

0702

モバイル

スマートフォンなどの小型《こがた》・軽《けい》量化《りょうか》された情報端末《じょうほうたんまつ》。

こちらがバッテリーになります。半世紀充電《はんせいきじゅうでん》いらずです。
デカッ

もっとバッテリーの長持《ながも》ちする（ ① ）機器《きき》が欲《ほ》しい。

0703

穴《あな》があったら入《はい》りたい

とてもはずかしくて、人《ひと》に顔《かお》を見《み》られたくない。

フンフフ〜♪
ときめき
フフンフ〜♪
ハッ!!!
ウフフ

一人《ひとり》で歌《うた》っていたら、知人《ちじん》に見《み》られた。（ ② ）気持《きも》ちだ。

0704

慣習《かんしゅう》

昔《むかし》からの習慣《しゅうかん》として行《おこな》われていること。習《なら》わし。

早《はや》く開国《かいこく》してください！
私《わたし》の国《くに》ではこんなに人《ひと》を待《ま》たせません！
まあ、そのうちに！
来年《らいねん》もまた来《き》てくださいよ〜
〜
ペリー
のらりくらり〜

外国《がいこく》に行《い》ったら、その国《くに》の（ ③ ）にならうべきだ。

答え ①モバイル ②穴があったら入りたい ③慣習

0705

好意《こうい》

親切《しんせつ》な気持《きも》ち。好《す》きな気持《きも》ち。

キリッ
やあ！おはよう！
ドキ…

さわやかな笑顔《えがお》を見《み》て、彼《かれ》に（　④　）をもった。

0706

本腰《ほんごし》を入《い》れる

本気《ほんき》になって行《おこな》う。

しょうがない、そろそろ本気《ほんき》出《だ》すか！

学校《がっこう》のおばけ退治《たいじ》に、（　⑤　）て取《と》り組《く》む。

0707

首《くび》を長《なが》くする

待《ま》ちこがれること。

早《はや》く来《こ》ないかなあ。
ワク
ワク
いつもよりさらに長《なが》い…。

早《はや》くプレゼントをわたしたくて、（　⑥　）して友達《ともだち》を待《ま》つ。

答え　④好意　⑤本腰を入れ　⑥首を長く

0708

うの目《め》たかの目《め》

鵜《う》やたかがえものを探《さが》す目《め》のように、何《なに》かを見《み》つけようと、するどい目《め》で辺《あた》りを見回《みまわ》すこと。

有名《ゆうめい》ブランド
バーゲンセール
何《なに》か あやしい ですか?
ア〜ッ
ニセブランド 見《み》つけ ちゃったよ!
ムムッ
万引《まんび》きGメン

※鵜《う》：海岸《かいがん》や川《かわ》、湖《みずうみ》、ぬまなどにすむ黒《くろ》い水鳥《みずとり》。

バーゲン会場《かいじょう》で、よい物《もの》がないか、（ ① ）で商品《しょうひん》を探《さが》す。

0709

ほてる

顔《かお》などが熱《あつ》くなる。

かわいい ヘアスタイル だね!
カアアア…
そんな こと ないです!

ほめられたら、はずかしくて顔《かお》が（ ② ）った。

0710

好転《こうてん》

よくなること。よい方向《ほうこう》に向《む》かうこと。

ワッ
カキーン
いけるかも!

一発《いっぱつ》のホームランで、試合《しあい》の流《なが》れが（ ③ ）した。

答え ①うの目たかの目 ②ほて ③好転

身《み》についた言葉《ことば》の力《ちから》を確《たし》かめよう！

アタック・ザ・言葉《ことば》クイズ

34

□に合《あ》う言葉《ことば》を、[ ]から選《えら》ぼう。関係《かんけい》ないものもあるよ。

・反対《はんたい》の意味《いみ》や、対《つい》になる言葉《ことば》

① 抽象的《ちゅうしょうてき》 ⇔ □

② 悪化《あっか》 ⇔ □

③ 近景《きんけい》 ⇔ □

④ 客観《きゃっかん》 ⇔ □

具体的《ぐたいてき》　改良《かいりょう》　典型的《てんけいてき》　主観《しゅかん》　好転《こうてん》　主流《しゅりゅう》　反面《はんめん》　遠景《えんけい》

⇒答《こた》えは328ページにあります。

0711

ひとまず

とりあえず。今《いま》のところは。

一休《ひとやす》み
しましょう。

まだ途中《とちゅう》だけれど、（　①　）昼食《ちゅうしょく》にしよう。

0712

馬《うま》が合《あ》う

相手《あいて》と気持《きも》ちがしっくり合《あ》う。

何《なに》をしても
いっしょ
だね！

何《なに》をするときでも、ぼくとあいつは、不思議《ふしぎ》と（　②　）。

0713

一日《いちじつ》の長《ちょう》

仕事《しごと》などの技術《ぎじゅつ》がほかの人《ひと》より年令《ねんれい》が少《すこ》し上《うえ》であり、上手《じょうず》にできること。

どうして、いつも
そんなにステキ
なんですか？
キャー
有名俳優《ゆうめいはいゆう》よー
それはね、常《つね》に
努力《どりょく》しているからさ。

芸《げい》においては、私《わたし》はあの人《ひと》に（　③　）を認《みと》めている。

0714

くつがえる 覆る

ひっくり返《かえ》る。

ズッドドッ
アウト〜!!
鼻《はな》は先《さき》についてたよ！
カントク

かんとくの抗議《こうぎ》で、アウトの判定《はんてい》が（ ④ ）った。

0715

先手《せんて》を打《う》つ

相手《あいて》よりも先《さき》に行動《こうどう》を起《お》こす。

勝《か》てた理由《りゆう》は、やはり前半《ぜんはん》に点《てん》を取《と》れたことだと思《おも》います！

（ ⑤ ）ったことで、チームを勝利《しょうり》に導《みちび》くことができた。

0716

良薬《りょうやく》は口《くち》に苦《にが》し

本当《ほんとう》にためになる忠告《ちゅうこく》は厳《きび》しいことが多《おお》く、素直《すなお》に聞《き》きづらいものだ。

おまえ達《たち》…あんな小動物《しょうどうぶつ》に負《ま》けてたら、
いつか絶滅《ぜつめつ》するぞ。

先生《せんせい》のアドバイスは、厳《きび》しくも正《ただ》しい。まさに（ ⑥ ）だ。

答え ④くつがえ ⑤先手を打 ⑥良薬は口に苦し

0717

メンタル

心《こころ》に関《かん》すること。精神的《せいしんてき》。

かれ、トレーナーの話《はなし》、ちゃんと聞《き》いてる?
いいや、何《なに》を言《い》われても動《どう》じない精神力《せいしんりょく》を養《やしな》ってるんだと。

より強《つよ》くなれるよう、肉体《にくたい》だけでなく、（①）もきたえる。

0718

ひけらかす

見《み》せびらかす。自慢《じまん》する。

タカ橋君《はしくん》は頭《あたま》がいいのに、ちっともえらぶらないね!
いやいやそんなこと…

本当《ほんとう》に能力《のうりょく》がある人《ひと》は、それを（②）したりしないものだ。

0719

なお

ついでに言《い》うと。つけ加《くわ》えると。

運動会《うんどうかい》がんばるぞ!
ザー
ザー
ゴロゴロゴロ
ムシャ…
ムシャ…

（③）、運動会《うんどうかい》が雨《あめ》で中止《ちゅうし》の場合《ばあい》は、教室《きょうしつ》で昼食《ちゅうしょく》をとります。

答え ①メンタル ②ひけらかす ③なお

0720
ところで

話題《わだい》を変《か》えたいときに使《つか》う言葉《ことば》。
それはそうとして。

今年《ことし》は目標《もくひょう》をしっかりもって
勉強《べんきょう》とスポーツをがんばって…
お年玉《としだま》、まだ…?

（④）、今年《ことし》はどれくらいお年玉《としだま》をもらいましたか？

0721
モラル

社会《しゃかい》で暮《く》らすうえで、人《ひと》として守《まも》らなければならない決《き》まり。道徳《どうとく》。倫理《りんり》。

赤《あか》ですよ！
おいおい
アッ！

（⑤）を守《まも》るという意識《いしき》は、何才《なんさい》になってもみながもつべきだ。

0722
杜撰《ずさん》

やり方《かた》がいい加減《かげん》なこと。

ここどこ？
分《わ》かんない…。
ギャア
ギャア
ガイドブック
フランス

（⑥）な計画《けいかく》では、うまくいくものもいかなくなるよ。

答え ④ところで ⑤モラル ⑥杜撰

0723

目《め》には目《め》を歯《は》には歯《は》を

自分《じぶん》が受《う》けた害《がい》に対《たい》して、同《おな》じような方法《ほうほう》で仕返《しかえ》しをすること。

ハッハッハッ
ワンワン
この前《まえ》の仕返《しかえ》しだ！
ガオらオルルルル
これ、絶対犬《ぜったいいぬ》じゃないだろ！

（　①　）とやり返《かえ》していたら、争《あらそ》いは永遠《えいえん》に続《つづ》いてしまう。

0724

節目《ふしめ》

区切《くぎ》りになるところ。

ここまで元気《げんき》に育《そだ》ちました！
2分《ぶん》の1成人式《せいじんしき》

10才《さい》で行《おこな》う「2分《ぶん》の1成人式《せいじんしき》」も、人生《じんせい》の（　②　）だ。

0725

収拾《しゅうしゅう》

さわぎをしずめること。混乱《こんらん》を収《おさ》めること。

学芸会《がくげいかい》の出《だ》し物《もの》
歌《うた》がいいと思《おも》います！
ダンスやりたい！
手品《てじな》がいい！
ワー
ワー

思《おも》うままに発言《はつげん》していては、話《はなし》の（　③　）がつかないよ。

答え ①目には目を歯には歯を ②節目 ③収拾

0726

師事《しじ》

ある人《ひと》を先生《せんせい》として尊敬《そんけい》し、教《おし》えを受《う》けること。

剣《けん》の心《こころ》
参《まい》りました！師匠《ししょう》と呼《よ》ばせて下《くだ》さい！

おじいちゃんに（　④　）して、武道《ぶどう》を覚《おぼ》えた。

0727

改《あらた》める

悪《わる》いところを直《なお》す。

夜遊《よあそ》びはやめて、生活《せいかつ》を改《あらた》めたまえ。
君《きみ》のためだ！
ありがとうございます
さっ、今日《きょう》から早起《はやお》き…
ギャー…ッ
今回《こんかい》バカなヴァンパイアでラッキー！

これまでの生活《せいかつ》を（　⑤　）て、早寝《はやね》早起《はやお》きを心《こころ》がける。

0728

門前《もんぜん》の小僧《こぞう》習《なら》わぬ経《きょう》を読《よ》む

日《ひ》ごろ見《み》たり聞《き》いたりしていることは、自然《しぜん》と覚《おぼ》えるということ。

はあ～、こんげつもあかじだわあ。
はんがくしーるがついてるものかおうっと。
!!
?
?

（　⑥　）で、子《こ》どもは大人《おとな》の言葉《ことば》をすぐにまねする。

答え　④師事　⑤改め　⑥門前の小僧習わぬ経を読む

0729

餅《もち》は餅屋《もちや》

何事《なにごと》も、その道《みち》の専門家《せんもんか》に任《まか》せたほうがいい。

いじってたら、余計《よけい》におかしくなっちゃって。
ウ〜ン
「素人《しろうと》がいじってプロも手《て》に負《お》えぬ状態《じょうたい》になったパソコンを直《なお》すプロ」に連絡《れんらく》しますね。
エ〜ッ

プロの指導《しどう》で正《ただ》しい使《つか》い方《かた》を覚《おぼ》えた。やっぱり（　①　）だね。

0730

ふみにじる

踏みにじる

ふんでめちゃめちゃにする。人《ひと》の気持《きも》ちなどを傷《きず》つけてだめにする。

オラオラ！これがほしいんだろ！
ビシ
ひどい！痛《いた》い、やめて！
ビシ

あいつは、あの子《こ》の気持《きも》ちを平気《へいき》で（　②　）ったように思《おも》える。

0731

こぞって

一人残《ひとりのこ》らず。全員《ぜんいん》そろって。

ここのラーメン、おいしいんだぜ！
へ〜
こっちもラーメン！
ズズーッ
インド カリー
あいよっ
うち、カレー屋《や》なんだけどな…。

その場《ば》にいたお客《きゃく》は、（　③　）ラーメンを注文《ちゅうもん》した。

答え ①餅は餅屋 ②ふみにじ ③こぞって

身《み》についた言葉《ことば》の力《ちから》を確《たし》かめよう！

アタック・ザ・言葉《ことば》クイズ

35

意味《いみ》に合《あ》うように、文字《もじ》を正《ただ》しく並《なら》べかえよう。

①ふんでめちゃめちゃにする。
人の気持《きも》ちなどを傷《きず》つけてだめにする。

じ	み	に	ふ	る

②他人《たにん》の言動《げんどう》を不快《ふかい》に感《かん》じて、顔《かお》をしかめる。

ま	め	ひ	る	を	そ	ゆ

③本気《ほんき》になって行《おこな》う。

ご	ほ	ん	を	る	れ	い	し

⇒答《こた》えは 328 ページにあります。

0732

心残《こころのこ》り

気持《きも》ちが断《た》ち切《き》れないままになっている様子《ようす》。未練《みれん》。

早《はや》く早《はや》く!
もう出《で》るよ!
もったいないよ!

せかされたせいで、パフェを残《のこ》してしまったのが(①)だ。

0733

人《ひと》のうわさも七十五日《しちじゅうごにち》

人《ひと》のうわさ話《ばなし》は、長続《ながつづ》きするものではないということ。

ビッグニュースよ!
新《あたら》しい情報《じょうほう》?
2か月《げつ》ぶりの新《しん》ネタじゃな〜い!

心《こころ》ないうわさを立《た》てられてもがまんだよ。(②)だからね。

0734

まゆをひそめる

眉をひそめる

他人《たにん》の言動《げんどう》を不快《ふかい》に感《かん》じて顔《かお》をしかめる。

うそーっ
ホントなのよぉ、それでね〜…
えーっ
でもさ!
キャーッ
キャー
しんじられないっ
アハハハ

ほかのお客《きゃく》さんの、自分勝手《じぶんかって》な行動《こうどう》に(③)。

答え ①心残り ②人のうわさも七十五日 ③まゆをひそめる

0735

ひるがえす　翻す

それまでとは反対《はんたい》の立場《たちば》をとる。ひっくり返《かえ》す。

やっぱりおこづかいアップはなしね。
そんな！約束《やくそく》は!?

母《はは》は、ぼくとの約束《やくそく》をあっさりと（　④　）した。

0736

借《か》りてきた猫《ねこ》

ふだんとちがって、大人《おとな》しい様《よう》子《す》でいること。

ほら、どんどん食《た》べて。

妹《いもうと》は、よその家《いえ》ではいつも、（　⑤　）になる。

0737

おろそか

いい加減《かげん》にあつかうこと。まじめに取《と》り組《く》まない様子《ようす》。

今日《きょう》は勉強《べんきょう》やめた！
ゲームで息《いき》ぬきだ
翌日《よくじつ》
ぬきうちテストやるぞーっ！

ゲームに夢中《むちゅう》になりすぎて、勉強《べんきょう》が（　⑥　）になる。

答え　④ ひるがえ　⑤ 借りてきた猫　⑥ おろそか

0738

玉《たま》にきず

完全《かんぜん》といっていいくらいだが、ほんのわずかな欠点《けってん》がある。

よく食《た》べるわりに、好《す》ききらいが多《おお》いのが（　①　）だ。

0739

匹敵《ひってき》

同《おな》じくらい。かたを並《なら》べる。

兄《あに》のいびきは、モンスターのさけび声《ごえ》に（　②　）する。

0740

ことさら

特《とく》に。ひときわ。

いつも美《うつく》しいが、その日《ひ》は（　③　）美《うつく》しさが増《ま》していた。

答え　①玉にきず　②匹敵　③ことさら

0741

まかぬ種《たね》は生《は》えぬ

努力《どりょく》しないで、いい結果《けっか》は望《のぞ》めない。原因《げんいん》のないところに結果《けっか》はない。

出《で》そうな問題《もんだい》にねらいを定《さだ》めて勉強《べんきょう》したかいがあったよ。
ヘヘ〜ッ
フフッ
入念《にゅうねん》な母《かあ》さん対策《たいさく》をしておいてよかったぜ…。
次《つぎ》のテスト50点《てん》満《まん》点《てん》らしいよ
ヘ〜ッ

試験《しけん》に備《そな》えて、しっかり対策《たいさく》をとろう。（ ④ ）だよ。

0742

手《て》を抜《ぬ》く

熱意《ねつい》がなく、力《ちから》を入《い》れないさま。

次《つぎ》のテストもしっかり勉強《べんきょう》するぞ！
ハッハッハッ
次《つぎ》も楽《らく》する方法《ほうほう》を考《かんが》えるぞ！
何《なん》点《てん》満《まん》点《てん》の設定《せってい》にするかな？

（ ⑤ ）いてばかりいては、いつまでたっても上達《じょうたつ》しない。

0743

つまり

最終的《さいしゅうてき》に言《い》いたいことの前《まえ》に使《つか》う言葉《ことば》。要《よう》するに。

犯人《はんにん》はおまえだ！
ビシッ

あの場所《ばしょ》にいたということは、（ ⑥ ）、あの子《こ》が犯人《はんにん》だ。

答え ④まかぬ種は生えぬ ⑤手を抜 ⑥つまり

0744

かえるの子《こ》はかえる

子《こ》は親《おや》に似《に》るものだということ。

ぼくもいずれ…。
ぐでー
母《かあ》さん、なんかおつまみちょうだい。
ゴクリ…
BEER

年《とし》をとると、父親《ちちおや》に似《に》てくるね。やっぱり、（ ① ）だよ。

0745

へだたり　隔たり

間《あいだ》があいていること。意見《いけん》や考《かんが》えなどのちがいがあること。

ケーキヤ
ぼくはバタークリームがいい！
いいや、ぼくはチョコがいいね！

この問題《もんだい》について、ぼくと友人《ゆうじん》の考《かんが》えには、大《おお》きな（ ② ）がある。

0746

困惑《こんわく》

どうしたらいいのか分《わ》からず、困《こま》ってしまうこと。

おこしにつけた…。
フッ…
…。
きびだんご！
オロオロ
ハラ
ハラ
きびだんご！

練習通《れんしゅうどお》りの展開《てんかい》にならず、みんなが（ ③ ）する。

答え ①かえるの子はかえる　②へだたり　③困惑

0747

鼻《はな》が高《たか》い

得意《とくい》になること。

あれ、うちのむすめなんですよ。
ぼくの妹《いもうと》で…。
わしの孫《まご》なんじゃ…。
私《わたし》のいとこです。
ハァ
全員《ぜんいん》身内《みうち》か！

親戚《しんせき》のお姉《ねえ》さんが、有名《ゆうめい》な歌手《かしゅ》になり、ぼくも（ ④ ）。

0748

自問自答《じもんじとう》

自分《じぶん》の心《こころ》に自分《じぶん》で問《と》いかけて、答《こた》えを出《だ》すこと。

遊《あそ》びにいくべきか…
勉強《べんきょう》するべきか…。
ここはやはり…。
どっちだ!?

どちらを選《えら》ぶか、何度《なんど》も（ ⑤ ）し、ついに決断《けつだん》した。

0749

身《み》につまされる

人《ひと》の身《み》の上《うえ》のつらさを、自分《じぶん》のことのように感《かん》じること。

もーっないんだよ
戦争中《せんそうちゅう》は物資《ぶっし》が不足《ふそく》してな…。

おじいちゃんの貧《まず》しかったころの話《はなし》を、（ ⑥ ）思《おも》いで聞《き》く。

答え ④ 鼻が高い ⑤ 自問自答 ⑥ 身につまされる

0750

類《るい》は友《とも》を呼《よ》ぶ

似《に》たような性質《せいしつ》をもつ者《もの》は、自《し》然《ぜん》に集《あつ》まるものである。

ホットケーキ大好《だいす》き！
たこ焼《や》き100個《こ》なんてヨユー！
焼《や》きいもなら任《まか》せろ！

ぼくの仲間《なかま》は大食《おおぐ》いぞろい。まさに、（ ① ）だ。

0751

メッセージ

だれかに何《なに》かを伝《つた》えるための言《こと》葉《ば》。

こら！そこでいねむりしてる君《きみ》!!
ゴックリ
ゴックリ
いえ、ねてません。校長先生《こうちょうせんせい》のお話《はなし》に深《ふか》く感動《かんどう》してなみだが…。
ハッ
ハッハッハッ
ほ～…笑《わら》える話《はなし》をしたつもりだったんだがね。

卒業生《そつぎょうせい》に向《む》けた、校長先生《こうちょうせんせい》からの（ ② ）を聞《き》く。

0752

回避《かいひ》

さけること。そうならないようにすること。

危《あぶ》ない！
バッ

的確《てきかく》な判断《はんだん》により、危険《きけん》を（ ③ ）できた。

答え ①類は友を呼ぶ ②メッセージ ③回避

アタック・ザ・言葉《ことば》クイズ

36

正《ただ》しいものを選《えら》んで、○をつけよう。

①だれかに何《なに》かを伝《つた》えるための言葉《ことば》。

パッケージ（　）
メッセージ（　）
ソーセージ（　）

②人《ひと》に知《し》られたくない秘密《ひみつ》。また、それを他人《たにん》に知《し》られないようにする権利《けんり》。

プライバシー（　）
プライド（　）
プロフィール（　）

③意欲《いよく》あふれる心《こころ》の状態《じょうたい》。やる気《き》。動機《どうき》。

モチベーション（　）
シミュレーション（　）
コミュニケーション（　）

④社会《しゃかい》で暮《く》らすうえで、人《ひと》として守《まも》らなければならない決《き》まり。道徳《どうとく》。倫理《りんり》。

モード（　）
モデル（　）
モラル（　）

⇒答《こた》えは 328 ページにあります。

0753

筆《ふで》が立《た》つ

文章《ぶんしょう》を書《か》くことが上手《じょうず》である。

スラ
スラ
スラ
スラ
スラ
スラ
スラ
スラ
スラ
スラ

あの人気作家《にんきさっか》は、小《ちい》さいころから（ ① ）ったという。

0754

はにかむ

はずかしがる。

これ…、よかったら受《う》け取《と》ってください。
つっ
つっ

彼女《かのじょ》は（ ② ）みながら、ほほえんだ。

0755

メリット

利点《りてん》。何《なに》かを成《な》しとげたときに、得《え》られる手柄《てがら》。⇔デメリット

こんなおいしいもの食《た》べられないなんて、かわいそうだね～。ああ、首《くび》が長《なが》くてよかった！
グルルッ
足元《あしもと》にも気《き》をつけな！

それぞれの方法《ほうほう》について、（ ③ ）とデメリットを考《かんが》える。

答え ①筆が立 ②はにか ③メリット

0756

架空《かくう》

実際《じっさい》にはないこと。想像《そうぞう》の世界《せかい》のこと。

（④）の世界《せかい》の物語《ものがたり》に、時間《じかん》を忘《わす》れて夢中《むちゅう》になる。

0757

無様《ぶざま》

とても格好悪《かっこうわる》い。

お助《たす》けえええええ!
かっこわる〜い!

（⑤）ににげ回《まわ》る姿《すがた》は、好《す》きな子《こ》には見《み》せられない。

0758

画期的《かっきてき》

これまでになかった。時代《じだい》を変《か》えるほどの。

祝《しゅく》 すごいで賞《しょう》
宿題《しゅくだい》を食《た》べる微生物《びせいぶつ》
発見《はっけん》!!
みんなおまたせ!!
うおおおお

（⑥）な発見《はっけん》がきっかけで、科学賞《かがくしょう》を受賞《じゅしょう》する。

答え ④架空 ⑤無様 ⑥画期的

0759

負担《ふたん》

仕事《しごと》や責任《せきにん》を引《ひ》き受《う》けること。引《ひ》き受《う》けて、お金《かね》をはらうこと。

え～、おにが島《しま》までの旅費《りょひ》は、一人《ひとり》、2800円《えん》です。
えー

交通費《こうつうひ》は、メンバーがそれぞれ（　①　）する。

0760

果敢《かかん》

きっぱりと。思《おも》いきって。勇敢《ゆうかん》に。

かかってこい！
かっこいい～
おれたち、うつってないじゃん…。

勇者《ゆうしゃ》はたった一人《ひとり》で、（　②　）にモンスターとの戦《たたか》いにいどんだ。

0761

能動的《のうどうてき》

進《すす》んで自分《じぶん》から働《はたら》きかける様子《ようす》。
積極的《せっきょくてき》。⇔受動的《じゅどうてき》

うおおおーっ
早《はや》く始《はじ》めなさい。
やるぞー

何事《なにごと》も、（　③　）に取《と》り組《く》むほうが身《み》につきやすい。

答え　①負担　②果敢　③能動的

0762

触《さわ》らぬ神《かみ》にたたりなし

余計《よけい》なことをしなければ、災《わざわ》いを受《う》けることもない。

今月《こんげつ》も赤字《あかじ》…！
イライラ
今《いま》は近《ちか》づいちゃだめだ！
?

関係《かんけい》のないもめごとには関《かか》わるな。（ ④ ）さ。

0763

本来《ほんらい》

もともとは。本当《ほんとう》は。

学校《がっこう》を何《なん》だと思《おも》ってるんだ！
遊《あそ》び場《ば》じゃないんだぞ！
はあーい

学校《がっこう》は（ ⑤ ）学《まな》ぶ場所《ばしょ》で、遊《あそ》ぶ場所《ばしょ》ではない。

0764

論《ろん》より証拠《しょうこ》

あれこれ議論《ぎろん》するより、まちがいでないという事実《じじつ》を示《しめ》すほうが早《はや》い。

新大陸《しんたいりく》なんてない！
あーりーまーすー。
新大陸《しんたいりく》ありました！
ほーら、やっぱり！
でかした!!

前《まえ》に来《き》た人《ひと》の足跡《あしあと》が残《のこ》っている。（ ⑥ ）だね。

答え ④触らぬ神にたたりなし ⑤本来 ⑥論より証拠

0765

豚《ぶた》に真珠《しんじゅ》

どんなに値打《ねう》ちがあるものでも、それが分《わ》からない者《もの》には価値《かち》がない。

よく分《わ》かんないけど、すごいらしいぞ！
最新《さいしん》モデルさ!!
使《つか》いこなせてないんだろ。
へ〜…

最新型《さいしんがた》のパソコンも、機械《きかい》に弱《よわ》いぼくには（ ① ）だ。

0766

骨折《ほねお》り損《ぞん》のくたびれもうけ

苦労《くろう》するばかりで利益《りえき》がなく、つかれだけが残《のこ》ること。

5年《ねん》もかけて発掘《はっくつ》したのが子《こ》どもがうめたタイムカプセルとは…。
おお〜！ これ、今有名《いまゆうめい》な画家《がか》が子《こ》どものころにかいた絵《え》じゃないか！
ハァ〜ッ
残念《ざんねん》だったね

結局《けっきょく》、宝《たから》をほり当《あ》てられなかったなんて、（ ② ）だ。

0767

白《しら》を切《き》る

知《し》っているのに知《し》らないふりをする。

なんか値打《ねう》ちのあるものあった？
いや なんにも。子《こ》どものへたな絵《え》だけだよ。おれが捨《す》てとくよ。
ホント残念《ざんねん》だったね〜

彼《かれ》は私《わたし》の質問《しつもん》に、（ ③ ）ばかりだった。

答え ① 豚に真珠 ② 骨折り損のくたびれもうけ ③ 白を切る

0768

能《のう》あるたかは爪《つめ》を隠《かく》す

能力《のうりょく》のある者《もの》は、それを人前《ひとまえ》で見《み》せびらかすことはしない。

ペラペラ
ペラ
アレッ ユミって英語《えいご》できるの？
日本語《にほんご》で話《はな》してんじゃない
ワッ
パッ
パッ
英語《えいご》できるのよ、おどろいた？
まさか サイキック？
英語《えいご》って いうか… 今《いま》テレポーテーション しなかった？

こんなに英語《えいご》ができるなんて、（ ④ ）だね。

0769

古《ふる》めかしい

古《ふる》びて感《かん》じられる。

何《なに》か出《で》てきそうで こわいなあ…。

旅《たび》の途中《とちゅう》、おばけが出《で》そうな（ ⑤ ）家《いえ》にとまった。

0770

板《いた》につく

経験《けいけん》を重《かさ》ねて、姿《すがた》や仕事《しごと》ぶりなどがその人《ひと》にぴったり合《あ》った感《かん》じになる。

やっぱり有段者《ゆうだんしゃ》 はちがうねえ。

厳《きび》しいけいこを続《つづ》け、ようやく道着《どうぎ》が（ ⑥ ）いてきた。

答え ④能あるたかは爪を隠す ⑤古めかしい ⑥板につ

0771

口《くち》は災《わざわ》いのもと

うっかり言《い》った言葉《ことば》が、困《こま》った事態《じたい》の原因《げんいん》になること。

0772

さじを投《な》げる

何《なに》かをできる見《み》こみがなくなり、あきらめること。

0773

二《に》の舞《まい》

人《ひと》のまねをすること。人《ひと》と同《おな》じような失敗《しっぱい》をくり返《かえ》すこと。

ちょっと先生《せんせい》、カンタンすぎでしょ。
よみかたテスト
◦親子（おやこ）
◦読書（どくしょ）
キラーン
じゃあ次《つぎ》はこの問題《もんだい》よ！
ビク
もうっ…分《わ》かりませんっ…。
よみかた
◦躊躇（あしあし）
◦薔薇（ばか）
◦憂鬱（　）
くっ…
はっ、この前《まえ》のヒロシ君《くん》と同《おな》じふうにまちがえてる！
よみかたテスト
1 躊躇（あしあし）
「ちゅうちょ」です。先週のテストにもでましたよ。

（　①　）だから、おしゃべりな君《きみ》は気《き》をつけなさい。

問題《もんだい》があまりに難《むずか》しすぎて、（　②　）たい気持《きも》ちになる。

注意《ちゅうい》しないと、あの人《ひと》の（　③　）を演《えん》ずることになるよ。

答え ① 口は災いのもと ② さじを投げ ③ 二の舞

身《み》についた言葉《ことば》の力《ちから》を確《たし》かめよう！

アタック・ザ・言葉《ことば》クイズ 37

□に合《あ》う数字《すうじ》を、漢字《かんじ》で入《い》れよう。

①何《なに》もかも完全《かんぜん》に備《そな》わっていること。

	拍《びょう》	子《し》	そ	ろ	う

②判断《はんだん》に迷《まよ》ってしまい、とまどっている状態《じょうたい》。

	里《り》	霧《む》	中《ちゅう》

③自分《じぶん》の周囲《しゅうい》が、みな敵《てき》であること。

	面《めん》	楚《そ》	歌《か》

④人《ひと》のまねをすること。人《ひと》と同《おな》じような失敗《しっぱい》をくり返《かえ》すこと。

	の	舞《まい》

⑤少《すこ》し聞《き》いただけで、全体《ぜんたい》を理解《りかい》すること。とてもかしこいこと。

	を	聞《き》	い	て		を	知《し》	る

⇒答《こた》えは 328 ページにあります。

0774

不意《ふい》

思《おも》いがけず。突然《とつぜん》に。

うおあっ
トン
よう!

後《うし》ろから(①)に声《こえ》をかけられ、とてもおどろいた。

0775

うり二《ふた》つ

二《ふた》つに割《わ》ったうりのように、顔《かお》つきなどがとてもよく似《に》ている。

どっちがどっちだっけ…?

あのふたごは本当《ほんとう》に(②)で、見分《みわ》けがつかない。

0776

メディア

情報《じょうほう》を伝《つた》えるための仲立《なかだ》ち。具体的《ぐたいてき》には、新聞《しんぶん》、テレビ、インターネットなど。

これが話題《わだい》のダイオウイカです
早《はや》く見つけてほしいよね〜
オレ達《たち》、いつになったら、まぼろしの動物《どうぶつ》じゃなくなるんだろ。
雪男《ゆきおとこ》↓
ネッシー

(③)で取《と》り上《あ》げられて、人気《にんき》になる動物《どうぶつ》も多《おお》い。

答え ①不意 ②うり二つ ③メディア

0777

草分《くさわ》け

ある物事《ものごと》に初《はじ》めて取《と》り組《く》むこと。また、取《と》り組《く》んだ人《ひと》。

こ…これがまぼろしの…！

これは、今《いま》のゲーム機器《きき》の（④）のような存在《そんざい》の機械《きかい》だ。

0778

異議《いぎ》

ある意見《いけん》に対《たい》する反対意見《はんたいいけん》。ちがう意見《いけん》。

めんどくさい！
先生《せんせい》、校庭《こうてい》のそうじには反対《はんたい》です！
バン
さっさと行《い》ってきなさーい！
トホホ
やっぱりだめか…。

（⑤）を唱《とな》えるときは、根拠《こんきょ》をはっきりさせよう。

0779

八方美人《はっぽうびじん》

だれからもよく思《おも》われるように、調子《ちょうし》よくふるまうこと。また、そのような人《ひと》。

イヤ〜ッ
ステキですねカッコイイ
おれも言《い》われたぜ。
おれも。みんなに言ってるんだろ。
このバットステキですね
よっぽどほめるところなかったか…。
バットだもんな…。

（⑥）なふるまいばかりしていると、信用《しんよう》されなくなるよ。

答え ④草分け ⑤異議 ⑥八方美人

0780

空前《くうぜん》

今《いま》までにない。

この歌《うた》は、昭和時代《しょうわじだい》に（ ① ）の大《だい》ヒットとなった。

0781

ふさわしい

人《ひと》やものに、よく合《あ》っている。

本物《ほんもの》のお姫様《ひめさま》みたい！
ぴったりね！

あの子《こ》は、優雅《ゆうが》で上品《じょうひん》で、お姫様役《ひめさまやく》に最《もっと》も（ ② ）。

0782

かえりみる　顧みる

後《うし》ろをふり返《かえ》る。昔《むかし》のことをふり返《かえ》って、考《かんが》える。心配《しんぱい》する。

あのころは若《わか》かったな…。
……
10さい

これまでの半生《はんせい》を（ ③ ）て、今後《こんご》に役立《やくだ》てよう。

答え ① 空前 ② ふさわしい ③ かえりみ

0783

ぬくもり

温《あたた》かみ。

また次回《じかい》、がんばればいいじゃないか！
先生《せんせい》…！
やーい

はげましてくれた先生《せんせい》の手《て》に、優《やさ》しい（④）を感《かん》じた。

0784

白羽《しらは》の矢《や》が立《た》つ

多《おお》くの中《なか》から見《み》こまれて選《えら》び出《だ》される。

白馬《はくば》の王子役《おうじやく》は…田中《たなか》だ！
ガーン
!!

学芸会《がくげいかい》の主役《しゅやく》として、意外《いがい》な人物《じんぶつ》に（⑤）った。

0785

目《め》の上《うえ》のたんこぶ

自分《じぶん》より能力《のうりょく》が高《たか》く、じゃまな存在《そんざい》。

田中君《たなかくん》て、意外《いがい》とかっこいいかも～。
田中《たなか》め…！
きゃっ

彼《かれ》を（⑥）と思《おも》うよりも、追《お》いつけるよう努力《どりょく》しようよ。

答え ④ぬくもり ⑤白羽の矢が立 ⑥目の上のたんこぶ

0786

心《こころ》がける

常《つね》にそうしようとする。

節約《せつやく》のために、算数《さんすう》と国語《こくご》のノート、兼用《けんよう》にしてるんだ。
どーっせ足《た》りなくなるでしょ
国語
算数
文字《もじ》も半分《はんぶん》の大《おお》きさで書《か》いてるんだ。
小《ちい》さっ！

ぼくは、ノートをきちんととるように（　①　）ている。

0787

変換《へんかん》

あるものを、別《べつ》のものに変《か》えること。

今日《きょう》から名前《なまえ》を漢字《かんじ》にした桃太郎《ももたろう》でございます！
桃《もも》太《た》郎《ろう》
桃《もも》太《た》郎《ろう》

文字《もじ》を、ひらがなから漢字《かんじ》に（　②　）する。

0788

こじつけ

無理《むり》やり理由《りゆう》をつけること。

「果報《かほう》はねて待《ま》て」です
今日《きょう》の占《うらな》い
ヘ〜ッ
今晩《こんばん》は思《おも》いっきりねるか！
うわ〜よくねた。頭《あたま》スッキリ、かしこくなった気《き》がする！
あんたはいつもよくねてるでしょ。今日《きょう》のテスト、どうすんの？

そんなむちゃくちゃな（　③　）は、通用《つうよう》しないよ。

答え　①心がけ　②変換　③こじつけ

0789

欠《か》かす

なしですませる。休《やす》む。やらない。「欠《か》かさない」などの形《かたち》で使《つか》うことが多《おお》い。

おはようございます!
毎日《まいにち》よく やるねぇ…。
…って、道《みち》ではやめなさいって言《い》ってるでしょ!
また やってる…。

どんなときも、サッカーの練習《れんしゅう》は、（ ④ ）したことがない。

0790

こじれる

話《はなし》などがこんがらがって、うまくいかなくなる。

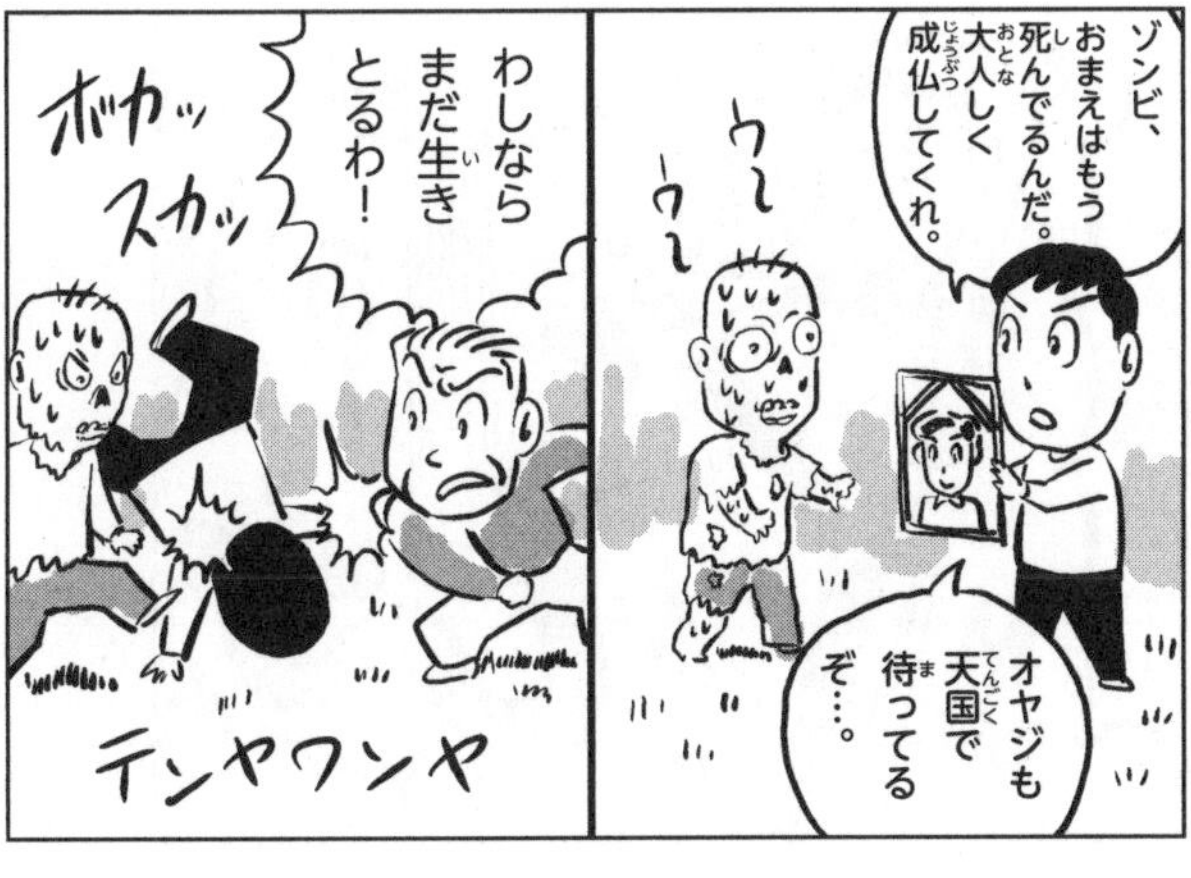
ゾンビ、おまえはもう死《し》んでるんだ。大人《おとな》しく成仏《じょうぶつ》してくれ。
ウ〜 ウ〜
オヤジも天国《てんごく》で待《ま》ってるぞ…。
わしならまだ生《い》きとるわ!
ボカッ スカッ
テンヤワンヤ

仲直《なかなお》りの話《はなし》が（ ⑤ ）て、またケンカになってしまった。

0791

不慣《ふな》れ

慣《な》れていない。

母《はは》の日《ひ》だから、お母《かあ》さんのために料理《りょうり》を作《つく》るぞ!
ごつごつ

料理《りょうり》を作《つく》るのは（ ⑥ ）だが、ともかくやってみよう。

答え ④欠か ⑤こじれ ⑥不慣れ

0792

はしたない

みっともない。品《ひん》がない。

いやあ！ゴリ男君《おくん》最悪《さいあく》！
ちょっとやめなよ！

女《おんな》の子《こ》の前《まえ》で鼻《はな》くそをほじるなんて、（ ① ）やつだ。

0793

きもをつぶす

肝を潰す

とてもびっくりする。

ボトッ
!!
ひゃあーっ！

まったく、君《きみ》の登場《とうじょう》はいつも予想外《よそうがい》で、（ ② ）よ。

0794

こわばる

固《かた》まる。ガチガチになる。

オーッ
イエー！
ワーッ……
エッ 誰《だれ》？
顔《かお》がこわばって…
初来日《はつらいにち》です

大観衆《だいかんしゅう》を前《まえ》にして、緊張《きんちょう》で顔《かお》が（ ③ ）。

答え ①はしたない ②きもをつぶす ③こわばる

身《み》についた言葉《ことば》の力《ちから》を確《たし》かめよう！

アタック・ザ・言葉《ことば》クイズ

38

正《ただ》しいほうを選《えら》んで、◯をつけよう。

①ふだんとちがって、大人《おとな》しい様子《ようす》でいること。

拾《ひろ》ってきた
借《か》りてきた
猫《ねこ》

②何《なに》かをできる見《み》こみがなくなり、あきらめること。

さじを
曲《ま》げる
投《な》げる

③自分《じぶん》より能力《のうりょく》が高《たか》く、じゃまな存在《そんざい》。

目《め》
鼻《はな》
の上《うえ》のたんこぶ

④とてもびっくりする。

きもを
すえる
つぶす

⇒答《こた》えは 328 ページにあります。

0795

かざす

何《なに》かをおおうように、近《ちか》づける。

う…美《うつく》しい！
スッ…
ピッ

ICカードを（　①　）して、自動改札機《じどうかいさつき》を通《とお》る。

0796

意欲的《いよくてき》

自《みずか》ら進《すす》んで、積極的《せっきょくてき》に物事《ものごと》に取《と》り組《く》む姿勢《しせい》。

100点《でん》とるゾ

（　②　）に取《と》り組《く》むコツは、その後《ご》の自分《じぶん》の姿《すがた》を想像《そうぞう》することだ。

0797

知《し》らぬが仏《ほとけ》

当人《とうにん》だけが知《し》らずに、平気《へいき》でいること。知《し》らないほうが幸《しあわ》せなこともあるということ。

このハンバーグ、おいしーい!!
クックックッ
苦手《にがて》なにんじんが入《はい》っているとも知《し》らずに…。
パクパク

この中《なか》に野菜《やさい》がまぎれているのに…（　③　）だ。

答え　①かざし　②意欲的　③知らぬが仏

0798

均等《きんとう》

平等《びょうどう》。同《おな》じ。

給食《きゅうしょく》のおかずを、みんなに（④）に分《わ》ける。

0799

開《ひら》き直《なお》る

思《おも》いきって覚悟《かくご》を決《き》め、ふてぶてしい態度《たいど》になる。

自信《じしん》がなくても（⑤）ってやれば、意外《いがい》とできるものだ。

0800

仮《かり》に

もしも。

（⑥）おこづかいを100万円《まんえん》もらえたら、何《なに》に使《つか》いたい？

答え ④均等 ⑤開き直 ⑥仮に

0801

現象《げんしょう》

目《め》に見《み》えるように、表《おもて》に現《あらわ》れたもの。

お兄《にい》ちゃん……
私《わたし》のプリン食《た》べたでしょ……
ユラ〜〜
ビクッ

不思議《ふしぎ》な（　①　）は、トリックであることが多《おお》い。

0802

ふがいない

情《なさ》けない。だらしない。

情《なさ》けない…！
カエルチームに負《ま》けるなんて！

自分達《じぶんたち》より弱《よわ》いチームに負《ま》けるなんて、（　②　）。

0803

かすめる

ふっと現《あらわ》れて、すぐ消《き》える。

……
だいじょうぶかな…？
ガルルル……

強敵《きょうてき》を前《まえ》にして、一瞬《いっしゅん》、不安《ふあん》が頭《あたま》を（　③　）た。

答え ①現象 ②ふがいない ③かすめ

0804

百発百中《ひゃっぱつひゃくちゅう》

すべてが命中《めいちゅう》するほど、よく当《あ》たること。

この選手《せんしゅ》いいわね。
打《う》つわよ!
4番《ばん》ゾウ選手《せんしゅ》!
カキーン
ホームランです!!
オバアチャンスゴ~い!!
フフッ

祖母《そぼ》のカンは（ ④ ）で、外《はず》れたことがない。

0805

かつて

以前《いぜん》。前《まえ》に。

ぼくは北極《ほっきょく》にいたよー。
ボクハウチュウニイタヨ。

ぼくは、（ ⑤ ）アフリカに住《す》んでいたことがある。

0806

くわだてる　企てる

計画《けいかく》する。悪《わる》いことにいう場合《ばあい》が多《おお》い。

地球《ちきゅう》は人間《にんげん》だけのものではないぞ!
これ以上《いじょう》地球《ちきゅう》をよごすな!
首相《しゅしょう》、いっそここを動物園《どうぶつえん》にするとか?
いやしかし…。

彼《かれ》らは、革命《かくめい》を（ ⑥ ）ているようだ。

答え　④百発百中　⑤かつて　⑥くわだて

0807

無情《むじょう》

思《おも》いやりがないこと。また、感《かん》情《じょう》をもたないこと。

間《ま》に合《あ》わなかった～。
最終《さいしゅう》バス
クウオオオ

最終《さいしゅう》バスが、（ ① ）にも目《め》の前《まえ》で行《い》ってしまった。

0808

没頭《ぼっとう》

一《ひと》つのことに熱中《ねっちゅう》する。はまる。

熱《あつ》くなってきたぜ!!
早《はや》くにげろ、火事《かじ》だぞ!
ピコピコ

朝《あさ》からずっと、ゲームに（ ② ）している。

0809

現《げん》に

実際《じっさい》に。現実《げんじつ》に。

あの絵《え》をゆうれいと見《み》まちがえたんだろ。
ちがうよ、ホントに見《み》たんだ。
帰《かえ》ろ帰《かえ》ろホントだよ
ゆうれいのうわさが立《た》てば人《ひと》が来《こ》ないと思《おも》ったのに…。心霊《しんれい》スポット化《か》するとは…。

ただのうわさだと思《おも》っていたが、（ ③ ）ぼくも実物《じつぶつ》を見《み》てしまった。

答え ① 無情 ② 没頭 ③ 現に

0810

腰《こし》が低《ひく》い

礼儀正《れいぎただ》しく、えらそうな態度《たいど》をとらない。

こんにちは。
こんにちは。
こんにちは。

あのおじいさんは、いつも（④）く、決《けっ》していばらない。

0811

顔《かお》が広《ひろ》い

いろいろな人《ひと》を知《し》っている。多《おお》くの人《ひと》によく知《し》られている。

親分《おやぶん》さん、こんにちは。
おじいちゃんすごい！
あっ、親分《おやぶん》さん！
ニャー

おじいさんは（⑤）く、町《まち》いちばんの有名人《ゆうめいじん》だ。

0812

はぐらかす

話《はなし》の大事《だいじ》な点《てん》をずらす。話題《わだい》を変《か》えて、相手《あいて》の興味《きょうみ》をそらす。

次《つぎ》の土曜日《どようび》、映画《えいが》に行《い》きませんか？
用事《ようじ》があって…。
じゃあ日曜日《にちようび》は？
その日《ひ》は仏滅《ぶつめつ》だから…。

デートにさそったが、うまく（⑥）されてしまった。

答え ④腰が低 ⑤顔が広 ⑥はぐらか

0813

食《く》ってかかる

かみつくような勢《いきお》いで、相手《あいて》に向《む》かっていく。

ワーッ
な、なんだ？
あ〜ハイハイ。
お兄《にい》ちゃん貸《か》したお金《かね》返《かえ》してよ！
ゾンビの兄弟《きょうだい》ゲンカかよ

けんかに負《ま》けそうになり、弟《おとうと》が泣《な》きながら、兄《あに》に（　①　）。

0814

人《ひと》のふり見《み》て我《わ》がふり直《なお》せ

他人《たにん》のよくない行《おこな》いを参考《さんこう》にして、自分《じぶん》の行《おこな》いを改《あらた》めるといい。

ポイ
ポイ
ゴミばこ
ああはなるまい…。

人《ひと》の行《おこな》いが気《き》になったら、自分《じぶん》も気《き》をつけよう。（　②　）だよ。

0815

恒例《こうれい》

いつもやっていること。

花見《はなみ》は、毎年《まいとし》必《かなら》ずこの場所《ばしょ》でやるんだ！
いいね いいね
バーン
こっちは秋《あき》から場所《ばしょ》取《と》りしてんだ！
冬眠《とうみん》だろ！
ワーッ

お花見《はなみ》は、毎年《まいとし》（　③　）の家族行事《かぞくぎょうじ》だ。

答え ①食ってかかる ②人のふり見て我がふり直せ ③恒例

身《み》についた言葉《ことは》の力《ちから》を確《たし》かめよう！

アタック・ザ・言葉《ことば》クイズ

39

正《ただ》しいことわざになるように、それぞれ線《せん》で結《むす》ぼう。

①
門前《もんぜん》の小僧《こぞう》

②
能《のう》あるたかは

③
人《ひと》のふり見《み》て

④
骨折《ほねお》り損《ぞん》の

⑤
石橋《いしばし》を

たたいて渡《わた》る

くたびれもうけ

爪《つめ》を隠《かく》す

我《わ》がふり直《なお》せ

習《なら》わぬ経《きょう》を読《よ》む

⇒答《こた》えは 328 ページにあります。

0816

入手《にゅうしゅ》

手《て》に入《い》れること。

黄金《おうごん》のおのを手《て》に入《い》れたぞ！

強敵《きょうてき》をたおして、貴重《きちょう》なレアアイテムを（　①　）した。

0817

ミッション

責任《せきにん》をもって果《は》たすべき務《つと》め。重要《じゅうよう》な任務《にんむ》。

80点《てん》以上《いじょう》取《と》るって約束《やくそく》したじゃない。
合計《ごうけい》すると80点《てん》以上《いじょう》…。
その計算《けいさん》自体《じたい》まちがってるわよ！
75点《てん》よ！

ぼくは、母《はは》からの（　②　）を、まったく果《は》たせなかった。

0818

会心《かいしん》

期待通《きたいどお》りに事《こと》が進《すす》み、満足《まんぞく》すること。納得《なっとく》すること。

おいしーい
ボーノ〜♡
そうかな？
なんか味《あじ》うすっ…

今日《きょう》の夕飯《ゆうはん》は、（　③　）の出来《でき》だと、母《はは》は喜《よろこ》んでいる。

答え　①入手　②ミッション　③会心

0819

漠然《ばくぜん》

はっきりしない様子《ようす》。ぼんやり。

君《きみ》は何《なに》になりたいんだい？
う～んと～、人《ひと》のためになる楽《たの》しい仕事《しごと》かなあ。

将来《しょうらい》の夢《ゆめ》は、まだ（ ④ ）としている。

0820

住《す》めば都《みやこ》

住《す》みなれてくると、そこがいちばんの場所《ばしょ》になる。

何《なに》もないとこだな～。
畑作業《はたけさぎょう》楽《たの》しい！
食《た》べ物《もの》おいしい！

最初《さいしょ》は不便《ふべん》な町《まち》だと思《おも》ったが、（ ⑤ ）で、愛着《あいちゃく》がわいてきた。

0821

きずな

人《ひと》と人《ひと》とのつながり。

キャプテンツバメゲーム
ナイスパス！
選手同士《せんしゅどうし》のきずなを深《ふか》めて、ついに優勝《ゆうしょう》したぞ！
ピッピッピッ
いつまで起《お》きてるの、ゲーム機《き》は預《あず》かるわ！
ぼくとゲームのきずなは切《き》りはなせないぞ！

このチームの選手達《せんしゅたち》は、強《つよ》い（ ⑥ ）で結《むす》ばれている。

答え ④漠然 ⑤住めば都 ⑥きずな

0822

顔触《かおぶ》れ

集《あつ》まりなどに参加《さんか》する人々《ひとびと》。メンバー。

おに退治《たいじ》のために、たのもしい（ ① ）がそろった。

0823

血《ち》まなこ

それ以外《いがい》のことをすべて忘《わす》れてしまうほど、熱中《ねっちゅう》すること。「まなこ」は目《め》のこと。

ないっ！
ないっ！

かくしておいたはずのテストを、（ ② ）になって探《さが》す。

0824

ごと

〜のたびに。〜するたびに。

頂上《ちょうじょう》までもう少《すこ》し！
うん！

途中《とちゅう》からは、山頂《さんちょう》に着《つ》くまで、1時間《じかん》（ ③ ）に休《やす》みをとった。

0825

問《もん》答《どう》無《む》用《よう》

話《はな》し合《あ》う必要《ひつよう》はないということ。

言《い》いわけをするな！おまえをきる！
まてまて
いまどき時代《じだい》おくれじゃぞ！名前《なまえ》くらい確認《かくにん》せい！
マイナンバーを……
スーッ

この件《けん》については（　④　）、事情《じじょう》を聞《き》く必要《ひつよう》はない。

0826

ひるむ

気持《きも》ちがくじけて、臆病《おくびょう》になる。
気持《きも》ちが弱《よわ》くなる。

おこづかいアップをお願《ねが》いしま…
無《む》理《り》

すごいけんまくの母《はは》を見《み》て、すぐに気持《きも》ちが（　⑤　）んだ。

0827

顔《かお》から火《ひ》が出《で》る

とてもはずかしい思《おも》いをする。

ツルッ
えっ！

大勢《おおぜい》の前《まえ》で転《ころ》んでしまい、（　⑥　）思《おも》いをした。

答え　④ 問答無用　⑤ ひるむ　⑥ 顔から火が出る

0828

くれぐれも

くり返《かえ》しお願《ねが》いするさま。

夏休《なつやす》みはいろいろなところに出《で》かけると思《おも》いますが、どうかどうかど～か!
事故《じこ》には気《き》をつけてください。プールに入《はい》る前《まえ》は準備運動《じゅんびうんどう》をしっかりして…。
ペラ
ペラ
ペラ
ペラ

夏休《なつやす》み中《ちゅう》は、（　①　）けがや事故《じこ》などに注意《ちゅうい》してください。

0829

再《ふたた》び

もう一度《いちど》。さらに重《かさ》ねて。

またやってしまった…!

ぼくは、（　②　）同《おな》じあやまちを犯《おか》してしまった。

0830

石橋《いしばし》をたたいて渡《わた》る

用心《ようじん》の上《うえ》にも用心《ようじん》すること。

この橋《はし》、本当《ほんとう》にだいじょうぶかな?
よーく調《しら》べないと…。
ガンガン
ガンガン
!!
ガラ
ガラ
ガラ
ガラ

あの人《ひと》は何事《なにごと》にも、（　③　）慎重《しんちょう》なタイプだ。

答え　①くれぐれも　②再び　③石橋をたたいて渡る

0831

際《きわ》どい

ぎりぎりの。

キャプテンツバメゲーム
ハァハァ
アァ…
際《きわ》どい試合《しあい》だったがなんとか勝《か》ったな。
へへッ
遊《あそ》んでばかりいるからゲーム機《き》はもらうわ。
際《きわ》どいところで負《ま》けた…。

どの戦《たたか》いも、接戦《せっせん》の末《すえ》の（　④　）勝負《しょうぶ》だった。

0832

くぎをさす

くぎを刺す

あらかじめ念《ねん》をおして、強《つよ》く確《かく》認《にん》しておくこと。

忘《わす》れ物《もの》ない？
うわばきは？
毎朝《まいあさ》これだもんな。
ハンカチ持《も》った？
教科書《きょうかしょ》は入《い》れた？
はいはい

忘《わす》れ物《もの》をしないよう、毎朝《まいあさ》、母《はは》はぼくに（　⑤　）。

0833

ぬかにくぎ

何《なん》の役《やく》にも立《た》たず、効《き》き目《め》のないこと。

全部《ぜんぶ》忘《わす》れてるし…。
テヘ
あれだけ言《い》ったのに…
こくご
さんすう

いくら忘《わす》れ物《もの》を注意《ちゅうい》しても、あの子《こ》には（　⑥　）だ。

答え　④際どい　⑤くぎをさす　⑥ぬかにくぎ

0834

不確《ふたし》か

あやふや。はっきりしない。

クマ男君《おくん》って、本当《ほんとう》にこの道《みち》通《とお》るかなあ?
うーん。1週間《しゅうかん》に1回《かい》くらいは通《とお》るかもよ。

彼《かれ》がこの道《みち》を通《とお》るかどうかは、(　①　)だ。

0835

ミックス

種類《しゅるい》のちがう材料《ざいりょう》や要素《ようそ》などを混《ま》ぜ合《あ》わせること。

10年《ねん》かけて作《つく》ったこのミックスマシン…。
麦茶《むぎちゃ》とコーヒーとフルーツ牛乳《ぎゅうにゅう》をミックスさせて念願《ねんがん》の…!
そんなことのために作《つく》ったの!?
ふつうに混《ま》ぜれば?

毎朝《まいあさ》、野菜《やさい》と果物《くだもの》の(　②　)ジュースを飲《の》む。

言葉《ことば》クイズの答《こた》え

32 ①異《い》 ②断《だん》 ③一《いち》 ④無《む》

33 ①手《て》 ②目《め》 ③見《み》

34 ①具体的《ぐたいてき》 ②好転《こうてん》 ③遠景《えんけい》 ④主観《しゅかん》

35 ①ふみにじる ②まゆをひそめる ③ほんごしをいれる(本腰《ほんごし》を入《い》れる)

36 ①メッセージ ②プライバシー ③モチベーション ④モラル

37 ①三《さん》 ②五《ご》 ③四《し》 ④二《に》 ⑤一《いち》・十《じゅう》

38 ①借《か》りてきた ②投《な》げる ③目《め》 ④つぶす

39 ①習《なら》わぬ経《きょう》を読《よ》む ②爪《つめ》を隠《かく》す ③我《わ》がふり直《なお》せ ④くたびれもうけ ⑤たたいて渡《わた》る

答え ① 不確か ② ミックス

身《み》についた言葉《ことば》の力《ちから》を確《たし》かめよう！

アタック・ザ・言葉《ことば》クイズ

40

□に入《はい》る言葉《ことば》を、［　］から選《えら》ぼう。関係《かんけい》ないものもあるよ。

①得意《とくい》になること。

□が高《たか》い

②待《ま》ちこがれること。

□を長《なが》くする

③礼儀正《れいぎただ》しく、えらそうな態度《たいど》をとらない。

□が低《ひく》い

④いろいろな人《ひと》を知《し》っている。多《おお》くの人《ひと》によく知《し》られている。

□が広《ひろ》い

鼻《はな》　目《め》　顔《かお》
腰《こし》　頭《あたま》　首《くび》

⇒答《こた》えは 393 ページにあります。

0836

きびきび

動《うご》きがてきぱきしていて、元気《げんき》がいいさま。

お待《ま》たせしました！
いらっしゃいませ！
いつもありがとうございます！

動作《どうさ》が（ ① ）していて、見《み》ていて気持《きも》ちがいい。

0837

失望《しつぼう》

期待通《きたいどお》りにならなくて、がっかりすること。

君達《きみたち》には失望《しつぼう》したよ。
ケッ
そんなことを言《い》うなんて、こっちこそがっかりだよ…。

残念《ざんねん》な結果《けっか》に、（ ② ）をかくせない。

0838

うのみ

相手《あいて》の言《い》うことをすべて信《しん》じて、受《う》け入《い》れてしまうこと。

へー、こんなにラクに勉強《べんきょう》できるんだ！
ぜひ！
〜でしょう
ねている間に100点
バカめ、簡単《かんたん》に信《しん》じたな…。
と見《み》せかけて、
引《ひ》っかかるワケねーだろ
おまわりさーん！悪《わる》い人《ひと》です！
アッ
テメ…
ダッ

調子《ちょうし》のよい話《はなし》を（ ③ ）にしてはいけない。

答え ① きびきび ② 失望 ③ うのみ

0839

うどの大木《たいぼく》

体《からだ》が大《おお》きいだけで、役《やく》に立《た》たない人《ひと》のたとえ。

クマ助君《すけくん》が運《はこ》んでくれたら、すぐに終《お》わるのに…。食《た》べてるだけだもんなあ。

食《た》べてばかりでなまけ者《もの》のあの人《ひと》は、（ ④ ）だ。

0840

非日常的《ひにちじょうてき》

いつも通《どお》りでないさま。日常的《にちじょうてき》ではないこと。

せまい方《ほう》がおちつく…

ごうかな温泉《おんせん》は、（ ⑤ ）な空間《くうかん》だった。

0841

気《き》が置《お》けない

気《き》をつかう必要《ひつよう》がない。遠慮《えんりょ》のない。

あのとき、いい仕事《しごと》したよね。
そうかな。

（ ⑥ ）仲間《なかま》で集《あつ》まり、楽《たの》しいひとときを過《す》ごす。

答え ④うどの大木 ⑤非日常的 ⑥気が置けない

0842

帯《お》びる

身につける。そのような性質《せいしつ》をもっている。役目《やくめ》などを引《ひ》き受《う》ける。

0843

うずくまる

体《からだ》を丸《まる》めて、しゃがむ。

0844

意図《いと》

こうしようと考《かんが》えていること。目的《もくてき》。

エイリアン退治《たいじ》の任務《にんむ》を帯《お》び、そのすみかに潜入《せんにゅう》した特殊部隊《とくしゅぶたい》であったが——。
いないぞ！
もぬけのからだ！
ン…
こういうときは…！
も～いいかい？
何《なに》言《い》ってんだ？
も～いいよ！
オーッ
やった！見《み》～つけた！
グワ
ッ
かくれんぼじゃなかった！

エイリアンを探《さが》すという、重大《じゅうだい》な使命《しめい》を（ ① ）。

かくれんぼで見《み》つからないよう、物《もの》かげに（ ② ）った。

作戦《さくせん》が悪《わる》かったのか、（ ③ ）がよく伝《つた》わらなかったようだ。

答え ①帯びる ②うずくま ③意図

0845

ユーモア

気のきいた言葉《ことば》。人《ひと》の心《こころ》を和《なご》ませる、上品《じょうひん》な冗談《じょうだん》。

ごめんね、もうつまらないとか言《い》わないから…。
顔《かお》コワッ!
いや今《いま》、真剣《しんけん》におもしろいこと考《かんが》えてるところ。今《いま》に言《い》うよ すぐ言《い》うよ
おこってるわよね…

（④）のある会話《かいわ》は、人《ひと》の心《こころ》を和《なご》ませる。

0846

おびただしい

数《かず》がとても多《おお》いこと。程度《ていど》が普通《ふつう》をはるかにこえていること。

ゲホゲホゲホッ!
モワワ。。

倉庫《そうこ》には、（⑤）数《かず》の在庫品《ざいこひん》がほこりをかぶってねむっている。

0847

間断《かんだん》

切《き》れ目《め》。途切《とぎ》れること。「間断《かんだん》なく」の形《かたち》で使《つか》うことが多《おお》い。

…………
ボリボリボリ
ボリボリ

テレビを観《み》ている間《あいだ》、姉《あね》は（⑥）なく、おやつを食《た》べていた。

答え ④ユーモア ⑤おびただしい ⑥間断

0848

猫《ねこ》の額《ひたい》

土地《とち》などが、とてもせまいこと。

動《うご》けないけど、落《お》ち着《つ》く…。

（　①　）ほどの庭《にわ》だが、ぼくはとても大切《たいせつ》にしている。

0849

明《あき》らか

疑《うたが》うこともできないほど、はっきりとしていること。

ぼくの中《なか》ではウサ子《こ》ちゃんが
いちばんさ！
本当《ほんとう》？うれしい！

彼女《かのじょ》は（　②　）にすてきなのに、自分《じぶん》の魅力《みりょく》に気《き》づいていない。

0850

溺《おぼ》れる者《もの》はわらをもつかむ

追《お》いつめられて困《こま》ったときは、役《やく》に立《た》たないようなものにまですがってしまう。

くそっ、足《あし》をくじいちまった！
フラフラ
おい、昔《むかし》おまえのことかわいがってやったよな！

知《し》らない場所《ばしょ》だったが、（　③　）思《おも》いで助《たす》けを呼《よ》んだ。

答え ① 猫の額 ② 明らか ③ 溺れる者はわらをもつかむ

0851

強制《きょうせい》

無理《むり》やりに。

試験前《しけんまえ》はずっとここで勉強《べんきょう》してもらうわ！
ママ…
ガシャーン
ワ〜ッ
助《たす》けに来《き》たぞ！
オーッ
友《とも》よ〜っ、来《き》てくれたのか〜！
またさぼってねてたのね！

成績《せいせき》を上《あ》げるために、勉強《べんきょう》を（④）するのは逆効《ぎゃくこう》果《か》だ。

0852

切《き》り上《あ》げる

適当《てきとう》なところで終《お》わりにする。

友達《ともだち》が来《き》たので、予定《よてい》を（⑤）て、遊《あそ》びにいく。

0853

まいぼつ　埋没

うずもれて見《み》えなくなること。世《よ》にうずもれて人《ひと》に知《し》られないこと。

ついに見《み》つけた!!

地中深《ちちゅうふか》くに（⑥）するという、伝説《でんせつ》のお宝《たから》を探《さぐ》り当《あ》てる。

答え　④強制　⑤切り上げ　⑥まいぼつ

0854
不急《ふきゅう》
急《いそ》ぐ必要《ひつよう》がないこと。それほど重要《じゅうよう》でないこと。

行《い》ってきまーす。
ビュウウーーッ
やめときなさい。

大雨《おおあめ》の日《ひ》は、（　①　）な外出《がいしゅつ》はひかえるべきだ。

0855
念願《ねんがん》
長《なが》い間《あいだ》、望《のぞ》んできたこと。

長年《ながねん》の夢《ゆめ》が、ついにかないました！
祝《しゅく》☆歌手《かしゅ》デビュー
ワンダフル

苦節《くせつ》10年《ねん》、（　②　）かなって、歌手《かしゅ》デビューすることになった。

0856
かぶとをぬぐ
かぶとを脱ぐ

負《ま》ける。降参《こうさん》する。

もう無理《むり》！
すごすぎる!!

相手《あいて》のあまりの強《つよ》さに、試合開始《しあいかいし》10分《ぷん》で（　③　）いだ。

答え　①不急　②念願　③かぶとをぬ

身《み》についた言葉《ことは》の力《ちから》を確《たし》かめよう！

41 アタック・ザ・言葉《ことば》クイズ

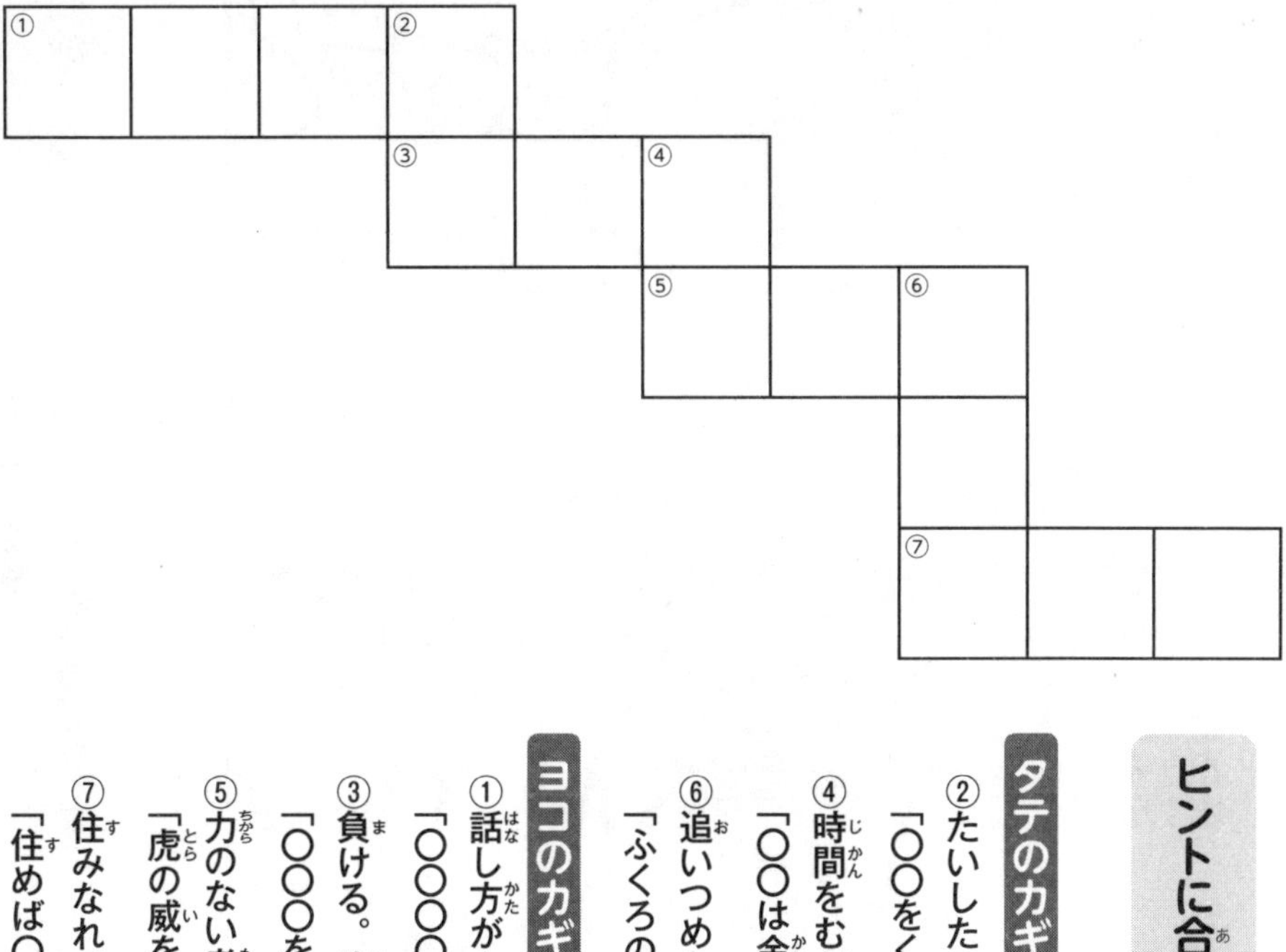

ヒントに合《あ》う言葉《ことば》を、ひらがなでマスに入《い》れよう。

タテのカギ

②たいしたことはないと軽《かる》く見《み》る。見《み》くびる。
「○○をくくる」

④時間《じかん》をむだにしてはいけないということ。
「○○は金《かね》なり」

⑥追《お》いつめられて、にげようにもにげる方法《ほうほう》がない。
「ふくろの○○○」

ヨコのカギ

①話《はな》し方《かた》がよどみなく、すらすらと上手《じょうず》な様子《ようす》。
「○○○○に水《みず》」

③負《ま》ける。降参《こうさん》する。
「○○○をぬぐ」

⑤力《ちから》のない者《もの》が、力《ちから》のある者《もの》の力《ちから》を借《か》りて、いばること。
「虎《とら》の威《い》を借《か》る○○○」

⑦住《す》みなれてくると、そこがいちばんの場所《ばしょ》になる。
「住《す》めば○○○」

⇒答《こた》えは 393 ページにあります。

0857

相次《あいつ》ぐ

同《おな》じような物事《ものごと》が、次々《つぎつぎ》と続《つづ》いて起《お》こること。

増税《ぞうぜい》反対《はんたい》！
早《はや》く辞任《じにん》を！
NO!
もうやめる!!

ある政治家《せいじか》は、（ ① ）批判《ひはん》にたえかねて、辞任《じにん》したといわれる。

0858

気《き》まま

気楽《きらく》に、自分《じぶん》の思《おも》うまま。

適当《てきとう》に歩《ある》いてみたけど、これ道迷《みちまよ》ったわ。迷子《まいご》だわ…。

ぼくは、行《い》き先《さき》も決《き》めない（ ② ）な一人旅《ひとりたび》に出《で》た。

0859

是正《ぜせい》

誤《あやま》っているところを正《ただ》しく改《あらた》めること。

ヤギ君《くん》！ハッピーバースデー！
好《す》きでしょ？
はい、紙《かみ》！
ぼく、実《じつ》は紙《かみ》は食《た》べないんだよ！
あ、ありがと…

型《かた》にはまった偏見《へんけん》は、（ ③ ）されなければいけない。

答え ①相次ぐ ②気まま ③是正

0860

不言実行《ふげんじっこう》

余計《よけい》なことは言《い》わず、やるべきことをきちんと実行《じっこう》すること。

たまには自分《じぶん》で考《かん》えろよ。
そんなこともできないのかよ、しょーがねーなー。
ママァそんなコト言《い》わずに
たまにはこういうのもいいわね。
おしゃべりアプリ

コンピュータは、（ ④ ）の便利《べんり》な機械《きかい》だ。

0861

以後《いご》

これから先《さき》。まだ来《き》ていない時《じ》間《かん》。

どうしよう！ログインできない。困《こま》ったな～。
ガーン
エラー

パスワード入力《にゅうりょく》をまちがうと、（ ⑤ ）ログインできなくなる。

0862

顔《かお》に泥《どろ》を塗《ぬ》る

相手《あいて》にはじをかかせること。

高《たか》いけど、そこまでおいしくないね！
ムシャムシャ
ヒィ～
ガチャガチャ

親《おや》の（ ⑥ ）ような、みっともないことをしてはいけないよ。

答え ④不言実行 ⑤以後 ⑥顔に泥を塗る

0863

いつわる 偽る

ごまかす。うそをつく。

この人形《にんぎょう》、色《いろ》がちがうよ。
オモチャ
ニセモノじゃん
ン…
特価!! アストロマスク人形
いいんだよ、どうせヒーローかどうかもビミョーなんだからよ。
クソッ!

本物《ほんもの》と（ ① ）り、ニセモノを売《う》りつけられそうになった。

0864

反射的《はんしゃてき》

考《かんが》える間《ま》もなく、素早《すばや》く反応《はんのう》する様子《ようす》。

2×9
ニク
18!
3×5
サンゴ
15!

（ ② ）に答《こた》えを言《い》えるよう、九九《くく》を練習《れんしゅう》する。

0865

堅苦《かたくる》しい

まじめすぎて、見《み》ていてきゅうくつなさま。

いっしょに野球《やきゅう》で遊《あそ》びたく存《ぞん》じます。何《なに》とぞよろしくお願《ねが》いいたします。
ペコリ
おまえカタすぎだから!

あの人《ひと》はきまじめで（ ③ ）く、付《つ》き合《あ》いにくい。

答え ①いつわ ②反射的 ③堅苦し

0866

ユニバーサル

すべてに共通《きょうつう》するさま。宇宙的《うちゅうてき》な。

我々専用《われわれせんよう》の「駐機場《ちゅうきじょう》」も作《つく》ってほしい！
それがホントのユニバーサル！

だれもが使《つか》いやすいデザインを、「（④）デザイン」という。

0867

折《おり》しも

ちょうどそのときに。

かさを忘《わす》れてきた！取《と》りにもどるの、めんどくさい…。
えっ！このタイミングで!?
ザー…

学校《がっこう》を出《で》て歩《ある》き始《はじ》めたら、（⑤）雨《あめ》が降《ふ》り出《だ》した。

0868

待《ま》てば海路《かいろ》の日和《ひより》あり

物事《ものごと》がうまくいかないときは、あせらず機会《きかい》を待《ま》つほうがいい。

あせらない、あせらない。
一休《ひとやす》み一休《ひとやす》み。
あんたは少《すこ》しあせりなさい。

（⑥）だから、あせらずのんびりいこう。

0869

馬《うま》の耳《みみ》に念仏《ねんぶつ》

いくら言《い》っても、まったく効《き》き目《め》のないこと。

大体《だいたい》おまえは集中力《しゅうちゅうりょく》がなさすぎる。
聞《き》いてんのか？
ハ、ハイ
クドクドクドクド
夕飯《ゆうはん》何《なに》かなぁ
ジュル

あの人《ひと》は何度《なんど》注意《ちゅうい》されても、（ ① ）で知《し》らん顔《かお》だ。

0870

月夜《つきよ》にちょうちん

むだなもの。必要《ひつよう》ないもの。

…いつまでこたつ出《だ》してるの？
かたづけるのめんどくさいんでしょ…
ギクッ
8月

もう夏《なつ》なのに、こたつなんて、（ ② ）だよ。

0871

漫然《まんぜん》と

ぼんやりと。いい加減《かげん》に行《おこな》う様《よう》子《す》。

ボー
一度《いちど》きりの人生《じんせい》、こんなんでいいのか…？
ま、いいか…？
ボー

一度《いちど》きりの人生《じんせい》を、（ ③ ）過《す》ごすなんてもったいない。

答え ① 馬の耳に念仏 ② 月夜にちょうちん ③ 漫然と

0872

大詰《おおづ》め

しばいなどの最後《さいご》の場面《ばめん》。物事《ものごと》の最終段階《さいしゅうだんかい》。フィナーレ。

夏休《なつやす》みも
あとちょっとで
終《お》わり…。
8/28
宿題《しゅくだい》は半分《はんぶん》も
終《お》わっていない!

もう夏休《なつやす》みも（ ④ ）なのに、宿題《しゅくだい》に何《なに》も手《て》をつけていない。

0873

およぼす　及ぼす

周《まわ》りに働《はたら》きかけて、えいきょうなどをあたえるよう仕向《しむ》ける。

めっちゃ
たたかれてる…。
子《こ》どもに
読《よ》ませたくない
マンガだって?
一番《いちばん》子《こ》どもに見《み》せたくないマンガ

この本《ほん》は、子《こ》ども達《たち》に悪《わる》いえいきょうを（ ⑤ ）危険《きけん》がある。

0874

おちいる　陥る

悪《わる》い状態《じょうたい》になってしまう。

クソッ!
あんなこと
言《い》われたら、
かけなく
なっちまったよ!
どーして
くれる
例《れい》のマンガ家《か》
の原稿《げんこう》?
アァ…
あの記事《きじ》に
マンガで
抗議《こうぎ》してきたよ。
しかも
100ページも…
描《か》けるじゃん
オレが
描《か》けなくなった
ワケ

精神的《せいしんてき》に追《お》いつめられ、ピンチに（ ⑥ ）った。

答え ④大詰め ⑤およぼす ⑥おちいる

0875

口火《くちび》を切《き》る

物事《ものごと》のきっかけをつくる。いちばん先《さき》に始《はじ》める。

はいっ！私《わたし》から歌《うた》いまあす！
はいはい
あちゃ〜。
マイク持《も》つとはなさないんだよね…。

順番《じゅんばん》を決《き》めるときに、（ ① ）のはいつもあの子《こ》だ。

0876

人《ひと》づて

ほかの人《ひと》を通《とお》して。

サル男君《おくん》は海賊《かいぞく》になったんだってね。
すごいね〜。

知《し》り合《あ》いが、海賊《かいぞく》になったと（ ② ）に聞《き》いた。

0877

交《か》わす

やり取《と》りする。

おはようございます！
ビク
おはよう。

近所《きんじょ》の人《ひと》と、毎朝《まいあさ》あいさつを（ ③ ）。

身《み》についた言葉《ことば》の力《ちから》を確《たし》かめよう！

アタック・ザ・言葉《ことば》クイズ

42

二《ふた》つの言葉《ことば》の○には、それぞれ同《おな》じ文字《もじ》が入《はい》るよ。①～③の文字《もじ》を組《く》み合《あ》わせて、できる言葉《ことば》は何《なに》かな？

①
食《く》って○かる
（かみつくような勢《いきお》いで、相手《あいて》に向《む》かっていく。）
はぐら○す
（話《はなし》の大事《だいじ》な点《てん》をずらす。）

②
く○だてる
（計画《けいかく》する。悪《わる》いことにいう場合《ばあい》が多《おお》い。）
ふさ○しい
（人《ひと》やものに、よく合《あ》っている。）

③
ひけらか○
（見《み》せびらかす。自慢《じまん》する。）
ひた○ら
（ただ一《ひと》つのことをする様子《ようす》。）

●やり取《と》りする。
「言葉を○○○」

①
②
③

⇒答《こた》えは393ページにあります。

0878

後《うし》ろ指《ゆび》を指《さ》される

かげで悪口《わるくち》を言《い》われたり、とがめるような目《め》で見《み》られたりする。

ヒソヒソ
やっぱりギターうるさいのかな?
ギターだったのか…。
何《なに》かの悲鳴《ひめい》かと思《おも》ったわ。
ヘタねぇ

人《ひと》から(①)ようなことをしてはいけない。

0879

拍子《ひょうし》ぬけ

思《おも》っていたよりも、手《て》ごたえや張《は》り合《あ》いがないこと。

ポカ
ポカ
あったかいな〜。
?

厚手《あつで》のコートを着《き》てきたのに、(②)するほど暖《あたた》かい。

0880

急激《きゅうげき》

急《きゅう》で激《はげ》しい勢《いきお》い。

4年生《ねんせい》
5年生《ねんせい》
えっ
ギュイーン

5年生《ねんせい》になって、身長《しんちょう》が(③)にのびた。

答え ① 後ろ指を指される ② 拍子ぬけ ③ 急激

0881

苦《くる》しまぎれ

苦《くる》しさからのがれようとして、無理《むり》にすること。

ゴーー
ワッワッ
アブなッ!
ガーッ
チョッまて!
待《ま》った! おまえの弱点《じゃくてん》って、どこ?

（④）に質問《しつもん》をしたが、やはり効果《こうか》はなかった。

0882

あざやか

鮮やか

はっきりとした色《いろ》や形《かたち》で、目立《めだ》つ様子《ようす》。手際《てぎわ》がよいさま。

か、かわいい!
おー!!

夏祭《なつまつ》りのために、（⑤）な色合《いろあ》いのゆかたを買《か》った。

0883

喉《のど》から手《て》が出《で》る

欲《ほ》しくてたまらないこと。

じーっ

（⑥）ほど欲《ほ》しかった物《もの》を、あの子《こ》が持《も》っているなんて…。

答え ④苦しまぎれ ⑤あざやか ⑥喉から手が出る

0884

ランダム

順番《じゅんばん》を気《き》にせず、偶然《ぐうぜん》に任《まか》せること。人《ひと》の思《おも》いのままに任《まか》せること。

パーン
パーン
あきたからおまえを消《け》す!

このゲームは、キャラクターが（①）に動《うご》くのが特徴《とくちょう》だ。

0885

以来《いらい》

そのときから引《ひ》き続《つづ》き。これから。

おねしょなんて、幼稚園《ようちえん》のころが最後《さいご》さ。
それからずっとしていないね!

小学校《しょうがっこう》に入学《にゅうがく》して（②）、一度《いちど》もおねしょをしていない。

0886

切《き》りぬける

苦《くる》しい状態《じょうたい》からのがれる。ぬけ出《だ》す。

あっ! 新種《しんしゅ》の虫《むし》が!
えっ!?
パーン

絶体絶命《ぜったいぜつめい》のピンチを、とっさの一言《ひとこと》で（③）。

答え ①ランダム ②以来 ③切りぬける

0887

保障《ほしょう》

望《のぞ》ましい状態《じょうたい》を続《つづ》けるために、何《なに》かを守《まも》ること。

学《まな》ぶ権利《けんり》を放棄《ほうき》するのか?
ZZZ

日本国憲法《にほんこくけんぽう》は、国民《こくみん》の教育《きょういく》を受《う》ける権利《けんり》を（④）している。

0888

火《ひ》に油《あぶら》を注《そそ》ぐ

勢《いきお》いのあるものに、さらに勢《いきお》いを加《くわ》えること。

おこると、またシワが増《ふ》えるよ〜ん。
なんですってー!?

言《い》い争《あらそ》いを収《おさ》めようとして、かえって（⑤）いでしまった。

0889

心細《こころぼそ》い

自信《じしん》がなくて不安《ふあん》だ。

いまどき、だんごで命《いのち》かけろって?
いっしょに行《い》こうよ〜。
日本一
労働条件《ろうどうじょうけん》の改善《かいぜん》を求《もと》めます!
オレ一人《ひとり》じゃ絶対無理《ぜったいむり》!!

あんな危《あぶ》ない場所《ばしょ》に、一人《ひとり》で行《い》くのは（⑥）。

答え ④保障 ⑤火に油を注 ⑥心細い

0890

猫《ねこ》もしゃくしも

だれでもかれでも。

ギョギョッ!!
みんな変《へん》な帽子《ぼうし》かぶっているけど、はやってるのかな…？

（　①　）、ハロウィンのパーティーでは仮装《かそう》をする。

0891

みじん

とても細《こま》かいさま。「みじんもない」の形《かたち》で、「少《すこ》しもない」の意味《いみ》を表《あらわ》す。

今度《こんど》の選挙《せんきょ》、立候補《りっこうほ》してくれよ。
ぼくなんか…。無理《むり》だよ。
そんなこと言《い》わずに！
みなさん、応援《おうえん》よろしくお願《ねが》いします！
生徒会長候補《せいとかいちょうこうほ》
○○△男
変《か》われば、変《か》わるもんだね。

初《はじ》めは立候補《りっこうほ》する気《き》なんて、（　②　）もなかった。

0892

喉元過《のどもとす》ぎれば熱《あつ》さを忘《わす》れる

そのときは苦《くる》しいことでも、過《す》ぎてしまえば、その苦《くる》しさを忘《わす》れてしまう。

身体測定《しんたいそくてい》までにやせなきゃ！
身体測定《しんたいそくてい》、終《お》わったからいいや。

（　③　）で、立《た》てた目標《もくひょう》をすぐ忘《わす》れるのが私《わたし》の短所《たんしょ》だ。

答え　①猫もしゃくしも　②みじん　③喉元過ぎれば熱さを忘れる

0893

主《おも》に

大体《だいたい》の部分《ぶぶん》において。ほとんど。たいてい。

お父《とう》さんはコックさんだから、ご飯《はん》がとってもおいしいんだ！
Pa.Pa

うちでは、（　④　）お父《とう》さんが料理《りょうり》を作《つく》る。

0894

適材適所《てきざいてきしょ》

その人《ひと》の才能《さいのう》や能力《のうりょく》にふさわしい役目《やくめ》や仕事《しごと》につくこと。

GO!レンジャー
敵《てき》を研究《けんきゅう》し…、
計画《けいかく》を立《た》て…、
最新兵器《さいしんへいき》を開発《かいはつ》！
さあ、バトル担当《たんとう》、行《い》きたまえ！
みんなで戦《たたか》いましょうよ！
エーッ

勝《か》つためには、（　⑤　）の人材《じんざい》の使《つか》い方《かた》が重要《じゅうよう》だ。

0895

経過《けいか》

時間《じかん》がたつこと。

またしてもゴール！
前半《ぜんはん》30分《ぷん》で10対《たい》1！
ワー

試合《しあい》が始《はじ》まって、30分《ぷん》が（　⑥　）した。

答え　④主に　⑤適材適所　⑥経過

0896

面持《おもも》ち

表情《ひょうじょう》。ある感情《かんじょう》の表《あらわ》れている顔《かお》の様子《ようす》。

結果発表

緊張《きんちょう》した（ ① ）で、受験生達《じゅけんせいたち》が結果発表《けっかはっぴょう》を待《ま》つ。

0897

おぼつかない

確《たし》かでない。しっかりしない。うまくいくかどうか疑《うたが》わしい。

ただいま~。
フラ
フラ~
ど、どうしたの!?

（ ② ）足取《あしど》りで、父《ちち》がよっぱらって帰宅《きたく》した。

0898

心血《しんけつ》を注《そそ》ぐ

全力《ぜんりょく》を出《だ》して物事《ものごと》にあたる。

わしが10年《ねん》をかけた研究《けんきゅう》がすでに発表《はっぴょう》されていたとは!
10年間《ねんかん》、研究室《けんきゅうしつ》にこもりっぱなしでしたからねえ…。
わしの研究《けんきゅう》のほうが優《すぐ》れていることを証明《しょうめい》してみせる!
また10年《ねん》かけて研究《けんきゅう》だ!
オイオイ

学者《がくしゃ》の父《ちち》は、ねる間《ま》もおしんで研究《けんきゅう》に（ ③ ）いだ。

答え ① 面持ち ② おぼつかない ③ 心血を注

身《み》についた言葉《ことば》の力《ちから》を確《たし》かめよう！

アタック・ザ・言葉《ことば》クイズ

43

それぞれ、まちがっているものが一《ひと》つあるよ。□に○か×をつけよう。

① 注《そそ》ぐ
(ア) □ 火《ひ》に油《あぶら》を
(イ) □ 心血《しんけつ》を
(ウ) □ 口火《くちび》を

② なる
(ア) □ てんぐに
(イ) □ 手塩《てしお》に
(ウ) □ 躍起《やっき》に

③ 高《たか》い
(ア) □ 目《め》が
(イ) □ 鼻《はな》が
(ウ) □ 耳《みみ》が

④ ない
(ア) □ 身《み》もふたも
(イ) □ 元《もと》も子《こ》も
(ウ) □ 箸《はし》にも棒《ぼう》にも

⇒答《こた》えは 393 ページにあります。

0899

きしむ

こすれて、みしみし、ぎいぎいなどと音《おと》を立《た》てる。

ギイ
ギイ

古《ふる》い家《いえ》なので、歩《ある》くとゆかが、ぎしぎし（ ① ）。

0900

無遠慮《ぶえんりょ》

思《おも》うまま、好《す》き勝手《かって》に行動《こうどう》すること。

殿《との》～っ、お待《ま》ちくだされ！
それ行《い》け

公共《こうきょう》の場《ば》での（ ② ）なふるまいは、つつしむべきだ。

0901

三日天下《みっかてんか》

天下《てんか》を取《と》ったものの、すぐにその座《ざ》を失《うしな》うこと。

この夏休《なつやす》みはおれが遊《あそ》びを仕切るからな！
夏休《なつやす》みが終《お》われば、どうせあいつがもどってくるのにな。
ボス
やってみたかったんだろうね

やっとトップになれたのだから、（ ③ ）で終《お》わりたくない。

答え ①きしむ ②無遠慮 ③三日天下

0902

思《おも》うつぼ

ねらい通《どお》り。予想《よそう》していたところ。

ドーーン
さるへの仕返《しかえ》し、計画通《けいかくどお》り！
KANI NOTE
ニヤリ…

むきになってやり返《かえ》したら、相手《あいて》の（　④　）だよ。

0903

危《あぶ》なげない

危《あぶ》ない気配《けはい》がまったくないこと。

やっぱりチャンピオンは強《つよ》いや！
安心《あんしん》して見《み》ていられるね。

チャンピオンが、（　⑤　）試合運《しあいはこ》びで勝利《しょうり》した。

0904

猫《ねこ》をかぶる

本当《ほんとう》の性質《せいしつ》をかくして、大人《おとな》しいふりをする。

先生《せんせい》、子《こ》どもは学校《がっこう》ではどのような感《かん》じですか？
家《いえ》とちがいすぎ…。
ポリポリ

あの人《ひと》は、先生《せんせい》の前《まえ》では（　⑥　）っている。

答え　④ 思うつぼ　⑤ 危なげない　⑥ 猫をかぶ

0905

遠景《えんけい》

遠《とお》くに見《み》える山《やま》や川《かわ》、海《うみ》などのながめのこと。⇕近景《きんけい》

わあ、きれいな景色《けしき》だなあ。

山《やま》の上《うえ》から見《み》た、美《うつく》しい（①）が忘《わす》れられない。

0906

腹《はら》を割《わ》る

心《こころ》の中《なか》をすっかり打《う》ち明《あ》ける。

実《じつ》は逆上《さかあ》がりができなくて。
私《わたし》も！　いっしょに練習《れんしゅう》しよ！

（②）って話《はな》したことで、さらに仲良《なかよ》くなれた。

0907

近景《きんけい》

近《ちか》くの景色《けしき》。手前《てまえ》に見《み》える景色《けしき》。⇕遠景《えんけい》

絵《え》に遠近感《えんきんかん》が出《で》たぞ！

（③）を大《おお》きく、遠景《えんけい》を小《ちい》さくかくと、立体感《りったいかん》が出《で》る。

答え　①遠景　②腹を割　③近景

0908

リアル

あるがままを表現《ひょうげん》すること。現《げん》実的《じってき》であること。

せっかくアフリカまで来《き》たのに…
実物《じつぶつ》を見《み》に行《い》きましょうよ。
こわいから、いやなんだよ！

その映画《えいが》は、野生動物《やせいどうぶつ》の生態《せいたい》を（④）にえがき出《だ》している。

0909

反《そ》りが合《あ》わない

性質《せいしつ》や気持《きも》ちが合《あ》わないこと。刀《かたな》の反《そ》りがそれを収《おさ》める鞘《さや》に合《あ》わないことから。

こっちの道《みち》のほうが近《ちか》い！
ちがいますう、こっちですう。

あいつとは、どうも（⑤）ず、すぐにけんかになる。

0910

思《おも》い過《す》ごし

考《かんが》えなくてもよいことを考《かんが》えすぎること。心配《しんぱい》しすぎること。

だれかにつけられている気《き》がするのは、（⑥）だろうか。

答え ④リアル ⑤反りが合わ ⑥思い過ごし

0911

かけもち

二《ふた》つ以上《いじょう》のことを同時《どうじ》にすること。

あ〜いそがし!
!?

野球《やきゅう》の試合《しあい》とサッカーの試合《しあい》に、（　①　）で出場《しゅつじょう》する。

0912

一段落《いちだんらく》

物事《ものごと》や話《はなし》などが、いったん片《かた》づくこと。

今日《きょう》はここまでにしておこうっと。
おつかれさま。おやつにしましょう。

勉強《べんきょう》が（　②　）したので、休憩《きゅうけい》することにした。

0913

根《ね》掘《ほ》り葉《は》掘《ほ》り

細《こま》かいところまで、くわしく聞《き》く様子《ようす》。

先生《せんせい》、今度《こんど》結婚《けっこん》するんだ。
どこで出会《であ》ったの?
ワッ
どんな人《ひと》?
プロポーズの言葉《ことば》は?

そんなに（　③　）聞《き》かれるなんて、記者会見《きしゃかいけん》をしている気分《きぶん》だよ。

答え　①かけもち　②一段落　③根掘り葉掘り

0914

直視《ちょくし》

目《め》のやり場《ば》に困《こま》ること。顔《かお》を背《そむ》けたくなること。

ガーン

あまりのショックに、現実《げんじつ》を（④）できない。

0915

やぶから棒《ぼう》

出《だ》しぬけに言《い》ったり、したりすること。やぶから、いきなり棒《ぼう》をつき出《だ》すことから。

結婚《けっこん》してください！
だ、だれ!?
ガサガサッ
シュタッ
ビク

（⑤）にたのみごとをされて、びっくりした。

0916

息《いき》を殺《ころ》す

音《おと》がしないように、息《いき》を止《と》める。

あっ、ユマちゃんだ、おどろかせちゃお！
ソ〜ッ
ショウタくーん
ハア〜ッ

相手《あいて》に気《き》づかれないよう、（⑥）して近《ちか》づく。

答え ④直視 ⑤やぶから棒 ⑥息を殺

0917

けたたましい

やかましい。さわがしい。

夜《よる》の街《まち》に、（ ① ）サイレンの音《おと》が鳴《な》りひびいた。

0918

おざなり

いい加減《かげん》に行《おこな》うこと。適当《てきとう》に間《ま》に合《あ》わせること。

（ ② ）なあいさつでは、気持《きも》ちが伝《つた》わらない。

0919

箸《はし》にも棒《ぼう》にもかからない

どうあつかってよいか分《わ》からないほど、ひどいさま。

「（ ③ ）歌声《うたごえ》だ」なんて言《い》われたら、落《お》ちこんでしまうよ。

答え ① けたたましい ② おざなり ③ 箸にも棒にもかからない

アタック・ザ・言葉《ことば》クイズ

44

文字《もじ》を線《せん》で結《むす》んで、意味《いみ》に合《あ》う言葉《ことば》をつくろう。

①二《ふた》つ以上《いじょう》のことを同時《どうじ》にすること。

↓

か・　・ぎ・　・な・　・け

②いい加減《かげん》に行《おこな》うこと。適当《てきとう》に間《ま》に合《あ》わせること。

↓

お・　・け・　・も・　・ち

③くぎで打《う》ちつけたように、動《うご》けなくなること。

↓

く・　・ざ・　・づ・　・り

⇒答《こた》えは 393 ページにあります。

0920

壁《かべ》に耳《みみ》あり障子《しょうじ》に目《め》あり

いつどこで、だれが見聞《みき》きしているか分《わ》からないので、用心《ようじん》したほうがいい。

子《こ》ども達《たち》に
ナイショで
プリン食《た》べちゃお。

（ ① ）というから、大切《たいせつ》な話《はなし》をするときは気《き》をつけなさい。

0921

あおる

風《かぜ》がふきつける。相手《あいて》に対《たい》し、ある行動《こうどう》を起《お》こすように仕向《しむ》ける。けしかける。

もし今《いま》、おばけが出《で》たらどうする？
もしトイレのゆかがぬけたら？
ToILET

むやみに、不安《ふあん》を（ ② ）ようなことを言《い》ってはいけない。

0922

気兼《きが》ね

気《き》をつかって、緊張《きんちょう》すること。

おう、新入《しんい》り！どんどん食《た》べろよ！
バクバク
はいっ

先輩達《せんぱいたち》に（ ③ ）して、食事《しょくじ》がのどを通《とお》らない。

答え ① 壁に耳あり障子に目あり ② あおる ③ 気兼ね

0923

膨大《ぼうだい》

程度《ていど》や量《りょう》が、極《きわ》めて大《おお》きいこと。

インターネット
情報
情報
情報
情報
情報
情報
情報《じょうほう》
情報
情報
情報
情報

インターネット上《じょう》には、（　④　）な情報《じょうほう》があふれている。

0924

白紙《はくし》に戻《もど》す

物事《ものごと》の計画《けいかく》をなかったことにする。

まったく、お父《とう》さんったら…。
やっぱり許《ゆる》さーん！

がんこな父《ちち》の一声《ひとこえ》で、せっかくの計画《けいかく》が（　⑤　）った。

0925

共感《きょうかん》

ほかの人《ひと》の意見《いけん》などに、その通《とお》りだと感《かん》じること。

女王様《じょおうさま》がお呼《よ》びだよ。冬《ふゆ》に備《そな》えて食《た》べ物《もの》を集《あつ》めないと。
アーア
いつもあくせく…、きりぎりすみたいに自由《じゆう》に生《い》きたいなあ。
行《い》こ行《い》こ
まだまだだね
ポーン
意外《いがい》と大変《たいへん》なのね。

私《わたし》は、ありよりもきりぎりすの生《い》き方《かた》に（　⑥　）する。

答え　④膨大　⑤白紙に戻　⑥共感

0926

厳か《おごそ》

重々《おもおも》しく立派《りっぱ》な様子《ようす》。礼儀《れいぎ》正《ただ》しい様子《ようす》。

おお〜〜

今年《ことし》も、卒業式《そつぎょうしき》が（　①　）に行《おこな》われた。

0927

著《いちじる》しい

だれの目《め》にも明《あき》らかなほど、はっきりしていること。

いつの間《ま》にこんなに都会《とかい》になってたの？

久《ひさ》しぶりに訪《おとず》れた国《くに》の、（　②　）発展《はってん》におどろいた。

0928

目《め》から鼻《はな》へ抜《ぬ》ける

とてもかしこい様子《ようす》。

和訳《わやく》（ごめんなさい、何《なに》言ってるか、全然《ぜんぜん》分《わ》かりませ〜ん）
〜〜？
英語《えいご》もペラペラなんてすごい…！

あこがれの先輩《せんぱい》は、（　③　）才女《さいじょ》として有名《ゆうめい》だ。

答え　①厳か　②著しい　③目から鼻へ抜ける

0929

思《おも》いがけない

予想《よそう》していなかったこと。考《かんが》えたこともなかったこと。

ガオーッ！
ハイ、チーズ！
カシャッ
ピク…

人《ひと》はあわてると、（ ④ ）行動《こうどう》に出《で》るものだ。

0930

ほのか

わずかに。かすかに。ぼんやりと。

ん？
あいつの家《いえ》、
今日《きょう》は
カレーか…。

近所《きんじょ》の家《いえ》から、夕食《ゆうしょく》のいいにおいが（ ⑤ ）にただよう。

0931

仏《ほとけ》の顔《かお》も三度《さんど》

仏《ほとけ》のように温和《おんわ》な人《ひと》でも、何度《なんど》も無礼《ぶれい》なことをしたら腹《はら》を立《た》てる。

ノートを見《み》せてほしいって、今度《こんど》はおまえからたのめよ。おれは3回《かい》もたのんだんだ。
4回目《かいめ》だから、いやなんだよ！
ン…

（ ⑥ ）だから、何度《なんど》も迷惑《めいわく》をかけちゃいけないよ。

答え ④ 思いがけない ⑤ ほのか ⑥ 仏の顔も三度

0932

かけがえのない

ほかのものに代《か》えられない。とても大切《たいせつ》な。

ここにいるのは、みんな、（ ① ）仲間《なかま》だ。

0933

リテラシー

読《よ》み書《か》きができる能力《のうりょく》。ある分《ぶん》野《や》に関《かん》する知識《ちしき》や、それを生《い》かすことのできる能力《のうりょく》。

タイキ君《くん》の話《はなし》、またまちがってたよ。
だまってオレについてくればいいんだ！
強引《ごういん》なんキライ！
おかしいな～。ゲームの中《なか》の人《ひと》はそうアドバイスしてたんだけどなー。
エ〜ッ
キャラのちがいかな

情報《じょうほう》にまどわされないため、インターネット（ ② ）が重要《じゅうよう》だ。

0934

一員《いちいん》

メンバーの一人《ひとり》。構成員《こうせいいん》。

この子《こ》も、家族《かぞく》の一員《いちいん》です！

ペットも、うちの家族《かぞく》の大切《たいせつ》な（ ③ ）だ。

答え ①かけがえのない ②リテラシー ③一員

0935

目《め》と鼻《はな》の先《さき》

すぐ近《ちか》くにあること。

キーンコーンカーンコーン
この近《ちか》さで、なんで毎朝《まいあさ》遅刻《ちこく》できるのよ!
○○小学校《しょうがっこう》
ひえ〜

学校《がっこう》は、家《いえ》から（　④　）にある。

0936

張《は》りつめる

ぴんと張《は》った様子《ようす》。緊張《きんちょう》している様子《ようす》。

スーッ
ウオオーッ

試合前《しあいまえ》の（　⑤　）た空気《くうき》にたえ切《き》れず、深呼吸《しんこきゅう》をする。

0937

心当《こころあ》たり

思《おも》い当《あ》たること。あれこれ考《かんが》えて、心《こころ》にうかぶこと。

おれは探偵《たんてい》。標的《ひょうてき》を追《お》って、今日《きょう》も街《まち》をさまよう。
この辺《へん》にさいふ落《お》ちてませんでした?全財産《ぜんざいさん》
知《し》らないね〜
たまには、こんな失敗《しっぱい》もする…。

さいふをなくしたので、（　⑥　）を探《さが》す。

答え ④目と鼻の先 ⑤張りつめ ⑥心当たり

0938

くぎづけ

くぎで打《う》ちつけたように、動《うご》けなくなること。

彼《かれ》の演技《えんぎ》に、大勢《おおぜい》の人《ひと》が（①）になった。

0939

おしなべて

全部《ぜんぶ》同《おな》じようであること。ありふれていること。

おくれてすみません！
おっ、おこってる…！

遅刻《ちこく》したので、先生達《せんせいたち》が（②）こわい顔《かお》をしていた。

0940

聞《き》くは一時《いっとき》の恥《はじ》 聞《き》かぬは一生《いっしょう》の恥《はじ》

知《し》らないことを人《ひと》にたずねるのは、そのときははずかしく感《かん》じるが、聞《き》かなければ一生《いっしょう》はずかしいままだ。

あれ、なんて読《よ》むの？
ウ〜ン
スマホでどうやって調《しら》べるんだっけ？
教《おし》えてあげる！

（③）だから、今《いま》のうちにたくさん質問《しつもん》しておこう。

答え ①くぎづけ ②おしなべて ③聞くは一時の恥 聞かぬは一生の恥

身《み》についた言葉《ことば》の力《ちから》を確《たし》かめよう！

アタック・ザ・言葉《ことば》クイズ

45

あみだくじで進《すす》もう。線《せん》を1本《ぽん》足《た》して、正《ただ》しいことわざにするには、(ア)(イ)(ウ)のどれを選《えら》べばいいかな？

① 仏《ほとけ》の顔《かお》も

② 喉元《のどもと》過《す》ぎれば

③ 聞《き》くは一時《いっとき》の恥《はじ》

④ 待《ま》てば

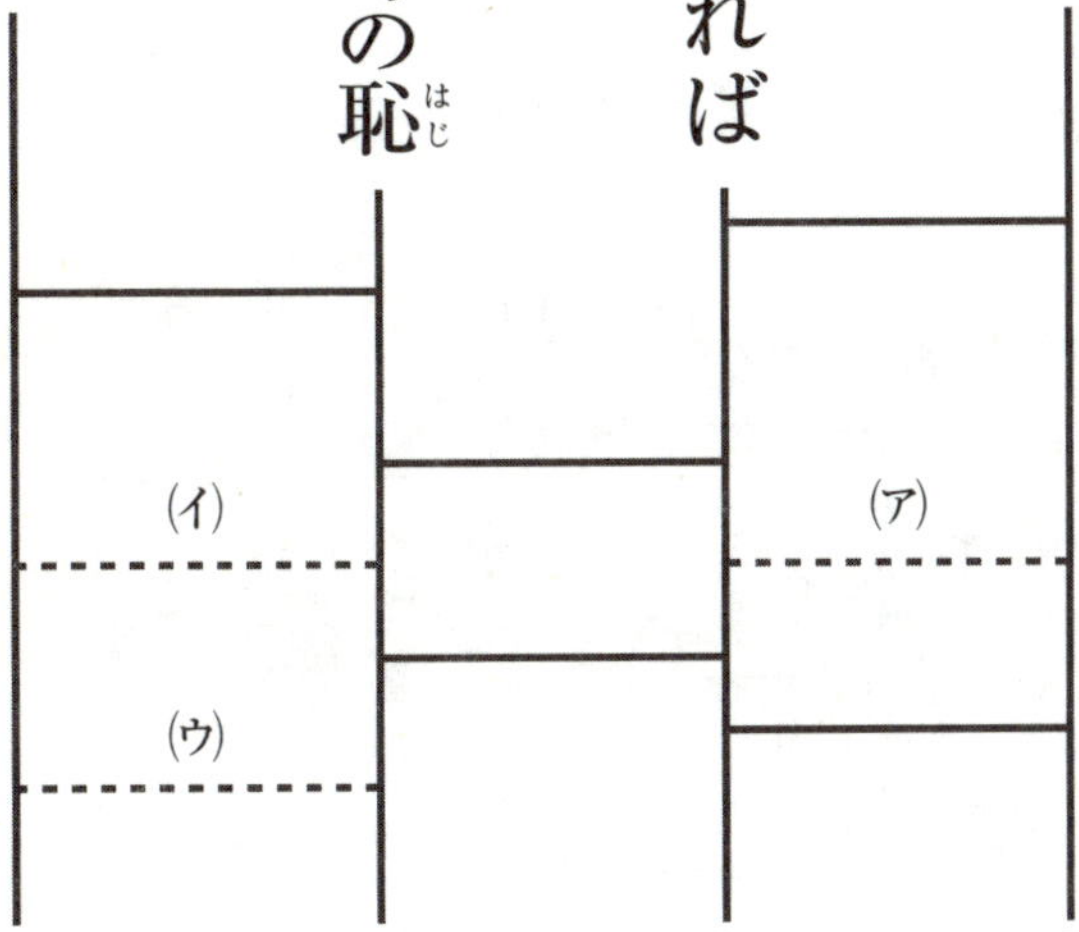

あ 三度《さんど》

い 熱《あつ》さを忘《わす》れる

う 聞《き》かぬは一生《いっしょう》の恥《はじ》

え 海路《かいろ》の日和《ひより》あり

⇒答《こた》えは393ページにあります。

0941

買《か》って出《で》る

自分《じぶん》から進《すす》んでやろうとする。

チームのまとめ役《やく》を（ ① ）。

0942

えてして

ある決《き》まった状況《じょうきょう》になりやすいさま。

末《すえ》っ子《こ》は、（ ② ）世《よ》わたりがうまいといわれる。

0943

愛着《あいちゃく》

大切《たいせつ》に感《かん》じて、はなれたくない気持《きも》ち。

小《ちい》さいころから遊《あそ》んでいるので、この人形《にんぎょう》には（ ③ ）がある。

答え ① 買って出る ② えてして ③ 愛着

0944

浮《う》き足《あし》立《だ》つ

不安《ふあん》があって、落《お》ち着《つ》きを失《うしな》うこと。

ワーーッ
またまたホームラーン！
あわわわ…

初回《しょかい》に連続《れんぞく》ホームランを打《う》たれ、選手達《せんしゅたち》が（　④　）。

0945

不動《ふどう》

動《うご》かないこと。安定《あんてい》していること。

あーサキちゃんだ〜〜
センター不動《ふどう》
かわいいー

あのアイドルは、小学生《しょうがくせい》の間《あいだ》で（　⑤　）の人気《にんき》がある。

0946

ルーツ

物事《ものごと》の始《はじ》まり。もとになっているもの。先祖《せんぞ》。

言《い》い伝《つた》えによると、ぼくの祖先《そせん》はこの地《ち》に天《てん》から降《お》りてきたらしい。
500年前《ねんまえ》
命《いのち》だけは助《たす》けてやる、とっとと出《で》てけ！
ワ〜ッ
城《しろ》落《お》としたぞ〜!!
空《そら》から人《ひと》が!!

自分《じぶん》の（　⑥　）を探《さが》す旅《たび》に出《で》る。

答え　④浮き足立つ　⑤不動　⑥ルーツ

0947

ことごとく

残《のこ》らず、全部《ぜんぶ》。すっかり。

私《わたし》は、
えっ、
え〜と…。
オロ
オロ
ごしょうかい
にあずかり
ました…。
え〜と…。

台本通《だいほんどお》りに覚《おぼ》えたのに、（　①　）忘《わす》れてしまった。

0948

味《あじ》をしめる

一度《いちど》うまくいったことが忘《わす》れられないで、また次《つぎ》を期待《きたい》してしまう。

駄菓子《だがし》
アイスクリーム
アタリ
ここ、ここ。
前《まえ》にアイス、
当《あ》たったんだ。
当《あ》たったら、
ごちそうして
くれる?

くじに当《あ》たって（　②　）ても、また当《あ》たるとは限《かぎ》らない。

0949

柳《やなぎ》の下《した》にいつもどじょうはいない

幸運《こううん》なことはいつも起《お》きるわけではない。

この間《あいだ》の
おじちゃん
じゃない。
おじさんは
お休《やす》みよ。
人《ひと》で選《えら》ぶか。
お店《みせ》で選《えら》ぶか。
ウ〜ン
そんなに
アタリなんて
出《で》ないわよ。
どっちでもいいわ！

（　③　）から、期待《きたい》しすぎないほうがいいよ。

答え　① ことごとく　② 味をしめ　③ 柳の下にいつもどじょうはいない

0950

取《と》りつく島《しま》もない

話《はな》をしようにも、取《と》り合《あ》ってくれない。

ごめん、言《い》いすぎた！
許《ゆる》して！
ピシッ
プイッ

謝《あやま》ったが、妹《いもうと》はそっぽを向《む》き、（　④　）かった。

0951

一向《いっこう》

まったく。少《すこ》しも。全然《ぜんぜん》。「一向《いっこう》に〜ない」の形《かたち》で使《つか》うことが多《おお》い。

おーい、お昼《ひる》だよー。
全然《ぜんぜん》起《お》きる気配《けはい》がないな〜。
ZZZ…

寝起《ねお》きの悪《わる》い彼《かれ》は、昼《ひる》になっても（　⑤　）に起《お》きてこない。

0952

明言《めいげん》

自信《じしん》をもって、はっきり言《い》い切《き》ること。

おまえらなら、きっとできる!!
去年《きょねん》も言《い》ってたよな……
去年《きょねん》とメンバーいっしょだけど

コーチが、「今年《ことし》のチームなら優勝《ゆうしょう》できる」と（　⑥　）する。

答え　④取りつく島もない　⑤一向　⑥明言

0953

取《と》らぬたぬきの皮算用《かわざんよう》

確実《かくじつ》に手《て》にしていないものをあてにして、計画《けいかく》を立《た》てること。

へへへ、お年玉《としだま》で、あれもしよう。これもしよう。
そうしよう！
そうしよう！

まだもらっていないお年玉《としだま》のつかい道《みち》を考《かんが》えるのは、（　①　）だ。

0954

頭角《とうかく》を現《あらわ》す

才能《さいのう》や実力《じつりょく》などが特《とく》に優《すぐ》れていること。

は、速《はや》い!!
友情
字《じ》を書《か》くのは苦手《にがて》なのにね…。

勉強《べんきょう》も運動《うんどう》も苦手《にがて》だが、意外《いがい》な分野《ぶんや》で（　②　）した。

0955

激高《げきこう》

感情《かんじょう》が高《たか》ぶって、ひどくおこること。

ドカッ
ぉぃコラー！
あっ危《あぶ》ない！
うちの選手《せんしゅ》に、わざとぶつかったな！

ひきょうなプレーを見《み》て、かんとくが（　③　）する。

答え ① 取らぬたぬきの皮算用　② 頭角を現　③ 激高

0956

手前《てまえ》みそ

自分《じぶん》のことを自分《じぶん》でほめること。自画自賛《じがじさん》。

これはおいしい！　自信作《じしんさく》！
もう絶対《ぜったい》、おいしいから食《た》べてみて！
う…うわあ〜…

（　④　）だが、今日《きょう》の料理《りょうり》はとてもおいしくできた。

0957

あげく

いろいろとやってみた結果《けっか》。結局《きょく》のところ。

アリ子《こ》さんが最初《さいしょ》に忠告《ちゅうこく》してくれてたら、こうはならなかったのに！

友達《ともだち》に文句《もんく》を言《い》われた（　⑤　）、八《や》つ当《あ》たりまでされた。

0958

百聞《ひゃくぶん》は一見《いっけん》にしかず

人《ひと》から何度《なんど》も聞《き》くより、自分《じぶん》の目《め》で一度《いちど》見《み》るほうが確《たし》かであること。

うさぎ見《み》えた？
いない!?
(月《つき》って、こんなだったのか…)

（　⑥　）だから、疑《うたが》うなら自分《じぶん》の目《め》で見《み》てごらんよ。

答え　④ 手前みそ　⑤ あげく　⑥ 百聞は一見にしかず

0959

レア

数《かず》が少《すく》なく、とてもめずらしいこと。まれ。

すっげー、超《ちょう》レアじゃん！
昭和《しょうわ》レトロ館《かん》
これでどうだっ！
パチッ

友達《ともだち》から（ ① ）なカードをもらった。

0960

旗色《はたいろ》

争《あらそ》いや議論《ぎろん》、勝負《しょうぶ》などの成《な》り行《ゆ》き。

いつまでゲームやってるの！
大体《だいたい》、お父《とう》さんもお母《かあ》さんも考《かんが》え古《ふる》いんだよ！
チェッ
そんなこと言《い》ったら、余計《よけい》にさせてもらえないよ～。

余計《よけい》な発言《はつげん》のせいで、賛成派《さんせいは》の（ ② ）が悪《わる》くなった。

0961

食《く》い違《ちが》う

うまくかみ合《あ》わない。

○×△☆○×（今回《こんかい》の負《ま》けはすべて私《わたし》の責任《せきにん》だ、すまない）
え、え～と、「君達《きみたち》の努力《どりょく》が足《た》りないから負《ま》けた」と言《い》っています…。
つうやく
はあ？
なんて無責任《むせきにん》な!!

英語《えいご》と日本語《にほんご》で、通訳《つうやく》の内容《ないよう》が（ ③ ）のは問題《もんだい》だ。

答え ①レア ②旗色 ③食い違う

身《み》についた言葉《ことば》の力《ちから》を確《たし》かめよう！

アタック・ザ・言葉《ことば》クイズ

46

二《ふた》つの言葉《ことば》を足《た》して、意味《いみ》に合《あ》う言葉《ことば》をつくろう。

㈹例《れい》 適当《てきとう》なところで終《お》わりにする。

切《き》る ＋ 上《あ》げる → （切り上げる）

① いろいろ考《かんが》えてみたものの、どうしてもよい考《かんが》えがうかばない。

思《おも》う ＋ 余《あま》る → （　　　　　）

② 朝《あさ》も夜《よる》も関係《かんけい》なく、ずっと一《ひと》つの物事《ものごと》に熱中《ねっちゅう》する。

明《あ》ける ＋ 暮《く》れる → （　　　　　）

③ 自分《じぶん》から進《すす》んでやろうとする。

買《か》う ＋ 出《で》る→ （　　　　　）

④ うまくかみ合《あ》わない。

食《く》う ＋ 違《ちが》う → （　　　　　）

⇒答《こた》えは 393 ページにあります。

0962

油《あぶら》を売《う》る

むだ話《ばなし》などをして、仕事《しごと》をなまけること。

母《かあ》ちゃん、まだ帰《かえ》ってこない。
何時間《なんじかん》かかるんだ。
あっ、帰《かえ》ってきた。えっ？まだ行《い》ってないのかよ！
お野菜《やさい》安《やす》かったわよ
へ〜ッ
そう

母《はは》は、買《か》い物《もの》の途中《とちゅう》、ご近所《きんじょ》で（　①　）くせがある。

0963

はざま

ものや事《こと》の間《あいだ》にある、わずかなすき間《ま》。

感動的《かんどうてき》なシーンだ…

雲《くも》の（　②　）から、太陽《たいよう》が一瞬顔《いっしゅんかお》をのぞかせた。

0964

かねて

以前《いぜん》からの。

よし…今《いま》より「おこづかいアップ計画《けいかく》」を実行《じっこう》に移《うつ》す。
まずはお母《かあ》さんをほめてほめて、ほめまくれ！

（　③　）からの計画《けいかく》を、ついに実行《じっこう》に移《うつ》すときが来《き》た。

答え　①油を売る　②はざま　③かねて

0965

根拠《こんきょ》

理由《りゆう》となるもの。

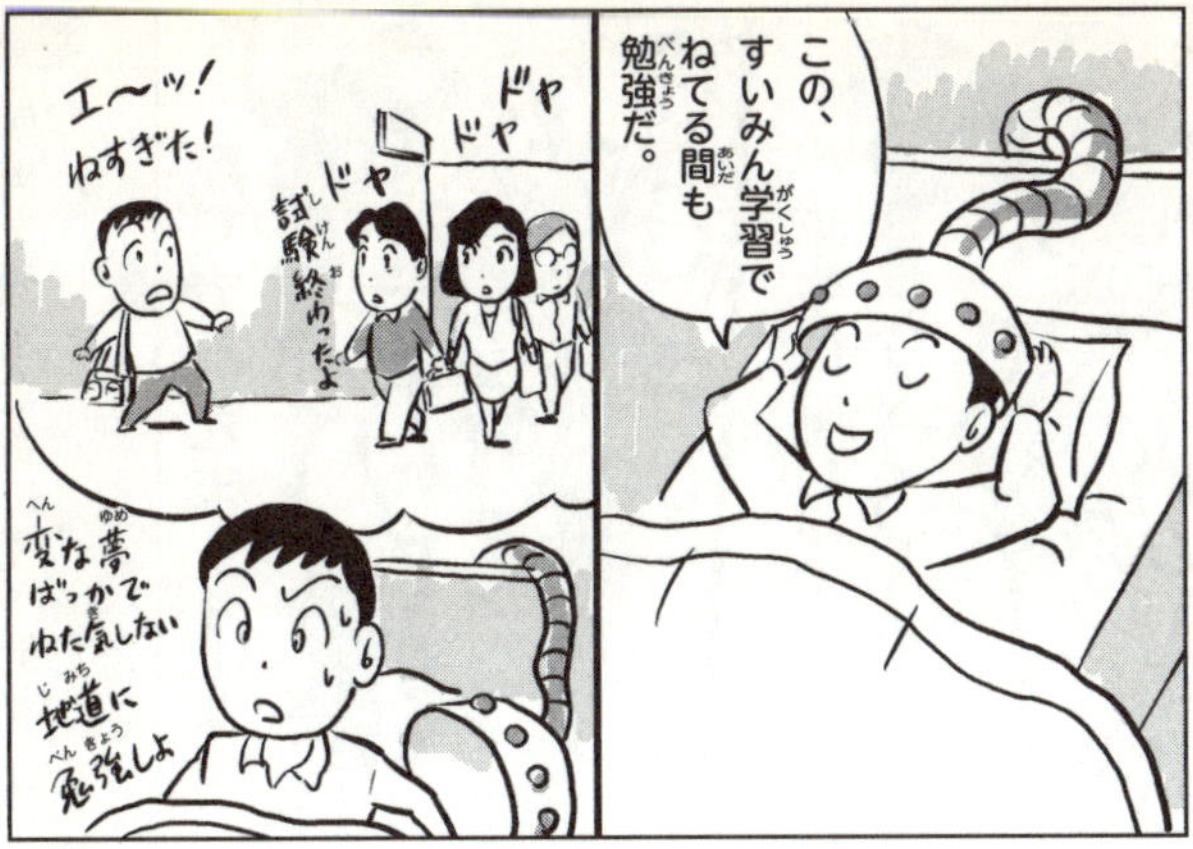
この、すいみん学習《がくしゅう》でねてる間《あいだ》も勉強《べんきょう》だ。
ドヤ ドヤ ドヤ
試験《しけん》終わったよ
エ〜ッ! ねすぎた!
変《へん》な夢《ゆめ》ばっかでねた気《き》しない
地道《じみち》に勉強《べんきょう》しよ

この暗記法《あんきほう》には、科学的《かがくてき》な（ ④ ）があるらしい。

0966

横着《おうちゃく》

できるだけ楽《らく》をしようとすること。ずるいこと。

ぬっ、ぬげないよ!

（ ⑤ ）をして一度《いちど》に服《ふく》をぬごうとしたら、うでがぬけなくなった。

0967

早起《はやお》きは三文《さんもん》の得《とく》

朝早《あさはや》く起《お》きると、よいことがあるものだ。

朝顔《あさがお》さん、おはよう! きれいにさいたね。

早起《はやお》きしたら、きれいな朝顔《あさがお》が見《み》られた。（ ⑥ ）だね。

答え ④根拠 ⑤横着 ⑥早起きは三文の得

0968

ただし

すでに述《の》べられたことに対《たい》して、例外《れいがい》を表《あらわ》すときに使《つか》う言葉《ことば》。しかし。

無料《むりょう》で教《おし》えまーす!
やったー
小学生《しょうがくせい》に限《かぎ》りまーす!
チェッ

講習《こうしゅう》は無料《むりょう》です。（ ① ）、子《こ》どものみの参加《さんか》となります。

0969

ごく

とても。ものすごく。

なんだこりゃ!
激辛《げきから》
ソース

（ ② ）わずかな量《りょう》でも、目《め》から火《ひ》が出《で》るほどからい。

0970

いたたまれない

どうにも気《き》まずくなって、そこにもういられなくなること。おだやかな気持《きも》ちでいられなくなること。

かめがまたいじめられてる!
かわいそうで見《み》ていられないよ。

いじめのニュースを見《み》るたびに、（ ③ ）気持《きも》ちになる。

答え ①ただし ②ごく ③いたたまれない

0971
うれえる　憂える
心配《しんぱい》する。気《き》づかう。

早《はや》く会社《かいしゃ》行《い》きなさい！
うーん、もう少《すこ》しで社長《しゃちょう》になれるんだよな～。
もちろんゲームの中《なか》だけど…
ピコピコ
ピコピコ

親《おや》というものは、子《こ》どもの将来《しょうらい》を（　④　）ものだ。

0972
うんざり
すっかりあきて、いやになる気《き》持《も》ち。

たまには本当《ほんとう》のサッカーで体《からだ》を動《うご》かしなさい！
ゲームによると、ドリブルはこう…。
シュートはこうね！
あ、まずボール買《か》わなきゃ。

お母《かあ》さんのうるさい小言《こごと》には、時々《ときどき》（　⑤　）する。

0973
黙殺《もくさつ》
無視《むし》して取《と》り合《あ》わないこと。相《あい》手《て》にしないこと。

私《わたし》の意見《いけん》も聞《き》いてくださいよ！
明日《あした》はテストです。
テスト反対《はんたい》！

少数派《しょうすうは》の意見《いけん》だからといって、（　⑥　）するのはまちがいだ。

答え　④うれえる　⑤うんざり　⑥黙殺

0974
すずめのなみだ
すずめの涙

ほんのわずかしかないこと。

…今月《こんげつ》のおこづかい
これだけ…？
先月《せんげつ》の前借《まえが》り、
多《おお》かった
からねー。

今月《こんげつ》は、（　①　）ほどの
おこづかいしかなかった。

0975
あらまし

大体《だいたい》の内容《ないよう》。概要《がいよう》。おおよそのところ。

マイナンバーって
大体《だいたい》のところ、
誕生日《たんじょうび》の
ことでしょ？
全然《ぜんぜん》
ちがうよ。

※マイナンバー制度《せいど》：国民一人《こくみんひと》ひとりに割《わ》り当《あ》てられる個人番号《こじんばんごう》を用《もち》いる制度《せいど》。

マイナンバー制度《せいど》の（　②　）を
教《おし》えてほしい。

0976
レッテルをはる

人《ひと》やものに対《たい》して、一方的《いっぽうてき》によくない評価《ひょうか》をつけること。

血液型《けつえきがた》
「XZ型《がた》」って
これ何《なに》？
あっ、えっ、
すいません。
ちょっと…。
しどろもどろ
地球人《ちきゅうじん》のふり
するのも
大変《たいへん》だな。

正直《しょうじき》に答《こた》えたら、変《か》わり者《もの》の
（　③　）られてしまった。

答え ① すずめのなみだ ② あらまし ③ レッテルをは

0977

いとしい

かわいくて、大事《だいじ》にしたい。

こういうときは、さすがの「百獣《ひゃくじゅう》の王《おう》」も優《やさ》しい気持《き も》ちに…。
ソ〜ッ
……と思《おも》いきや
むすめの最初《さいしょ》のごちそうにちょうどいい！
ガウ〜ッ
ヤッパリ

※百獣《ひゃくじゅう》の王《おう》：すべてのけものの中《なか》で、最強《さいきょう》のもの。特《とく》にライオンのこと。

私《わたし》は、生《う》まれたばかりのむすめが（④）くて仕方《しかた》がない。

0978

虫《むし》がいい

自分《じぶん》に都合《つごう》のいいことだけを考《かんが》えること。

これ買《か》って！
すばらしい!!
ねながら学《まな》べる!!!
すいみん学習《がくしゅう》マシン
ダメ。

楽《らく》して成績《せいせき》を上《あ》げたいなんて、（⑤）考《かんが》えだ。

0979

ふてくされる

不満《ふまん》に思《おも》うことがあって、投《な》げやりになったり、反抗的《はんこうてき》になったりすること。

君《きみ》、それは取《と》りすぎだろ。
トレーからはみだしてるし…。
いいじゃないですか、私《わたし》だっておなか減《へ》るんですよーだ。
プイッ

注意《ちゅうい》され、つい（⑥）た態度《たいど》をとってしまった。

答え ④いとしい ⑤虫がいい ⑥ふてくされ

0980

かさばる

大《おお》きくて、じゃまなこと。

大《おお》きいほうを宅急便《たっきゅうびん》で送《おく》って!
元払《もとばら》いでね!!
えっ…

荷物《にもつ》が（ ① ）ので、運《はこ》んでもらおう。

0981

遺憾《いかん》

期待通《きたいどお》りにならず、残念《ざんねん》に思《おも》うこと。自分《じぶん》のことにも、他人《たにん》のことにも用《もち》いる。

彼《かれ》がおやつを一人《ひとり》じめしてしまったことは、本当《ほんとう》に遺憾《いかん》に思《おも》います。

辞任《じにん》する政治家《せいじか》が会見《かいけん》を開《ひら》き、（ ② ）の意《い》を表《ひょう》した。

0982

立《た》つ鳥跡《とりあと》を濁《にご》さず

立《た》ち去《さ》るときは、見苦《みぐる》しくないようにしたほうがよい。

少《すこ》しぐらい置《お》いていってくれてもいいのにな。
アーッ ごちそうが…
さあ帰《かえ》ろう

遊《あそ》んだ後《あと》はきれいに片《かた》づけてから帰《かえ》ろう。（ ③ ）だよ。

答え ①かさばる ②遺憾 ③立つ鳥跡を濁さず

身《み》についた言葉《ことば》の力《ちから》を確《たし》かめよう！

アタック・ザ・言葉《ことば》クイズ

47

文字《もじ》をたどって、それぞれに合《あ》う言葉《ことば》を探《さが》そう。

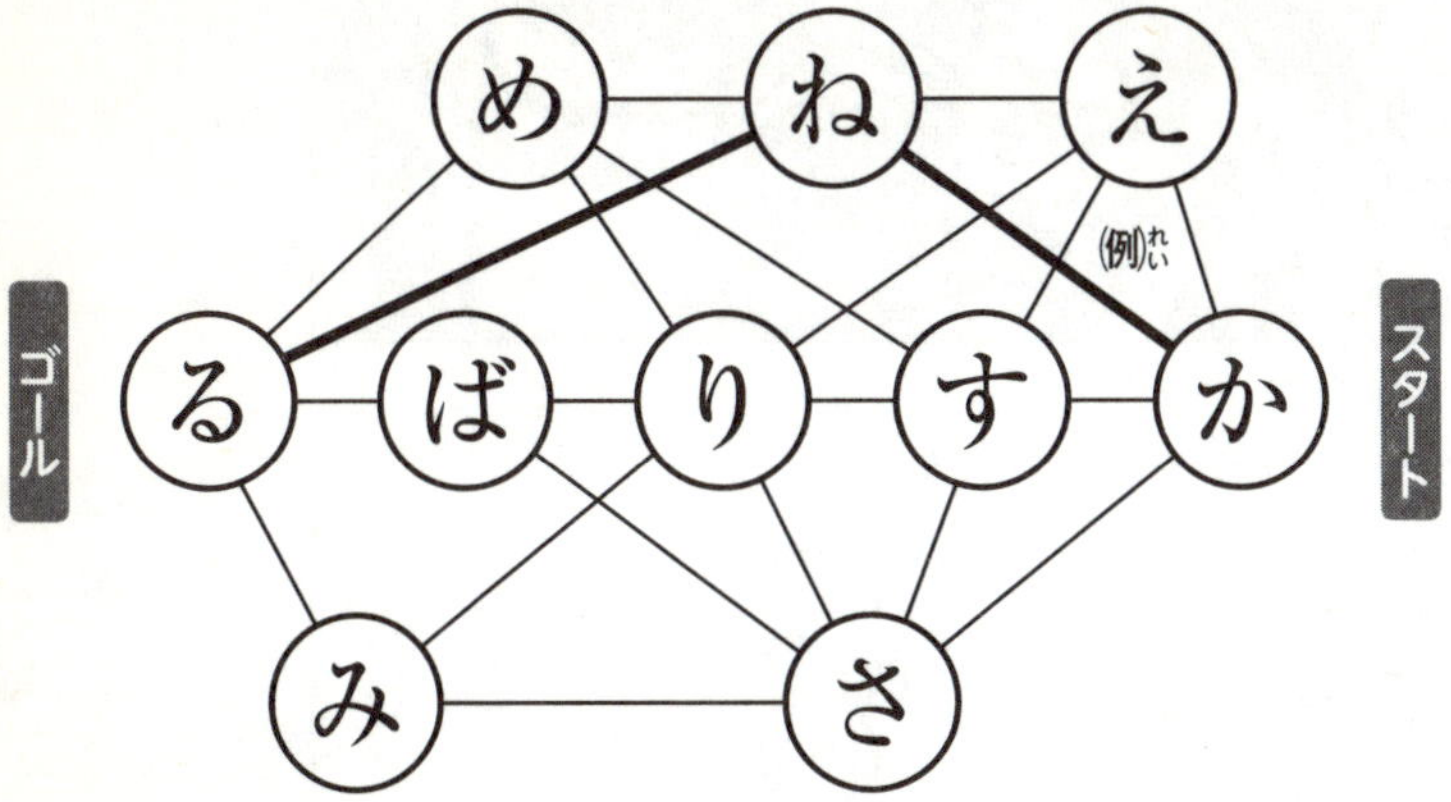

(例)《れい》 一度《いちど》に二《ふた》つの用《よう》をする。
か ね る

① 大《おお》きくて、じゃまなこと。
か ○ ○ る

② ふっと現《あらわ》れて、すぐ消《き》える。
か ○ ○ る

③ 昔《むかし》のことをふり返《かえ》って、考《かんが》える。
か ○ ○ ○ る

⇒答《こた》えは393ページにあります。

0983

かなた

ずっと向《む》こう。

出航《しゅっこう》じゃ！
アイアイサー！

この海《うみ》の（ ① ）に、宝《たから》の島《しま》があるらしい。

0984

一切《いっさい》

まったく。残《のこ》らず。

今日《きょう》で3日目《かめ》…。
フラフラ
ずっとねないなんて無理《むり》だよ、やめなよ！

（ ② ）すいみんをとらないと、人間《にんげん》はどうなるのだろう。

0985

案外《あんがい》

思《おも》っていたより。意外《いがい》と。

うまいじゃないか。
イラッシャイマセ〜
いつもは宇宙食《うちゅうしょく》だからな。
この銀河系《ぎんがけい》でただ1つの和食屋《わしょくや》
カポッ

評判《ひょうばん》はいまいちの店《みせ》だが、（ ③ ）おいしかった。

答え ①かなた ②一切 ③案外

0986
手塩《てしお》にかける
めんどうを見《み》て、大切《たいせつ》に育《そだ》てること。

祝《しゅく》
すごいで賞《しょう》
宿題《しゅくだい》を食《た》べる微生物《びせいぶつ》
発見《はっけん》!!
我《わ》が事《こと》のようにうれしいよ。
先生《せんせい》のおかげです!
パチ
パチ
パチ
パチ

見《み》こみのある研究者《けんきゅうしゃ》を、（④）て育《そだ》てる。

0987
博識《はくしき》
物事《ものごと》を広《ひろ》くよく知《し》っていること。

宇宙《うちゅう》のなぞ
恐竜《きょうりゅう》の進化《しんか》
理科《りか》の実験《じっけん》
日本史《にほんし》
何《なん》でも知《し》ってる先生《せんせい》!
ほ!
へ!

（⑤）な先生《せんせい》の授業《じゅぎょう》は、聞《き》いているだけでおもしろい。

0988
後悔《こうかい》
すんでしまったことをくやむこと。

ねてしまった自分《じぶん》がにくい…!
ダン

「昼寝《ひるね》なんかしなきゃよかった」と、うさぎは（⑥）した。

答え ④手塩にかけ ⑤博識 ⑥後悔

0989

ローカル

ある場所《ばしょ》や地域《ちいき》などに限《かぎ》られること。

大富豪《だいふごう》？ゲーム？負《ま》けたらおまえも貧民《ひんみん》に？そんなことはありえないさ。ルールを変《か》えたまえ。
パパ〜
リアルなヤツじゃん

トランプの「大富豪《だいふごう》」には、（ ① ）ルールが多《おお》い。

0990

株《かぶ》が上《あ》がる

周囲《しゅうい》からの評判《ひょうばん》がよくなる。

食器洗《しょっきあら》うね！
ありがとう！
ギュイイン
おねえちゃん株《かぶ》価《か》

最近《さいきん》、母《はは》の中《なか》で私《わたし》の（ ② ）っているらしい。

0991

いさめる

失敗《しっぱい》や悪《わる》いところを指摘《してき》し、改《かい》善《ぜん》するように注意《ちゅうい》すること。目《め》上《うえ》の人《ひと》に使《つか》う場合《ばあい》が多《おお》い。

くつしたは、ちゃんと洗濯《せんたく》かごに入《い》れるんでしょ！
もーっ
あ……
…すまん。

いつも、くつしたをぬぎっぱなしにする父《ちち》を（ ③ ）。

答え ①ローカル ②株が上が ③いさめる

0992

身《み》を粉《こ》にする

とても苦労《くろう》して働《はたら》くこと。

夏《なつ》
冬《ふゆ》

ありは1年中《ねんじゅう》、（　④　）して働《はたら》き続《つづ》けた。

0993

いたずらに

むだに。役《やく》に立《た》たずに。

すみません、分《わ》かりません…。
ちゃんと復習《ふくしゅう》しておかないからだぞ！

復習《ふくしゅう》を忘《わす》れたせいで、授業時間《じゅぎょうじかん》が（　⑤　）過《す》ぎていく。

0994

油《あぶら》をしぼる

失敗《しっぱい》や欠点《けってん》などを厳《きび》しく注意《ちゅうい》する。

ビフォー
このままじゃダメだ…
アフター
親方《おやかた》～、ぼくやりましたよ！
何《なん》の優勝《ゆうしょう》目指《めざ》してるんだ！

教《おし》え子《ご》には、時《とき》にしかって（　⑥　）ってやる必要《ひつよう》がある。

答え ④身を粉に ⑤いたずらに ⑥油をしぼ

0995

きらめく

きらきら光《ひか》る。まぶしくて目立《めだ》つ。

うちの子《こ》天才《てんさい》かも…！
バブ
パシャ
パシャ

あの子《こ》は、（　①　）ような絵《え》の才能《さいのう》をもっている。

0996

一応《いちおう》

とりあえず。一通《ひととお》りは問題《もんだい》ないが、十分《じゅうぶん》ではない様子《ようす》。

こんなに晴《は》れてるのに、かさを持《も》っていくの？
念《ねん》のためだよ。

外《そと》は晴《は》れていたが、（　②　）かさを持《も》って出《で》かけた。

0997

ぶ然《ぜん》

自分《じぶん》の思《おも》い通《どお》りにならず、失望《しつぼう》している様子《ようす》。

どうでしたか〜？うさぎさん。
残念《ざんねん》ながら2位《い》でしたが…。
次《つぎ》は油断《ゆだん》しませんから！
1

レースに負《ま》けた選手《せんしゅ》が、（　③　）とした態度《たいど》をとる。

答え　①きらめく　②一応　③ぶ然

0998
おそらく 恐らく
たぶん。きっと。

明日《あした》の戦《たたか》いでは、（ ④ ）もめることになるだろう。

0999
うらめしい 恨めしい
うらみに思《おも》う。残念《ざんねん》に思《おも》う。

信《しん》じていたのにうらぎられて、（ ⑤ ）気持《きも》ちだ。

1000
心苦《こころぐる》しい
相手《あいて》にすまない気持《きも》ちがする。

ルール違反《いはん》をしてしまい、（ ⑥ ）気持《きも》ちになる。

ここであいつを代打《だいだ》に出《だ》したら……
またもめるんだろうな。
またハナで打《う》ったろ?
キバで打《う》ったろ!?
なぜあそこで打《う》てない!? 信《しん》じていたのに。おまえにはがっかりだ!
いつものように鼻《はな》でバットをにぎればいいのに、なんでフツーに持《も》ったんだ!
ルールを守《まも》ったほうがいいかなと思《おも》って…。
ブン
ヨロッ
アウト～

答え ④おそらく ⑤うらめしい ⑥心苦しい

身《み》についた言葉《ことば》の力《ちから》を確《たし》かめよう！

アタック・ザ・言葉《ことば》クイズ

48

ヒントに合《あ》う言葉《ことば》をひらがなでマスに入《い》れよう。

⇒答《こた》えは 399 ページにあります。

タテのカギ

①次《つぎ》から次《つぎ》へと話《はなし》が盛《も》り上《あ》がる。「話《はな》に花《はな》が○○」

②話《はなし》をしようにも取《と》り合《あ》ってくれない。「取《と》りつく○○○○○」

③とても苦労《くろう》して働《はたら》くこと。「身《み》を○○○○」

④土地《とち》などがとてもせまいこと。「猫《ねこ》の○○○」

⑤試《こころ》みと失敗《しっぱい》をくり返《かえ》しながら、いい方法《ほうほう》を探《さが》していくこと。「○○○錯誤《さくご》」

⑥苦労《くろう》するばかりで利益《りえき》がなく、つかれだけが残《のこ》ること。「骨折《ほねお》り損《ぞん》の○○○もうけ」

⑦音《おと》がしないように、息《いき》を止《と》める。「○○を殺《ころ》す」

⑧すべてに共通《きょうつう》するさま。「だれもが使《つか》いやすいデザインを、『○○○○○デザイン』という」

⑨他人《たにん》の言動《げんどう》を不快《ふかい》に感《かん》じて、顔《かお》をしかめること。「○○をひそめる」

⑩期待通《きたいどお》りに事《こと》が進《すす》み、満足《まんぞく》すること。「○○○の一撃《いちげき》で、敵《てき》をたおす」

ヨコのカギ

①朝早《あさはや》く起《お》きると、よいことがあるものだ。「早起《はやお》きは○○○の得《とく》」

②あれこれ議論《ぎろん》するより、まちがいでないという事実《じじつ》を示《しめ》すほうが早《はや》い。「論《ろん》より○○○」

⑦まさしくその通《とお》り。「筋肉《きんにく》がついていて、○○○力《ちから》がありそうだ」

⑨急《いそ》いで失敗《しっぱい》するよりは、安全《あんぜん》な回《まわ》り道《みち》をしたほうがいい。「急《いそ》がば○○○」

⑪確実《かくじつ》だと保証《ほしょう》する。「○○○判《ばん》を押《お》す」

⑫思《おも》うようにならず、もどかしい。「○○○から目薬《めぐすり》」

⑬体《からだ》が大《おお》きいだけで、役《やく》に立《た》たない人《ひと》のたとえ。「うどの○○○」

⑭中途半端《ちゅうとはんぱ》で役《やく》に立《た》たないこと。「帯《おび》に短《みじか》し○○に長《なが》し」

⑮ある場所《ばしょ》や時間《じかん》にたどりつくこと。ある状態《じょうたい》になること。「ここに○○までに、10年《ねん》かかった」

言葉《ことば》クイズの答《こた》え

40 ①鼻《はな》 ②首《くび》 ③腰《こし》 ④顔《かお》

41 (下《した》の図《ず》の通《とお》り)

42 ①か ②わ ③す
かわす(交《か》わす)

43 ①㋐○ ㋑○ ㋒×
②㋐○ ㋑× ㋒○
③㋐○ ㋑○ ㋒×
④㋐○ ㋑○ ㋒×

44 ①かけもち
②おざなり
③くぎづけ

45 ㋒ (①あ ②い ③う ④え)

46 ①思《おも》い余《あま》る
②明《あ》け暮《く》れる
③買《か》って出《で》る
④食《く》い違《ちが》う

47 ①かさばる
②かすめる
③かえりみる

①た	て	い	②た						
			③か	ぶ	④と				
					⑤き	つ	⑥ね		
							ず		
							⑦み	や	こ

さくいん

総さくいん‥‥394
カタカナの言葉‥‥397
ことわざ‥‥397
四字熟語‥‥398
故事成語‥‥398
慣用句‥‥399

あ

- あいきょう‥132
- あいちゃく‥248
- あいつぐ‥275
- あいづちをうつ‥58
- あいて‥210
- あいにく‥262
- あいぞく‥44
- あおじゃしん‥254
- あおよう‥178
- あおていぶ‥82
- あくじせんりをはしる‥372
- あくしゅ‥200
- あくれる‥347
- あげく‥13
- あげる‥212
- あごでつかう‥189
- あさめしまえ‥240
- あさやか‥251
- あしがぼうになる‥375
- あしもとをみる‥187
- あしをしめる‥40
- あじをしめる‥234
- あしをひっぱる‥250
- あたまがあがらない‥248
- あたまかくしてしりかくさず‥362
- あたりまえ‥128
- あっけにとられる‥24
- あつらえる‥20
- あっぷでー‥42
- あてど‥38
- あてつけ‥338
- ‥370
- ‥19

い

- あとのまつり‥37
- あとばいす‥55
- あとはとなれやまとなれ‥359
- あなががあったらはいりたい‥14
- あなどる‥194
- あばたもえくぼ‥307
- あばなげない‥231
- あばらちとらず‥384
- あぶらをうる‥147
- あぶらをしぼる‥258
- あまふってじかたまる‥181
- あやふや‥93
- あらかじめ‥138
- あらためる‥238
- あらまし‥386
- ありあり‥23
- ありがたい‥256
- あわをくう‥256
- あわよくば‥187
- あわただしい‥200
- あわい‥253
- あんがい‥260
- あんじょう‥287
- あんずるよりうむがやすし‥205
- 255
- 245
- 378
- 261
- 355
- 12
- 142
- 277
- 242
- 24
- 28

い

- いあつ‥138
- いいはなつ‥238
- いいでもない‥386
- いかにも‥23
- いかんなく‥256
- いかん‥256
- いきごむ‥187
- いきころす‥200
- いきとうごう‥253
- いきをきってじゅうをしる‥287
- 205
- 264
- 390
- 366
- 192
- 303
- 380
- 389
- 202
- 269
- 99
- 260
- 11
- 95
- 132
- 326
- いくとうおん‥35
- 160
- 388
- 259
- 178
- 339

(続く)

き

- きもをつぶす … 15
- きます … 192
- きまぐれ … 378
- きまずい … 190
- きはく … 336
- きなが … 388
- きどあいらく … 168
- きづかい … 46
- きつかう … 130
- きそうてんがい … 134
- きっぱり … 330
- きしょうむけつ … 260
- きしかいせい … 338
- きしむ … 312
- きじ … 331
- きざむ … 362
- きこちない … 91
- きこえよがし … 468
- きぎは。(2表はっきみみはいっしょのは…) … 154
- きかわる … 149
- かんぜんむけつ … 127
- かんしんをかう … 125
- かんしゅう … 278
- かんせつ … 344
- かんだん … 172
- かわす … 181
- かろうじて … 362
- かるはずみ … 30
- かりてきたねこ … 362
- かりがねけ … 336
- かりすま … 388
- かぶがあがる … 190
- かぶとをぬぐ … 378
- かねる … 192
- かねがね … 15
- かなり … (312)

く

- くれぐれも … 326
- くれーむ … 94
- くるしまぎれ … 347
- くむ … 228
- くまなく … 279
- くびをながくする … 219
- くびがくする … 146
- くどい … 133
- くつろぐ … 283
- くつじょく … 294
- くさわけ … 304
- くさる … 268
- くぎをさす … 114
- くぎづけ … 307
- ぐたいてき … 190
- くちはわざわいのもと … 327
- ちぐはぐ … 368
- くちがおもい … 110
- くちぐるまにのる … 308
- くうぜん … 376
- くいちがう … 268
- くい …
- ぐろーばる・くわだてる … 315

け

- けあ … 166
- けいい … 356
- けいこ … 152
- けいご … 327
- けいそく … 348
- けいぞく … 335
- けりをつける … 390
- けたたましい … 23
- けっきょく … 335
- けわしい … 363
- けがのこうみょう … 67
- げきこう … 131
- げっそり … 346
- けんあく … 141
- げんかん … 50
- げんめい … 61
- けんぜんかい … 44
- きんとう … (52)
- きんせい … 143

こ

- ごらんになる … 118
- こりむちゅう … 318
- こぼれーしょん … 316
- こみゅにけーしょん … 124
- こぼれる … 85
- こともなげ … 189
- こどもなげ … 246
- ことさら … 360
- … (以下省略)

さ

- さんびょうそうろん … 60
- さんびょうそう … 266
- さんしょよればもんじゅのちえ … 116
- さわらぬかみにたたりなし … 301
- さりげなく … 219
- さぶらい … 150
- さとう … 109
- さっそう … 174
- さった … 139
- さだか … 155
- さぞ … 76
- させつ … 115
- させていなぶる … 134
- さすが … 304
- さじをなげる … 152
- さしひき … 202
- さしあげる … 211
- さしきる … 86
- さく … 98
- さえぎる … 102
- さいしん … 99
- さいさんさいし … 68
- さいおうがうま … 167
- こんわく … 294

し

- じゃくにくきょうしょく … 147
- じもんじとう … 295
- しめんそか … 213
- しめつ … 208
- しみじみ … 163
- しぶる … 67
- しばしば … 186
- しのびない … 188
- しのぐ … 234
- しのをけずる … 75
- しねん … 100
- しとめる … 197
- したためる … 330
- しだいに … 271
- したたか … 178
- したたる … 102
- しちゅーしょん … 123
- しっぱいはせいこうのもと … 126
- しつは … 146
- しりごみ … 80
- しりぬぐい … 171
- しらはのやがたつ … 158
- しらをきる … 276
- しらずしらず … 146
- しょうじらしい … 80
- じょしんわするべからず … 236
- しじつむこん … 31
- しじ … 287
- しこり … 232
- しごくさそく … 46
- しぐれ … 254
- しかに … 252
- じかに … 160
- しくじる … 180
- じが … 109
- じおれる … 170
- じえれーしょん … 186
- しいる … 175

す

- すずなり … 173
- すずめ … 285
- すけぶり … 251
- ずけずけ … 70
- すくなくとも … 96
- すきこそもののじょうずなれ … 143
- すぎるをおよばざるがごとし … 156
- すかさず … 248

せ

- せい : 71
- せいおう : 167
- せいじ : 102
- せいぜい : 138
- ぜいたく : 143
- せいてん : 75
- ぜーぜー : 174
- せーじつ : 141
- せーじ : 338
- せっかく : 130
- せったいぜつめい : 123
- せつない : 214
- せわしない : 205
- せめて : 188
- せんいっそく : 18
- せんざい : 11
- ぜんしない : 176
- せんさばんべつ : 159
- せんだいみもん : 213
- せんて : 101
- ぜんてひっしょう : 283
- せんぺんばんか : 184
- せんぽうこうこう : 176
- ぜんもんおくしてふねにのぼる : 51
- ぜんもん : 14
- せんりがん : 253

そ

- そうしょく : 79
- ぞうさない : 220
- そうとう : 221
- そーしゃ : 198
- そぐわない : 253
- そくざ : 181
- そこねる : 221
- そこをつく : 195
- そっせん : 230
- そっちょく : 215
- そっぽ : 211
- そでにする : 206
- そむける : 227
- そりがあわない : 382

た

- たーげっと : 357
- たい : 107
- たいきほんせい : 234
- たいはんせい : 208
- たいこぼんをおす : 166
- たいする : 53
- たいそれた : 22
- たいはんせい : 104
- たいどうしょうい : 262
- たいなし : 54
- たいぼう : 124
- たいれいてきと : 20
- たえず : 16
- たかをくくる : 188
- たかかが : 66
- たくみ : 34
- たさんのいし : 101
- たしなめる : 243
- だしぬく : 44
- だじゃれ : 53
- たしょう : 55
- だいじろぐ : 62
- たちどころに : 170
- たちまにごさず : 26
- たてつづけ : 10
- たてなおす : 30
- ただでさえ : 43
- ただひといき : 59
- たのだならず : 47
- だい : 53
- たずねあうとをにごさず : 243
- たぶん : 72
- たのみのつな : 13
- たびたび : 380
- たぬきねいり : 42
- たなからぼたもち : 53
- たなにあげる : 59
- だどし : 11
- たまにきず : 199
- たまをはる : 384
- ためし : 51

ち

- たりきほんがん : 69
- たわいない : 157
- たんい : 21
- たんとうちょくにゅう : 26
- たんてき : 19
- たんねん : 10
- たんぼう : 45
- ちめいてき : 95
- ちまなこ : 142
- ちなみに : 36
- ちちばのとも : 324
- ちくさい : 12
- ちくばのとも : 95
- ちんじ : 142
- だんぺんてき : 164
- ちょっかい : 71
- ちょうふく : 45
- ちゅうちょ : 10
- ちゅうしょうてき : 179
- ちょくえつ : 45
- ちりもつもればやまとなる : 39
- ちょくは : 359
- ちょきよっぱん : 36
- つ : 55
- ついきゅう : 35

つ

- つうじょう : 12
- つえなる : 324
- つえの : 36
- つかさめる : 142
- つかのま : 66
- つかれる : 179
- つきとすっぽん : 45
- つきつよっちょうちん : 10
- つぐ : 19
- つくす : 21
- つくろう : 26
- つけあがる : 157
- つけこむ : 69
- つじつま : 50
- つつぬけ : 173
- つにり : 54
- つぱせりあい : 175
- つぱきに : 50
- つぽたし : 67
- つまり : 78
- つなねて : 133
- つぷさに : 22
- つむぐ : 43
- 64 : 293

て

- てあたりしだい : 42
- であいすかっしょん : 58
- でーた : 45
- ていない : 70
- てうらい : 183
- てきめん : 144
- てきしょ : 351
- てこずり : 125
- でくのぼう : 155
- てしおにかける : 120
- でじたる : 387
- でたる : 258
- でもあしもない : 69
- であやく : 94
- てぬぐい : 71
- てぱなす : 94
- てみじか : 35
- てもめっと : 12
- てふあついうちにうて : 324
- てにあまる : 36
- でばん : 95
- てつはあついうちにうて : 179
- てっきり : 258
- てきれる : 387
- てきり : 12
- でーた : 70
- てっき : 45
- てつ : 351
- てー : 144
- ていかい : 183

と

- てんけいてき : 13
- てんぐになる : 61
- てんやく : 100
- でんしこうせっか : 84
- と : 293
- とうかくをあらわす : 271
- とうぜん : 272
- とうだいもとくらし : 250
- どうしつ : 63
- どうよう : 375
- とーれらず : 32
- とがめる : 71
- ときあかす : 94
- ときおり : 69
- ときかねない : 373
- ときなり : 132
- ときめく : 236
- ときめぐり : 224
- とくい : 374
- とくり : 106
- どくりつどっぽ : 207

- にがくる : 92
- にもかかわらず : 207

な

- なおざり : 29
- なかずとばす : 140
- なかだちち : 79
- なかぞめでいる : 74
- ながきからめぐすり : 84
- なごりしそ : 69
- にがいめてる : 373
- にぎない : 132
- にかいからめぐすり : 236
- にーず : 224
- なぬち : 374
- なさる : 106
- なじむ : 207
- なみだ : 111
- ないがしろ : 117
- なきつらにはち : 88
- なけなし : 285
- なかつら : 92
- なりたち : 150
- 304 : 117
- 56 : 31
- 199 : 86
- 235 : 270
- 255 : 203

に

- にちじょうさはん : 242
- にちじょうはん : 216
- にっしんげっぽ : 246
- にそくもん : 226
- にのあしをふむ : 83
- にのまい : 219
- にんしき : 150
- にゅーとらる : 122
- にゅうしゅ : 284
- 206 : 29

ぬ

- ぬかによぎ : 140
- ぬかよろこび : 79
- ぬくもり : 74
- ぬけめがない : 84

ね

- ねぎらう : 69
- ねぎでぃぷ : 373
- ねこでもかりもん : 132
- ねこのひたい : 236
- ねこもしゃくしも : 224
- ねこをかぶる : 374
- ねたこをおこす : 106
- ねつい : 45
- ねっとわーく : 207
- ねほりはほり : 111
- ねみみにみず : 117
- ねもはもない : 88

の

- のうあげる : 285
- ねんがん : 92
- ねんじる : 154
- のうとうてき : 239
- のうのは : 322
- のうどき : 261
- のぎゃ : 107

は

- はいけんする : 312
- はいすいのじん : 378
- はいない : 319
- はがゆい : 323
- はぐらかす : 363
- はぐせん : 387
- はくしにもどす : 182
- はくしき : 106
- はさま : 39
- はしたない : 208

ばじとうふう……72
はしにもぼうにもかからない……360
ぱたーん……203
はたいろ……376
ばっしんぐ……207
はっぽうびじん……307
はながたかい……295
はなから……147
はなしにはながさく……90
はなにかける……187
はにかむ……298
はばむ……183
ぱふぉーまんす……214
はめをはずす……127
はやおきはさんもんのとく……379
ばらえてぃー……222
はらがくろい……192
ぱらどっくす……229
はらをわる……356
ばらんす……263
はりつめる……367
はりのむしろ……164
はんしゃてき……340
はんしんはんぎ……136
はんめん……154

ひ

ひがん……196
ひけらかす……284
ひさしい……170
ひしめく……221
ひそか……263
ひそめる……258
ひたすら……267
ひたむき……274
ひつぜん……182
ひってき……292
ひてい……268
ひとかど……195
ひときわ……138
ひとづて……344
ひとのうわさもしちじゅうごにち……290
ひとのふりみてわがふりなおせ……320
ひとまず……282
ひにあぶらをそそぐ……349
ひにちじょうてき……331
ひのないところにけむりはたたない……231
ひやかす……188
ひゃくぶんはいっけんにしかず……375
ひゃっぱつひゃくちゅう……317
ひょうしぬけ……346
ひらきなおる……315
ひるがえす……291
ひるむ……325
ひんこうほうせい……66
ひんぱん……272

ふ

ふい……306
ふぃくしょん……252
ぶえんりょ……354
ふがいない……316
ふきゅう……336
ふくろのねずみ……179
ふげんじっこう……339
ぶざま……299
ふさわしい……308
ふじみ……197
ふしめ……286
ぶぜん……390
ふたしか……328
ふたたび……326
ぶたにしんじゅ……302
ふたん……300
ふでがたつ……298
ふてくされる……383
ふと……276
ふどう……371
ふなれ……311
ふにおちない……18
ふみにじる……288
ふみんふきゅう……104
ぷらいど……245
ぷらいばしー……237
ふるめかしい……303
ぷれっしゃー……224
ぷろぐらむ……218
ぷろせす……232
ぷろふぇっしょなる……212

へ

へだたり……294
へたなてっぽうもかずうちゃあたる……30
へんかん……310

ほ

ぼうぜん……271
ぼうだい……363
ぼうにふる……171
ぽじてぃぶ……206
ほしょう……349
ぼっとう……318
ほてる……280
ほとけのかおもさんど……365
ほねおりぞんのくたびれもうけ……302
ほねがおれる……266
ほのか……365
ほんごしをいれる……279
ほんらい……301

ま

まいぼつ……335
まいる……230
まかぬたねははえぬ……293
まぎらす……92
まぎらわしい……87
まごつく……48
まさしく……131
まじえる……124
またたくま……262
まちかねる……126
まっとうする……119
まつわる……118
まてばかいろのひよりあり……341
まどわす……103
まとをいる……270
まのあたりにする……223
まゆをひそめる……290
まわりくどい……100
まんがいち……139
まんぜんと……342

み

みかえす……91
みかねる……223
みがる……76
みくだす……108
みじん……350
みすごす……130
みずにながす……184
みずのあわ……275
みずをさす……112
みだりに……194
みっかてんか……354
みっかぼうず……50
みっくす……328
みっしょん……322
みにつまされる……295
みまがう……166
みみがいたい……171
みみにたこができる……152
みめい……116
みもふたもない……168
みるからに……150
みをこにする……389

む

むがむちゅう……58
むくい……87
むしがいい……383
むじゅん……18
むじょう……318
むしろ……98
むねがさわぐ……84
むやみ……204

め

めいかい……159
めいげん……373
めいじ……220
めうつり……80
めがたかい……186
めがない……108
めからはなへぬける……364
めしあがる……112
めっきり……151
めっせーじ……296
めったに……120
めでぃあ……306
めとはなのさき……367
めにあまる……88
めにはめをはにははを……286
めのうえのたんこぶ……309
めりっと……298
めをまるくする……29
めんたる……284
めんみつ……64

も

もうしあげる……218
もうす……93
もくさつ……381
もちはもちや……288
もちべーしょん……267
もっぱら……79
もてあます……175
もとづく……83
もともこもない……190
ものたりない……115
もばいる……278
もはや……158
もらる……285
もんぜんのこぞうならわぬきょうをよむ……287
もんどうむよう……325

や

やさき……128
やっき……122
やつぎばや……107
やどる……90
やなぎのしたにいつもどじょうはいない……372
やはり……104
やぶからぼう……359
やぶをつついてへびをだす……32
やましい……74
やみつき……136
やりだまにあげる……198

ゆ

ゆうがい……114
ゆうじゅうふだん……15
ゆうめいむじつ……195
ゆーもあ……333
ゆだんたいてき……101
ゆにばーさる……341

よ

ようい……270
よる……109

ら

らちがあかない……96
らんだむ……348

り

りある……357
りせい……62
りっしんしゅっせ……90
りてらしー……366
りょうてにはな……76
りょうやくはくちににがし……283
りょうりつ……134
りんきおうへん……48

る

るいじ……21
るいはともをよぶ……296
るーつ……371

れ

れあ……376
れってるをはる……382

ろ

ろうひ……148
ろーかる……388
ろんよりしょうこ……301

わ

わきがあまい……163
わきまえる……229
わきめもふらず……22
わずらう……34
わずらわしい……68
わだかまり……59
わたりにふね……75
わたるせけんにおにはない……103

カタカナの言葉

あ

アイテム……42
アクティブ……40
アップデート……58
アドバイス……24

い

イシュー……132
イメージ……27
インストール……74
インパクト……60

え

エネルギー……15
エピソード……36

お

オプション……123

か

カジュアル……56

カリスマ……30
き
ギャップ……52
キャラクター……44
キャリア……61
キャンセル……50
く
クオリティー……110
クレーム……94
グローバル……21
け
ケア……99
こ
コスト……115
コミュニケーション……46
コラボレーション……54
コンセプト……63
コンテンツ……12
コントロール……146
コンプレックス……148
さ
サスティナブル……191
サプライズ……150
し
シェア……175
ジェネレーション……186
システム……171
シチュエーション……178
シミュレーション……163
ショック……165
ジレンマ……194
シンプル……180
す
スタンス……138
せ
セオリー……174
センサー……159
センス……11
そ
ソーシャル……198
た
ターゲット……166
ダイレクト……188
ち
チェンジ……142
て
ディスカッション……183
データ……144
テーマ……82
テクノロジー……155
デザイン……157
デジタル……258
デメリット……250
と
トータル……243
トラウマ……247
トラブル……236
に
ニーズ……255
ニュアンス……261
ニュートラル……239
ね
ネガティブ……226
ネットワーク……220
の
ノウハウ……210
は
パターン……203
バッシング……207
パフォーマンス……214
バラエティー……222
パラドックス……229
バランス……263
ふ
フィクション……252
プライド……245
プライバシー……237
プレッシャー……224
プログラム……218
プロセス……232
プロフェッショナル……212
ほ
ポジティブ……206
み
ミックス……328
ミッション……322
め
メッセージ……296
メディア……306
メリット……298
メンタル……284
も
モチベーション……267
モバイル……278
モラル……285
ゆ
ユーモア……333
ユニバーサル……341
ら
ランダム……348
り
リアル……357
リテラシー……366
る
ルーツ……371
れ
レア……376
レッテルをはる……382
ろ
ローカル……388

故事成語

あ
圧巻……262
き
杞憂……141
漁夫の利……23
こ
五十歩百歩……32
さ
塞翁が馬……167
し
四面楚歌……213
す
杜撰……285
せ
千里眼……253
た
他山の石……243
蛇足……13
と
虎の威を借るきつね……224
は
背水の陣……39
む
矛盾……18

ことわざ

あ
悪事千里を走る……234
後は野となれ山となれ……242
あばたもえくぼ……227
あぶ蜂取らず……261
雨降って地固まる……245
案ずるより産むがやすし……238
い
石の上にも三年……38
石橋をたたいて渡る……326
急がば回れ……269
一を聞いて十を知る……275
一寸の虫にも五分の魂……202
井の中のかわず大海を知らず……216
う
馬の耳に念仏……342
え
絵に描いた餅……252
お
縁の下の力持ち……231
鬼に金棒……27
帯に短したすきに長し……218
か
溺れる者はわらをもつかむ……334
飼い犬に手をかまれる……27
かえるの子はかえる……294
壁に耳あり障子に目あり……362
き
聞くは一時の恥 聞かぬは一生の恥……368
九死に一生を得る……131
く
口は災いのもと……304
け
けがの功名……139
こ
弘法にも筆の誤り……37
さ
触らぬ神にたたりなし……301
三人寄れば文殊の知恵……116
し
失敗は成功のもと……210
朱に交われば赤くなる……156
初心忘るべからず……277
知らぬが仏……314
人事を尽くして天命を待つ……168
す
好きこそものの上手なれ……143
過ぎたるはなお及ばざるがごとし……96
すずめ百まで踊り忘れず……75
住めば都……323
せ
船頭多くして船山に上る……184
善は急げ……51
た
立つ鳥跡を濁さず……384
棚からぼた餅……167
ち
ちりも積もれば山となる……39
つ
月とすっぽん……29
月夜にちょうちん……342
て
鉄は熱いうちに打て……94
出るくいは打たれる……191
と
灯台下暗し……32
時は金なり……80
取らぬたぬきの皮算用……374
どんぐりの背比べ……79
飛んで火に入る夏の虫……140
とんびがたかを生む……29
な
泣き面に蜂……83
に
二階から目薬……270
ぬ
ぬかにくぎ……327
の
能あるたかは爪を隠す……303
喉元過ぎれば熱さを忘れる……350
は
早起きは三文の得……379
ひ
人のうわさも七十五日……290
人のふり見て我がふり直せ……320
火のない所に煙は立たない……231
百聞は一見にしかず……375
ふ
豚に真珠……302
へ
下手な鉄砲も数撃ちゃ当たる……30
ほ
仏の顔も三度……365
骨折り損のくたびれもうけ……302
ま
まかぬ種は生えぬ……293
待てば海路の日和あり……341
め
目には目を歯には歯を……286
も
餅は餅屋……288
門前の小僧習わぬ経を読む……287
や
柳の下にいつもどじょうはいない……372
やぶをつついて蛇を出す……32
り
両手に花……76
良薬は口に苦し……283
る
類は友を呼ぶ……296
ろ
論より証拠……301
わ
渡りに船……75
渡る世間に鬼はない……103

四字熟語

い
意気投合……14
異口同音……37
以心伝心……11
一期一会……264
一日千秋……255
一部始終……86
一進一退……64
一心同体……204
一心不乱……133
一石二鳥……267
一朝一夕……43
一長一短……237
一刀両断……52
う
右往左往……19

お
音信不通……151
か
我田引水……239
完全無欠……229
き
危機一髪……91
起死回生……10
起承転結……26
奇想天外……31
喜怒哀楽……130
急転直下……67
こ
古今東西……34
五里霧中……180
言語道断……222
さ
再三再四……68
賛否両論……60
し
自画自賛……35
自給自足……28
四苦八苦……85
試行錯誤……31
自業自得……46
事実無根……158
自問自答……295
弱肉強食……147
自由自在……119
十人十色……92
首尾一貫……183
心機一転……63
せ
絶体絶命……123
千差万別……176
前代未聞……18
先手必勝……101
千変万化……14
た
大器晩成……22
大同小異……124
他力本願……26
単刀直入……10
て
適材適所……351
電光石火……13
と
独立独歩……125
に
二束三文……86
日常茶飯……31
日進月歩……56
は
馬耳東風……72
八方美人……307
半信半疑……136
ひ
百発百中……317
品行方正……66
ふ
不言実行……339
不眠不休……104
み
三日天下……354
三日坊主……50
む
無我夢中……58
も
問答無用……325
ゆ
優柔不断……15
有名無実……195
油断大敵……101
り
立身出世……90
臨機応変……48

慣用句

あ
あげ足を取る……187
あごで使う……189
朝飯前……13
足が棒になる……62
足元を見る……200
味をしめる……372
足を引っ張る……82
頭が上がらない……254
後の祭り……28
穴があったら入りたい……278
油を売る……378
油をしぼる……389
泡を食う……23
い
息を殺す……359
息をのむ……55
板につく……303
一日の長……282
一目置く……88
一も二もなく……120
う
浮き足立つ……371
後ろ髪を引かれる……135
後ろ指を指される……346
うだつが上がらない……277
うつつをぬかす……93
腕を上げる……91
うどの大木……331
うなぎ上り……141
うのみ……330
うの目たかの目……280
馬が合う……282
売り言葉に買い言葉……23
うり二つ……306
お
おうむ返し……77
お茶を濁す……277
思うつぼ……355
折り紙つき……172
か
顔が広い……319
顔から火が出る……325
顔に泥を塗る……339
肩身が狭い……98
かたをもつ……191
株が上がる……388
かぶとをぬぐ……336
借りてきた猫……291
き
気が置けない……331
きもをつぶす……312
く
くぎをさす……327
口が重い……114
口車に乗る……268
口火を切る……344
首を長くする……279
け
けりをつける……85
こ
腰が低い……319
さ
さじを投げる……304
三拍子そろう……266
し
舌を巻く……102
しのぎをけずる……78
白羽の矢が立つ……309
白を切る……302
しり切れとんぼ……16
しりに火がつく……14
白い目で見る……157
心血を注ぐ……352
す
すずめのなみだ……382
図に乗る……167
図星を指す……71
せ
先手を打つ……283
そ
反りが合わない……357
た
太鼓判を押す……104
高をくくる……101
立て板に水……199
棚に上げる……196
たぬき寝入り……39
玉にきず……292
ち
竹馬の友……95
つ
つばぜり合い……78
て
手塩にかける……387
手前みそ……375
手も足も出ない……272
手を抜く……293
手を焼く……84
てんぐになる……100
と
頭角を現す……374
途方に暮れる……207
取りつく島もない……373
な
長い目で見る……122
鳴かず飛ばず……150
に
二の足を踏む……117
二の舞……304
ぬ
ぬか喜び……110
ぬけ目がない……256
ね
猫の手も借りたい……85
猫の額……334
猫もしゃくしも……350
猫をかぶる……355
寝た子を起こす……149
根掘り葉掘り……358
寝耳に水……160
根も葉もない……142
音を上げる……111
の
喉から手が出る……347
は
歯が立たない……106
白紙に戻す……363
箸にも棒にもかからない……360
鼻が高い……295
話に花が咲く……90
鼻にかける……187
羽目を外す……127
腹が黒い……192
腹を割る……356
針のむしろ……164
ひ
火に油を注ぐ……349
ふ
ふくろのねずみ……179
筆が立つ……298
ふに落ちない……18
ほ
棒にふる……171
骨が折れる……266
本腰を入れる……279
ま
的を射る……270
まゆをひそめる……290
み
水に流す……184
水の泡……275
水を差す……112
身につまされる……295
耳が痛い……171
耳にたこができる……152
身も蓋もない……168
身を粉にする……389
む
虫がいい……383
胸が騒ぐ……84
め
目が高い……186
目がない……108
目から鼻へ抜ける……364
目と鼻の先……367
目に余る……88
目の上のたんこぶ……309
目を丸くする……29
も
元も子もない……190
や
やぶから棒……359
やり玉に挙げる……198
ら
らちが明かない……96
わ
わきがあまい……163

言葉《ことば》クイズの答《こた》え

41 (左《ひだり》の図《ず》の通《とお》り)

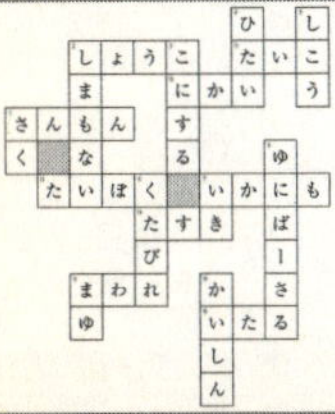

監修者

高濱 正伸（たかはま・まさのぶ）

花まる学習会代表。1959年、熊本県生まれ。東京大学農学部・同大学院卒業。学生時代から予備校等で受験生を指導する中、学力の伸び悩み・人間関係での挫折と引きこもり傾向などの諸問題が、幼児期・児童期の環境と体験に基づいていると確信。1993年、「メシが食える大人に育てる」という理念のもと、小学校低学年向けの学習教室「花まる学習会」を設立（現在は年中～中学生）。2015年より、佐賀県武雄市で官民一体型学校を開始。著書に『高濱正伸の絶対失敗しない子育て塾 完全版』（朝日新聞出版）、『高濱流 わが子に勉強ぐせをつける親の習慣37』（永岡書店）など多数。

花まる学習会ホームページ
http://www.hanamarugroup.jp/hanamaru/

STAFF

マンガ	前野コトブキ／タバタノリコ／藤井昌子／イワイヨリヨシ
本文デザイン	芦澤 伸・篠崎靖夫（東光美術印刷）
校正	くすのき舎
編集協力	高橋沙紀／永須徹也／佐藤友樹／石川 遍 和西智哉・梨子木志津（カラビナ）

マンガでわかる！
10才までに覚えたい言葉1000

監　　修	高濱正伸
発 行 者	永岡純一
発 行 所	株式会社永岡書店 〒176-8518　東京都練馬区豊玉上1-7-14 代表03-3992-5155　　編集03-3992-7191
印刷・製本	今井印刷

ISBN978-4-522-43423-9　C6081